RUSSIAN | РУССКИЕ
STORIES | РАССКАЗЫ
A BANTAM DUAL-LANGUAGE BOOK

Stories in the original Russian

Edited by
Gleb Struve
University of California

With translations, critical introductions,
notes and vocabulary
by the editor

W9-DEZ-599

THIS UNIQUE BOOK

has been designed to reward the casual reader and the language student alike.

When you open it, your eye will light upon two different languages. On the left-hand page you will find the authentic Russian text of a great short story by a representative master of the literature; on the right you will read a faithful English translation, so designed that each paragraph of the Russian text faces its English rendition.

Readers fascinated by the short story in general will find here many interesting and exciting examples. For those who wish to study the development of the form in Russian, the stories are arranged chronologically, so that the growth of the art may be followed, as well as enjoyed. Those who wish to practice Russian will find an excellent, working Russian-English vocabulary, and valuable notes on background material and unusual idioms.

learn the literature through the language, the language through the literature.

RUSSIAN STORIES
A BANTAM DUAL-LANGUAGE BOOK / published October 1961
2nd printing....August 1963
Bantam Language Library edition published February 1965
4th printing

With the exception of stories by Turgenev and Zamyatin, all the stories in this volume have been specially translated by Gleb and Mary Struve for use in this edition.

"A Living Relic," by Ivan Turgenev, was translated by Veronica M. Du Feu for this edition and revised by the editor.

"The Cave," by Evgeny Zamyatin, included with the permission of Agence Hoffman, on behalf of Mrs. L. Zamiatine. The translation of "The Cave," by Evgeny Zamyatin, was originally made by Alex M. Shane, for Professor Struve's seminar on translation at the University of California; it was published in revised form in OCCIDENT, with the permission of whose editors it is included in this collection with minor alterations.

"Sunstroke," by Ivan Bunin, included with the permission of William Aspenwall Bradley, literary agent for Madame Bounine. The translation of "Sunstroke" was specially prepared by Professor Gleb Struve for use only in RUSSIAN STORIES: A BANTAM DUAL-LANGUAGE BOOK. It appears with the permission of Random House, Inc., publishers of the volume GRAMMAR OF LOVE, by Ivan Bunin.

COVER ILLUSTRATION: St. Basil's Cathedral (Harrison Forman from Shostal)

Library of Congress Catalog Card Number: 61-65784

Bantam Books are published by Bantam Books, Inc., a subsidiary of Grosset & Dunlap, Inc. Its trade-mark, consisting of the words "Bantam Books" and the portrayal of a bantam, is registered in the United States Patent Office and in other countries. Marca Registrada. Bantam Books, Inc., 271 Madison Avenue, New York 16, New York.

PRINTED IN THE UNITED STATES OF AMERICA

CONTENTS

For those who are interested in this book primarily
as a linguistic tool, it is suggested that the stories
be read in the following approximate order of relative difficulty:

Pushkin, Tolstoy, Chekhov, Sologub, Bunin,
Turgenev, Zamyatin, Dostoevsky, Babel,
Zoshchenko, Gogol, Leskov.

FOREWORD

The story, or novella, as a literary genre has a much shorter history in Russia than in some of the countries of the West, but within the relatively short span there is enough richness and variety to make a representative selection rather difficult for the compiler of a short anthology. No doubt some names which the reader may justly expect to find in this volume will be missing.

Historically speaking, one should have begun perhaps with Nikolay Karamzin (1766-1826), one of the molders of literary Russian at the end of the eighteenth century, who was also largely instrumental in freeing Russian literature from its dependence on French neo-classicism and reorienting it toward German and English influences. But if the historical significance of Karamzin's stories, which reflect European "new sensibility," is beyond doubt, their artistic value has become questionable. One is therefore justified in taking Pushkin as the true starting point of the short story in Russian literature. Pushkin is, generally speaking, the fountainhead and the epitome of modern Russian literature. While a great many Russians may still argue about the relative merits of Tolstoy and Dostoevsky, or of Gogol and Turgenev, they are practically at one in looking upon Pushkin as *the* national genius of Russia. For most Russians, Pushkin holds the same relative place in their literature as does Dante in the Italian, Shakespeare in the English, and Goethe in the German. Some will say (in fact, it has been said) that while Russian literature has produced several great writers, it can boast of only three great phenomena: Pushkin, Dostoevsky, and Tolstoy.

To the present-day reader, especially in the West, Push-kin's stories may appear too simple, too transparent, too bare, too anecdotal. It is this bareness, this "naked sim-plicity"—to use his own expression—that Pushkin valued above all in the art of prose narrative. A contemporary of the European romantics, and himself in many ways a reno-vator of Russian literature, not uninfluenced by some aspects of romanticism, Pushkin was essentially a classicist. His sense of measure, his Mozartesque qualities stand out. In his formative years he was brought up on French litera-ture, and his prose in particular is marked by certain French qualities. Mérimée, who admired Pushkin very much and translated his "The Queen of Spades" into French and one of his poems into Latin, said once that Pushkin's phrasing was "quite French," adding that he meant "French of the eighteenth century." Pushkin's is the art of storytelling at its best, unhampered by any ex-ternal motives and considerations. But its surface sim-plicity may be deceptive: hidden beneath it is a great deal of subtlety.

Pushkin as a prose writer had little direct influence on Russian literature. Of the writers closest to him in time, Gogol stood poles apart from him in manner and style, while both Lermontov and Turgenev, who, in a general way, owed a great deal to him, wrote a much more poetic, emotionally saturated prose. (Some lovers of Russian litera-ture may miss Lermontov in this volume, but although his "Taman" has been proclaimed the best short story in the language—an opinion often attributed to Chekhov, but actually voiced by Grigorovich—it is not a separate story but part of a novel, and it would be illegitimate to tear it out of the larger context.) Dostoevsky, Tolstoy, Leskov, and other writers of the great age of Russian psychological realism, do not have Pushkin's precision, simplicity, and psychological nudity; Tolstoy's simplicity in his late crea-tive period (in the stories for the people, in "Alyosha Gorshok" and similar works) is of an entirely different nature. Of all the nineteenth-century Russian writers it was perhaps Chekhov who came closest to Pushkin's ideal, and it is not accidental that the protagonist of Boris Pasternak's *Doctor Zhivago* writes in his diary: "What I have come to like best in the whole of Russian literature is the childlike Russian quality of Pushkin and Chekhov, their modest reticence in such high-sounding matters as the ultimate purpose of mankind or their own salvation."

The fundamental difference between Pushkin and Gogol is too obvious to need stressing. The most influential Russian critics of the nineteenth century—Belinsky, Chernyshevsky, and their followers—were well aware of their essential differences but mistakenly regarded Gogol as a satirical realist primarily concerned with the social realities of Russia, and opposed him to Pushkin, the "pure poet," thus completely overlooking the element of the fantastic, the irrational, the *absurd,* which played such an important part in Gogol's work and which makes modern students of literature speak of the affinity between him and Kafka. Gogol's influence on the main line of development of Russian prose fiction in the nineteenth century was not very deep either, though in the case of Dostoevsky, and especially of early Dostoevsky, his purely stylistic influence cannot be denied. On the other hand, Gogol's impact on a number of modern Russian writers was very real: such writers as Andrey Bely and Alexey Remizov (neither of whom is represented in this anthology: the former because the short story was not his forte; the latter for sheer reasons of space—to the editor's great regret) and their postrevolutionary disciples owed very much to Gogol's inspiration. Gogol's influence is felt in the stories of Zamyatin, Babel, and Zoshchenko, who are included in the present volume.

In Zoshchenko's case one can also easily perceive the thread connecting him with Leskov who, though still insufficiently known in the West (he offers great difficulties for the translator), is recognized today as one of the major Russian prose writers of the past century. His impact on Russian literature has been particularly noticeable since the Revolution of 1917. Among his greatest admirers in modern times was Gorky. Young Soviet Russian authors of the 1920s appreciated Leskov's marvellous storytelling gift and were especially influenced by his *skaz* manner of

narrative, that is, the substitution for the author of a fictitious narrator whose peculiar intonations and idiosyncrasies
of speech are then faithfully rendered. The *skaz* had already been used by Gogol in some of his stories and by
several lesser writers of the 1840s and 1850s, but it was
Leskov who cultivated it most assiduously.

Although Leskov was at his best in the short story, he
also wrote social-psychological novels and belonged to the
period when the novel was the dominant literary form.
In the work of Turgenev, Dostoevsky and Tolstoy the novel
reached its "point of saturation," as Konstantin Leontyev
observed. With Chekhov we enter, in the 1880s, the period
when its place was taken by the short story. Chekhov himself is one of its greatest practitioners in world literature.
Next to him, among the Russians, must be placed Bunin.
Their art represents the aftermath of realism, a transition
to impressionism, and the next step leads to the neo-
realism of Zamyatin.

Feodor Sologub, one of the best of Russian symbolist
poets, occupies a place apart from the other authors. He
also wrote several novels (of which *The Petty Demon*
was described by Prince D. S. Mirsky in his well-known
book on Russian literature as the best Russian novel since
The Brothers Karamazov) and a number of highly original
stories, many of them about children, in which the classical limpidity of style, here and there spiced up by unusual
inversions, serves as a vehicle for modern morbid themes
and moods. Sologub is one of those "Decadents" who are
despised and neglected today in Communist Russia. None
of his stories have been reprinted since the Revolution, but
some of his poetry and *The Petty Demon* were reissued in
the 1930s, and, curiously enough, one of the remote provincial publishing houses in the Soviet Union (in Kemerovo,
South Siberia) brought out *The Petty Demon* again in
1958, after a more than twenty-year-long interval, with a
very short introduction in which the novel was said to
"have shown masterfully the decay of the nineteenth-century bourgeois-gentry society." No publicity was given to
this obscure edition.

There should hardly be any need to explain to the reader

that the absence of a number of names from this volume
is due solely to the reasons of space. Of the nineteenth-
century writers I would have liked to include Saltykov-
Shchedrin, the great satirist. Had there been more space at
my disposal I would have included Gorky, although I do
not think that as a short-story writer he is on a par with
Chekhov and Bunin. Such of their contemporaries as
Leonid Andreyev, Kuprin, Shmelyov, and Boris Zaitsev,
would all deserve a place in a wider anthology. Bryusov
and Zinaida Hippius among the Symbolists, and Remizov,
Alexey N. Tolstoy, and Sergeyev-Tsensky among the pre-
revolutionary neo-realists would also come in for consideration. Among postrevolutionary writers I would have liked
to add stories by Yury Olesha, Nikolay Tikhonov, Konstantin Paustovsky, and Vladimir Nabokov to make the picture
of recent developments more complete.

                                        Gleb Struve

RUSSIAN STORIES

ALEXANDER PUSHKIN
(1799-1837)

Alexander Sergeyevich Pushkin was born in Moscow. He was of mixed descent: on his father's side the family could trace its history in Russia six hundred years back, several of its representatives being mentioned, as minor figures, in historical annals. Pushkin's maternal great-grandfather was an Abyssinian princeling who was sent as a gift to Peter the Great by the Russian ambassador in Constantinople, became the Emperor's godson, and rose to be a general of the army. In 1828 Pushkin began writing a novel about the life of his African ancestor (*The Negro of Peter the Great*), but left it unfinished.

Pushkin received his education at the newly created and rather exclusive school, the Lyceum at Tsarskoye Selo. It was there that he began writing poetry, his first work being published as early as 1814. It would be futile to attempt to characterize Pushkin's role in Russian literature within such a short space. One Russian nineteenth-century critic called him "Our all." Elaborating on that, Dostoevsky in his famous address at the unveiling of Pushkin's statue in Moscow in 1880 developed the theme of Pushkin's "pan-humanity," seeing in it an expression of the receptivity of the Russian mind. Although in the second half of the nineteenth century social-minded Russian literary critics were inclined to dismiss Pushkin as a "pure poet," and opposed to him Gogol and other "realists," today Pushkin's place in Russian literature is beyond dispute. Besides the greatest body of lyrical poetry in the language, he wrote several longer narrative poems, including such a masterpiece as "The Bronze Horseman"; a novel in verse (*Eugene Onegin*); a historical drama inspired by Shakespeare (*Boris Godunov*); four highly original "little tragedies," and several prose works of which the best known are the novel *The Captain's Daughter* and the story, or novella, "The

Queen of Spades." The story chosen by us here comes
from the collection entitled *The Tales of Ivan Petrovich
Belkin,* which Pushkin published anonymously in 1830.

Pushkin himself said that in prose fiction, of which
Russian literature could not yet boast in those days, he
valued above all "brevity, precision, and naked simplicity."
In his own stories these qualities are displayed to perfec-
tion. They are masterfully told anecdotes, pruned of everything superfluous, and very carefully constructed. There is
invariably an original twist to the plot, and in each of the
stories one can detect the element of a subtle literary
parody, a take-off on this or that literary manner in vogue.
There is no doubt that in "The Stationmaster" there is such
a parody of Karamzin's fabulously popular story "Poor
Liza," a mawkishly tearful story of a young peasant girl
who commits suicide after being jilted by her gentleman
lover. This is doubled by a parody of the biblical parable
of the Prodigal Son: it is, after all, a story of a prodigal
daughter who makes good. Although Pushkin was probably
little concerned with the social-humanitarian implications
of his story, "The Stationmaster" came to be regarded by
the Russian critics and literary scholars as the seed out of
which grew the numerous "philanthropic" tales about
"poor clerks" and other underdogs of life.

Pushkin's life was cut short in its prime: he died on
January 29 (Old Style), 1837, of the wound received in
a duel which he fought, in defense of his wife's honor, with
a young French *émigré* d'Anthès who served as an officer
in one of the Russian Guards regiments.

СТАНЦИОННЫЙ СМОТРИТЕЛЬ
А. С. Пушкина

Коллёжский регистра́тор,[1]
Почто́вой ста́нции дикта́тор.
Князь Вя́земский.[2]

Кто не проклина́л станцио́нных смотри́телей, кто с ни́ми не брани́вался? Кто, в мину́ту гне́ва, не тре́бовал от них роково́й кни́ги, дабы́ вписа́ть в о́ную свою́ бесполе́зную жа́лобу на притесне́ние, гру́бость и неиспра́вность? Кто не почита́ет их изве́ргами челове́ческого ро́да, ра́вными поко́йным подья́чим,[3] и́ли по кра́йней ме́ре му́ромским разбо́йникам?[4] Бу́дем одна́ко справедли́вы, постара́емся войти́ в их положе́ние и, мо́жет быть, ста́нем суди́ть о них гора́здо снисходи́тельнее. Что тако́е станцио́нный смотри́тель? Су́щий му́ченик четы́рнадцатого кла́сса, ограждённый свои́м чи́ном то́кмо от побо́ев, и то не всегда́ (ссыла́юсь на со́весть мои́х чита́телей). Какова́ до́лжность сего́ дикта́тора, как называ́ет его́ шутли́во князь Вя́земский? Не настоя́щая ли ка́торга? Поко́я ни днём, ни но́чью. Всю доса́ду, нако́пленную во вре́мя ску́чной езды́, путеше́ственник вымеща́ет на смотри́теле. Пого́да несно́сная, доро́га скве́рная, ямщи́к упря́мый, ло́шади не везу́т — а винова́т смотри́тель. Входя́ в бе́дное его́ жили́ще, проезжа́ющий смо́трит на него́, как на врага́; хорошо́, е́сли уда́стся ему́ ско́ро изба́виться от непро́шенного го́стя; но е́сли не случи́тся лошаде́й?.. Бо́же! каки́е руга́тельства, каки́е угро́зы посы́плются на его́ го́лову! В дождь и сля́коть принуждён он бе́гать по двора́м; в бу́рю, в креще́нский моро́з ухо́дит он в се́ни, чтоб то́лько на мину́ту отдохну́ть от кри́ка и толчко́в раздражённого посто-

THE STATIONMASTER
Alexander Pushkin

> A cog in the administration,
> Dictator of a posting station...
> *Prince Vyazemsky*

Who has not cursed stationmasters, who has not bickered with them? Who, in a moment of rage, has not demanded from them the fateful book in order to write down in it his futile complaint at victimization, rudeness and inefficiency? Who does not consider them the outcasts of the human race, equal to the petty clerks of yore or at best to the brigands of Murom? Let us, however, be fair; let us try to put ourselves in their position, and perhaps we shall judge them much more leniently. What is a stationmaster? A veritable martyr of the fourteenth grade, protected by his rank from beatings only, and that not always (I refer to the conscience of my readers). What are the duties of this dictator, as Prince Vyazemsky facetiously calls him? Are they not really tantamount to a life at hard labor? No respite by day or by night. All the vexation accumulated during his dreary journey the traveler takes out on the stationmaster. Be the weather insupportable, the road bad, the driver stubborn, the horses reluctant—the stationmaster is to blame. The traveler who enters his poor dwelling looks upon him as an enemy; well and good if he can soon be rid of the uninvited visitor. But what if there are no horses? Lord, what oaths, what threats will be showered on his head! In rain and slush he is obliged to run the round of the village; in storms, in Epiphany frosts he retires into the passageway to have at least a moment's rest from the shouts and shoves of his irritated customer. A

я́льца. Приезжа́ет генера́л; дрожа́щий смотри́тель
отдаёт ему́ две после́дние тро́йки, в том числе́ курь-
е́рскую. Генера́л е́дет, не сказа́в ему́ спаси́бо. Че́-
рез пять мину́т — колоко́льчик!.. и фельдъе́герь⁵
броса́ет ему́ на стол свою́ подоро́жную!.. Вни́кнем во
всё э́то хороше́нько, и вме́сто негодова́ния се́рдце
на́ше испо́лнится и́скренним сострада́нием. Ещё не́-
сколько слов: в тече́ние двадцати́ лет сря́ду изъе́з-
дил я Росси́ю по всем направле́ниям; почти́ все по-
что́вые тра́кты мне изве́стны; не́сколько поколе́ний
ямщико́в мне знако́мы; ре́дкого смотри́теля не зна́ю
я в лицо́,⁶ с ре́дким не име́л я де́ла; любопы́тный за-
па́с путевы́х мои́х наблюде́ний наде́юсь изда́ть в не-
продолжи́тельном вре́мени; пока́мест скажу́ то́лько,
что сосло́вие станцио́нных смотри́телей предста́вле-
но о́бщему мне́нию в са́мом ло́жном ви́де. Сий столь
оклевета́нные смотри́тели вообще́ суть лю́ди ми́р-
ные, от приро́ды услу́жливые, скло́нные к общежи́-
тию, скро́мные в притяза́ниях на по́чести и не сли́ш-
ком сребролюби́вые. Из их разгово́ров (ко́ими не-
кста́ти пренебрега́ют господа́ проезжа́ющие) мо́ж-
но почерпну́ть мно́го любопы́тного и поучи́тельного.
Что каса́ется до меня́, то, признаю́сь, я предпочи-
та́ю их бесе́ду реча́м како́го -нибудь чино́вника 6-го
кла́сса, сле́дующего по казённой на́добности.

Легко́ мо́жно догада́ться, что есть у меня́ прия́-
тели из почте́нного сосло́вия смотри́телей. В са́мом
де́ле, па́мять одного́ из них мне драгоце́нна. Обстоя́-
тельства не́когда сбли́зили нас, и об нём-то наме́-
рен я тепе́рь побесе́довать с любе́зными чита́те-
лями.

В 1816 году́, в ма́е ме́сяце, случи́лось, мне проез-
жа́ть че́рез ***скую губе́рнию, по тра́кту, ны́не
уничто́женному. Находи́лся я в ме́лком чи́не, е́хал
на перекладны́х и плати́л прого́ны⁷ за две ло́шади.
Всле́дствие сего́ смотри́тели со мно́ю не церемо́ни-
лись, и ча́сто бира́л я с бою то, что, во мне́нии моём,
сле́довало мне по пра́ву. Бу́дучи мо́лод и вспы́льчив,
я негодова́л на ни́зость и малоду́шие смотри́теля,

general arrives—the trembling stationmaster lets him have the two last troikas, including the special messenger's. The general departs without saying thank you to him. Five minutes later—bells!... And a special courier throws on the table his travel document. Let us look into all this properly and, instead of indignation, our hearts will be filled with sincere compassion. A few more words: in the course of the last twenty years I have crossed and re-crossed Russia in all directions; nearly all the post roads are familiar to me; I am acquainted with several generations of drivers; few are the stationmasters whom I don't know by sight, few are those with whom I have had no dealings. I hope to publish shortly the interesting store of my traveling impressions; for the time being I shall only say that the class of stationmasters has been presented to the public in the most false light. These much maligned stationmasters are generally peaceful folk, by nature obliging, inclined to be sociable, modest in their ambitions and not too money-loving. From their conversation (which the traveling gentlemen mistakenly neglect) one may learn much that is curious and instructive. As for me, I confess that I prefer their conversation to the discourse of some civil servant of the sixth grade traveling on government business.

It is easy to guess that I have friends among the respectable class of stationmasters. Indeed, the memory of one of them is precious to me. Circumstances once brought us close together, and it is about him that I now propose to tell my gentle readers.

In the year 1816, in the month of May, I happened to be traversing N. Province along a post road which now no longer exists. My rank was low, I traveled by post-chaise in relays and my traveling allowance covered the price of only two horses. Because of that the stationmasters did not stand on ceremony with me and I often had to battle for what, in my opinion, belonged to me by rights. Being young and hotheaded, I felt indignant at the meanness and cowardice of a stationmaster when the latter would harness the

когда́ сей после́дний отдава́л пригото́вленную мне
тро́йку под коля́ску чино́вного ба́рина. Столь же
до́лго не мог я привы́кнуть и к тому́, чтоб разбо́р-
чивый холо́п обноси́л меня́ блю́дом на губерна́тор-
ском обе́де.[8] Ны́не то и друго́е ка́жется мне в по-
ря́дке веще́й. В са́мом де́ле, что бы́ло бы с на́ми,
е́сли бы вме́сто общеудо́бного пра́вила: ч и н ч и́ н а
п о ч и т а́ й, ввело́сь в употребле́ние друго́е, напри-
ме́р: у м у м а́ п о ч и т а́ й? Каки́е возни́кли бы
спо́ры! и слу́ги с кого́ бы начина́ли ку́шанье пода-
ва́ть? Но обраща́юсь к мое́й по́вести.

День был жа́ркий. В трёх верста́х от ста́нции
*** ста́ло накра́пывать, и че́рез мину́ту проливно́й
дождь вы́мочил меня́ до после́дней ни́тки. По при-
е́зде на ста́нцию пе́рвая забо́та была́ поскоре́е пе-
реоде́ться, втора́я — спроси́ть себе́ ча́ю. «Эй, Ду́-
ня!»[9] — закрича́л смотри́тель, — поста́вь самова́р
да сходи́ за сли́вками». При сих слова́х вы́шла из-
за перего́родки де́вочка лет четы́рнадцати и побе-
жа́ла в се́ни. Красота́ её меня́ порази́ла. «Это твоя́
до́чка?» — спроси́л я смотри́теля. — «До́чка-с,[10]
отвеча́л он с ви́дом дово́льного самолю́бия: — да
така́я разу́мная, така́я прово́рная, вся в поко́йни-
цу-мать». Тут он приня́лся перепи́сывать мою́ по-
доро́жную, а я заня́лся рассмотре́нием карти́нок,
украша́вших его́ смире́нную, но опря́тную оби́тель.
Они́ изобража́ли исто́рию блу́дного сы́на:[11] в пе́р-
вой почте́нный стари́к в колпаке́ и шла́фроке от-
пуска́ет беспоко́йного ю́ношу, кото́рый поспе́шно
принима́ет его́ благослове́ние и мешо́к с деньга́ми.
В друго́й я́ркими черта́ми изображено́ развра́тное
поведе́ние молодо́го челове́ка: он сиди́т за столо́м,
окружённый ло́жными друзья́ми и бессты́дными
же́нщинами. Да́лее промота́вшийся ю́ноша, в ру́би-
ще и в треуго́льной шля́пе, пасёт свине́й и разделя́ет
с ни́ми тра́пезу; в его́ лице́ изображены́ глубо́кая
печа́ль и раска́яние. Наконе́ц предста́влено возвра-
ще́ние его́ к отцу́; до́брый стари́к в том же колпаке́
и шла́фроке выбега́ет к нему́ навстре́чу: блу́дный

troika he had got ready for me to the carriage of some high-ranking gentleman. It took me just as long to get used to the way in which a discriminating lackey would pass me while serving a dish at a governor's dinner. Today both the one and the other seem to me to be in the order of things. Indeed, what would happen to us if, instead of the generally expedient principle: "Rank should respect rank," a different one were to be brought into use, such as for instance: "Mind should respect mind"? What disputes would arise! And whom would the servants serve first with food? But let me return to my narrative.

The day was hot. Three versts from station X. drops of rain began to fall and a minute later a downpour soaked me to the skin. Upon arrival at the station my first concern was to change my clothes as quickly as possible, and my second, to ask for tea. "Hi, Dunya!" called the stationmaster, "Start the samovar and go and fetch some cream." At these words a girl of about fourteen came out from behind a partition and ran into the passageway. I was struck by her beauty. "Is that your daughter?" I asked the stationmaster. "Yes, sir," he replied with an air of pleased pride, "and she is so sensible, so quick at her work, the very image of her late mother." Here he began to copy my travel document while I occupied myself with examining the pictures which adorned his humble but neat abode. They depicted the story of the prodigal son: in the first, a respectable-looking old man in a nightcap and dressing-gown is saying farewell to a restless youth who hurriedly receives his blessing and a bag of money. In the next, the dissolute behavior of the young man is portrayed with bold strokes: he sits at the table, surrounded by false friends and shameless women. Next, the ruined youth, in rags and a three-cornered hat, is herding swine and having his share of their meal; his face expresses deep sorrow and repentance. Finally, his return to his father is shown: the kindly old man, in the same nightcap and dressing-gown, runs out to meet him; the prodigal son is kneeling; in the background a

сын стоит на коленах; в перспективе повар убивает
упитанного тельца и старший брат вопрошает слуг
о причине таковой радости. Под каждой картинкой
прочёл я приличные немецкие стихи. Всё это доныне
сохранилось в моей памяти, так же как и горшки с
бальзамином и кровать с пёстрой занавескою, и прочие предметы, меня в то время окружавшие. Вижу,
как теперь, самого хозяина, человека лет пятидеся-
ти, свежего и бодрого, и его длинный зелёный сер-
тук с тремя медалями на полинялых лентах.

Не успел я расплатиться со старым моим ямщи-
ком, как Дуня возвратилась с самоваром. Маленькая кокетка со второго взгляда заметила впечатление, произведённое ею на меня; она потупила большие голубые глаза; я стал с нею разговаривать, она
отвечала мне безо всякой робости, как девушка, ви-
девшая свет. Я предложил отцу её стакан пуншу;
Дуне подал я чашку чаю, и мы втроём начали бе-
седовать, как будто век были знакомы.

Лошади были давно готовы, а мне всё не хотелось расстаться с смотрителем и его дочкой. Наконец я с ними простился; отец пожелал мне доброго
пути, а дочь проводила до телеги. В сенях я остановился и просил у ней позволения её поцеловать;
Дуня согласилась... Много могу я насчитать поце-
луев,

С тех пор, как этим занимаюсь,[12]

но ни один не оставил во мне столь долгого, столь
приятного воспоминания.

Прошло несколько лет, и обстоятельства привели
меня на тот самый тракт, в те самые места. Я вспомнил дочь старого смотрителя и обрадовался при
мысли, что увижу её снова. Но, подумал я, старый
смотритель, может быть, уже сменён; вероятно, Дуня уже замужем. Мысль о смерти того или другого также мелькнула в уме моём, и я приближался
к станции *** с печальным предчувствием.

Лошади стали у почтового домика. Вошед[13] в комнату, я тотчас узнал картинки, изображающие исто-

cook is killing the fatted calf and the elder brother asks the servants about the reason for all this rejoicing. Under each picture I read the appropriate German verses. All this is preserved in my memory to this day, as are the pots with balsamine and the bed with its motley curtain, and the other objects which surrounded me at that time. I can see, as though it were today, the host himself, a man of about fifty, fresh and hale, and his long green frock-coat with three medals on faded ribbons.

I had barely paid off my previous driver when Dunya came back with the samovar. The little flirt noticed at the second glance the impression she had made on me; she lowered her large blue eyes; I began talking to her; she answered me without any timidity, like a young girl who had seen the world. I offered her father a glass of punch; to Dunya I handed a cup of tea, and the three of us began chatting as though we had known each other for ages.

My horse had long been ready, but still I was loth to part with the stationmaster and his daughter. Finally, I took leave of them; the father wished me godspeed and the daughter saw me off to the cart. In the passageway I stopped and asked her permission to kiss her. Dunya consented. Many are the kisses I can number

Since I've been indulging in this sort of thing,

but not one did leave behind so lasting, so pleasant an impression.

Several years passed, and circumstances led me onto the same post road, to the same neighborhood. I remembered the daughter of the old stationmaster and rejoiced at the thought of seeing her again. But, thought I, the old stationmaster might have been replaced, Dunya is probably married by now. The possibility of one or the other of them having died also flashed through my mind, and I approached station X. with a sad foreboding.

The horses stopped by the posting station. On entering the room I immediately recognized the pictures illustrating рию блу́дного сы́на; стол и крова́ть стоя́ли на пре́жних места́х; но на о́кнах уже́ не́ было цвето́в, и всё круго́м пока́зывало ве́тхость и небреже́ние. Смотри́тель спал под тулу́пом; мой прие́зд разбуди́л его́; он привста́л... Это был то́чно Самсо́н Вы́рин; но как он постаре́л! Пока́мест собира́лся он переписа́ть мою́ подоро́жную, я смотре́л на его́ седину́, на глубо́кие морщи́ны давно́ небри́того лица́, на сго́рбленную спи́ну — и не мог надиви́ться, как три и́ли четы́ре го́да могли́ преврати́ть бо́дрого мужчи́ну в хи́лого старика́. «Узна́л ли ты меня́? — спроси́л я его́; — мы с тобо́ю ста́рые знако́мые», — «Мо́жет ста́ться, — отвеча́л он угрю́мо; — здесь доро́га больша́я; мно́го прое́зжих у меня́ перебыва́ло». — «Здоро́ва ли твоя́ Ду́ня?» — продолжа́л я. Стари́к нахму́рился. «А Бог её зна́ет», — отвеча́л он. «Так ви́дно она́ за́мужем?» — сказа́л я. Стари́к притвори́лся, бу́дто бы не слыха́л моего́ вопро́са, и продолжа́л пошёптом чита́ть мою́ подоро́жную. Я прекрати́л свои́ вопро́сы и веле́л поста́вить ча́йник. Любопы́тство начина́ло меня́ беспоко́ить, и я наде́ялся, что пунш разреши́т язы́к моего́ ста́рого знако́мца.

Я не оши́бся: стари́к не отказа́лся от предлага́емого стака́на. Я заме́тил, что ром проясни́л его́ угрю́мость. На второ́м стака́не сде́лался он разгово́рчив; вспо́мнил и́ли показа́л вид, бу́дто бы вспо́мнил меня́, и я узна́л от него́ по́весть, кото́рая в то вре́мя си́льно меня́ заняла́ и тро́нула.

«Так вы зна́ли мою́ Ду́ню? — на́чал он. — Кто же и не знал её? Ах, Ду́ня, Ду́ня! Что за де́вка-то была́! Быва́ло, кто ни прое́дет, вся́кий похва́лит, никто́ не осу́дит. Ба́рыни дари́ли её, та плато́чком, та серёжками. Господа́ прое́зжие наро́чно остана́вливались, бу́дто бы пообе́дать, аль оту́жинать, а в са́мом де́ле то́лько, чтоб на нее подо́лее погляде́ть. Быва́ло, ба́рин, како́й бы серди́тый ни был, при ней утиха́ет и ми́лостиво со мно́ю разгова́ривает. Пове́рите ль, суда́рь: курье́ры, фельдъегеря́ с не́ю по получа́су загова́ривались. Ею дом держа́лся: что при-the story of the prodigal son; the table and the bed stood in their former places; but there were no flowers on the window sills any more, and everything around betrayed decrepitude and neglect. The stationmaster was asleep under a sheepskin coat; my arrival awoke him, he sat up. . . . This was indeed Samson Vyrin, but how he had aged! While he was preparing to copy my travel document I looked at his gray hair, at the deep furrows on his long-unshaven face, at his stooped back—and could only marvel that three or four years could turn a vigorous man into a sickly and old one. "Do you recognize me?" I asked him, "we are old friends." "It could be," he replied gloomily, "this is a main road, I've had many travelers pass by." "Is your Dunya well?" I continued. The old man frowned. "God alone knows," he answered. "Then she is married?" I asked. The old man pretended not to hear my question and went on reading to himself, in an audible whisper, my travel document. I stopped my questioning and ordered the kettle to be put on. My curiosity was aroused and I hoped that some punch would loosen the tongue of my old friend.

I was not mistaken: the old man did not refuse the proferred glass. I noticed that the rum brightened his morose mood. At the second glass he became talkative; he remembered, or pretended to remember, me, and I heard a story from him which at the time interested and touched me very much.

"So you knew my Dunya?" he began. "But then who didn't know her? Oh, Dunya, Dunya! What a girl she was! Everyone who passed here used to praise her, no one had a bad word for her. Ladies gave her presents, some a handkerchief, some a pair of earrings. Traveling gentlemen made a point of stopping as if for dinner or supper, but in fact merely to have a longer look at her. A gentleman, no matter how cross he might be, would calm down in her presence and talk to me graciously. Would you believe it, sir, couriers, state-messengers would chat with her for as much as half-an-hour. She kept the house going; whatever бра́ть, что пригото́вить, за всем успева́ла. А я-то, ста́рый дура́к, не нагляжу́сь, быва́ло, не нара́дуюсь; уж я ли не люби́л мое́й Ду́ни, я ль не леле́ял моего́ дитя́ти; уж ей ли не́ было житьё? Да нет, от беды́ не отбожи́шься;[14] что суждено́, тому́ не минова́ть».[15] Тут он стал подро́бно расска́зывать мне своё го́ре. — Три го́да тому́ наза́д, одна́жды, в зи́мний ве́чер, когда́ смотри́тель разлинёвывал но́вую кни́гу, а дочь его́ за перегоро́дкой ши́ла себе́ пла́тье, тро́йка подъе́хала, и прое́зжий в черке́сской ша́пке,[16] в вое́нной шине́ли, оку́танный ша́лью, вошёл в ко́мнату, тре́буя лошаде́й. Ло́шади все бы́ли в разго́не. При сём изве́стии путеше́ственник возвы́сил бы́ло го́лос и нага́йку; но Ду́ня, привы́кшая к таковы́м сце́нам, вы́бежала из-за перегоро́дки и ла́сково обрати́лась к прое́зжему с вопро́сом: не уго́дно ли бу́дет ему́ чего́-нибудь поку́шать? Появле́ние Ду́ни произвело́ обыкнове́нное своё де́йствие. Гнев прое́зжего прошёл; он согласи́лся ждать лошаде́й и зака́зал себе́ у́жин. Сняв мо́крую косма́тую ша́пку, отпу́тав шаль и сдёрнув шине́ль, прое́зжий яви́лся молоды́м, стро́йным гуса́ром с чёрными у́сиками. Он расположи́лся у смотри́теля, на́чал ве́село разгова́ривать с ним и с его́ до́черью. По́дали у́жинать. Ме́жду тем ло́шади пришли́, и смотри́тель приказа́л, чтоб то́тчас, не кормя́, запряга́ли их в киби́тку[17] прое́зжего; но возвратя́сь, нашёл он молодо́го челове́ка почти́ без па́мяти лежа́щего на ла́вке: ему́ сде́лалось ду́рно, голова́ разболе́лась, невозмо́жно бы́ло е́хать... Как быть! смотри́тель уступи́л ему́ свою́ крова́ть, и поло́жено бы́ло,[18] е́сли больно́му не бу́дет ле́гче, на друго́й день у́тром посла́ть в С*** за ле́карем.

На друго́й день гуса́ру ста́ло ху́же. Челове́к[19] его́ пое́хал верхо́м в го́род за ле́карем. Ду́ня обвяза́ла ему́ го́лову платко́м, намо́ченным у́ксусом, и се́ла с свои́м шитьём у его́ крова́ти. Больно́й при смотри́теле о́хал и не говори́л почти́ ни сло́ва, одна́ко ж вы́пил две ча́шки ко́фе и, о́хая, заказа́л себе́ обе́д.

there was to tidy or to prepare, she managed it all. And I, old fool that I was, could not have enough of looking on it all and delighting in it; oh, did I not love my Dunya, did I not cherish my child! wasn't her life a good one? But trouble will seek you out—what must be must be." Here he began to recount his misfortune in detail.—Three years earlier, one winter evening, while the stationmaster was ruling lines in his new route book, and his daughter was sewing herself a dress behind the partition, a troika drew up and a traveler in a Circassian fur cap and military great-coat, wrapped in a shawl, came into the room and de-manded horses. All the horses were out. At this news the traveler was about to raise his voice and his whip when Dunya, accustomed to such scenes, ran out from behind the partition and sweetly inquired of the traveler whether he would not care to have something to eat. Dunya's ap-pearance had its usual effect. The traveler's rage subsided; he agreed to wait for horses and ordered supper. Taking off his wet, shaggy cap, disentangling the shawl and throwing off his greatcoat, the traveler turned out to be a young, well-built hussar with a small black mustache. He settled himself in the stationmaster's room and began to chat gaily with him and his daughter. Supper was served. In the meantime, some horses had arrived, and the stationmaster ordered them to be harnessed at once, unfed, to the tra-veler's sleigh; but on returning he found the young man lying on the bench almost unconscious: he had felt faint, his head had started to ache, it was impossible for him to travel. . . What was to be done? The stationmaster gave up his own bed to him, and it was decided, should the sick man feel no better, to send the next morning to S. for the doctor.

The next day the hussar was worse. His servant rode back to town for the doctor. Dunya wrapped a handker-chief soaked in vinegar round his head and sat by his bed with her sewing. In the presence of the stationmaster the sick man groaned and hardly uttered a word; nevertheless, he drank two cups of coffee and, groaning, ordered dinner.

Дуня от него не отходила. Он поминутно просил
пить, и Дуня подносила ему кружку ею заготовлен-
ного лимонада. Больной обмакивал губы, и всякий
раз, возвращая кружку, в знак благодарности, сла-
бою своею рукою пожимал Дунюшкину[20] руку. К
обеду приехал лекарь. Он пощупал пульс больного, поговорил с ним по-немецки, и по-русски объявил, что ему нужно одно спокойствие и что дни[21]
через два ему можно будет отправиться в дорогу.
Гусар вручил ему двадцать пять рублей за визит,
пригласил его отобедать; лекарь согласился; оба ели
с большим аппетитом, выпили бутылку вина и рас-
стались очень довольны друг другом.

Прошёл ещё день, и гусар совсем оправился. Он
был чрезвычайно весел, без умолку шутил то с Дунею, то с смотрителем; насвистывал песни, разговаривал с проезжими, вписывал их подорожные в поч-
товую книгу, и так полюбился доброму смотрителю,
что на третье утро жаль было ему расстаться с лю-
безным своим постояльцем. День был воскресный;
Дуня собиралась к обедне. Гусару подали кибитку.
Он простился с смотрителем, щедро наградив его
за постой и угощение; простился и с Дунею и вы-
звался довезти её до церкви, которая находилась на
краю)деревни. Дуня стояла в недоумении... «Чего же
ты бойшься? — сказал ей отец; — ведь его высоко-
благородие[22] не волк и тебя не съест; прокатись-ка
до церкви». Дуня села в кибитку подле гусара, слу-
га вскочил на облучок, ямщик свистнул, и лошади
поскакали.

Бедный смотритель не понимал, каким образом
мог он сам позволить своей Дуне ехать вместе с гусаром, как нашло на него ослепление и что тогда
было с его разумом. Не прошло и получаса, как
сердце его начало ныть, ныть, и беспокойство овла-
дело им до такой степени, что он не утерпел и пошёл
сам к обедне. Подходя к церкви, увидел он, что народ уже расходился, но Дуни не было ни в ограде,
ни на паперти. Он поспешно вошёл в церковь: свя-

Dunya would not leave him. He kept asking for a drink, and Dunya would offer him a mug of lemonade she had made. The sick man would moisten his lips and every time, on returning the mug, would press Dunyushka's hand with his own weak one in token of gratitude. By dinnertime the doctor arrived. He felt the patient's pulse, talked to him in German, and announced, in Russian, that all he needed was rest and that in two days time he would be fit to continue his journey. The hussar handed him twenty-five rubles for the visit and invited him to have dinner with him; the doctor accepted. Both of them ate with a good appetite, drank a bottle of wine and parted very pleased with each other.

Another day passed, and the hussar recovered completely. He was exceedingly gay, joked ceaselessly now with Dunya, now with the stationmaster; whistled tunes, talked with travelers, copied their documents into the post-stage book, and so endeared himself to the good stationmaster that by the third morning the latter was sorry to part with his pleasant guest. It was a Sunday; Dunya was going to mass. The hussar's sleigh was brought up. He took leave of the stationmaster, rewarding him handsomely for room and board; said good-bye to Dunya, too, and offered to give her a ride as far as the church, which was situated at the other end of the village. Dunya stood in indecision. . . "Well, what are you afraid of?" said her father to her, "his honor is not a wolf, he won't eat you; have a ride as far as the church." Dunya got into the sleigh next to the hussar, the servant jumped onto the box, the driver whistled, and the horses galloped off.

The poor stationmaster could not understand how he could actually have allowed Dunya to go with the hussar, how he came to be thus blinded, and what had been the matter with his reason. Half-an-hour had not gone by when his heart began to ache and ache and anxiety possessed him to such a degree that, unable to stand it any longer, he went himself to church. Approaching it he saw that people were already leaving, but Dunya was neither in the churchyard nor on the porch. Hurriedly, he entered the

щённик выходил из алтаря; дьячок гасил свечи, две
старушки молились ещё в углу; но Дуни в церкви
не было. Бедный отец насилу решился спросить у
дьячка, была ли она у обедни. Дьячок отвечал, что
не бывала. Смотритель пошёл домой ни жив, ни
мёртв.[23] Одна оставалась ему надежда: Дуня по вет-
рености молодых лет вздумала, может быть, прока-
титься до следующей станции, где жила её крёстная
мать. В мучительном волнении ожидал он возвра-
щения тройки, на которой он отпустил её. Ямщик
не возвращался. Наконец к вечеру приехал он
один и хмелён, с убийственным известием: «Дуня
с той станции отправилась далее с гусаром».

Старик не снёс своего несчастия; он тут же слёг
в ту самую постель, где накануне лежал молодой
обманщик. Теперь смотритель, соображая все обстоятельства, догадывался, что болезнь была при-
творная. Бедняк занемог сильной горячкою;[24] его
свезли в С*** и на его место определили на время
другого. Тот же лекарь, который приезжал к гусару, лечил и его. Он уверил смотрителя, что молодой человек был совсем здоров и что тогда ещё догадывался он о его злобном намерении, но молчал,
опасаясь его нагайки. Правду ли говорил немец, или
только желал похвастаться дальновидностию, но
он нимало тем не утешил бедного больного. Едва
оправясь от болезни, смотритель выпросил у С***
почтмейстера отпуск на два месяца и, не сказав никому ни слова о своём намерении, пешком отправился за своею дочерью. Из подорожной знал он, что
ротмистр Минский ехал из Смоленска[25] в Петербург. Ямщик, который вёз его, сказывал, что во всю
дорогу Дуня плакала, хотя, казалось, ехала по своей
охоте. «Авось, — думал смотритель, — приведу я
домой заблудшую овечку мою». С этой мыслию при-
был он в Петербург, остановился в Измайловском
полку,[26] в доме отставного унтер-офицера, своего
старого сослуживца, и начал свой поиски. Вскоре
узнал он, что ротмистр Минский в Петербурге и

church; the priest was coming out of the altar, the sexton was snuffing the candles, two old women were still praying in a corner. But Dunya was not there. The poor father forced himself to ask the sexton whether she had been to mass. The sexton answered that she had not. The stationmaster went home more dead than alive. One hope was left to him: in the heedlessness of her youth Dunya had perhaps decided to drive as far as the next station where her godmother lived. In an agony of suspense he waited for the return of the troika in which he had let her go. The driver did not return. At last, toward evening, he came alone and tipsy, with the disastrous news—from the next station Dunya had gone on with the hussar.

The old man could not stand his misfortune; he forthwith took to the same bed in which the young deceiver had lain the day before. Now the stationmaster, putting all the circumstances together, realized that the illness had been a pretense. The poor man fell ill with a high fever. He was taken to S., and another man was temporarily appointed in his place. The same doctor who had come to see the hussar treated him. He assured the stationmaster that the young man had been quite well and that he had suspected then and there his evil design, but, fearing his whip, had kept quiet. Whether the German spoke the truth, or merely wished to boast of his foresight, he certainly gave no comfort to his poor patient. Barely recovered, the stationmaster wangled a two-month leave of absence from the postmaster of S. and, without saying a word to anyone of his intention, set out on foot after his daughter. From the travel document he knew that Captain Minsky was on his way from Smolensk to Petersburg. The driver who had driven him said that Dunya had cried all the way even though she seemed to be going of her own free will. "Perhaps," thought the stationmaster, "I shall bring my stray lamb home." With this thought he arrived in Petersburg, stopped in Izmailovsky Regiment, in the house of his old comrade-in-arms, a retired noncommissioned officer, and began his search. He soon learned that Captain Minsky was in Petersburg and

живёт в Дéмутовом трактúре.[27] Смотрúтель решúл-
ся к немý явúться.

Рáно ýтром пришёл он в егó переднюю и просúл
доложúть егó высокоблагорóдию, что стáрый сол-
дáт прóсит с ним увúдеться. Воéнный лакéй, чúстя
сапóг на колóдке, объявúл, что бáрин почивáет и что
прéжде одúннадцати часóв не принимáет никогó.
Смотрúтель ушёл и возвратúлся в назнáченное врéмя. Мúнский вышел сам к немý в халáте, в крáсной
скуфьé. «Что, брат, тебé нáдобно?» — спросúл он
егó. Сéрдце старикá закипéло, слёзы навернýлись на
глазáх, и он дрожáщим гóлосом произнёс тóлько:
«Вáше высокоблагорóдие!.. сдéлайте такýю Бóже-
скую мúлость!..» Мúнский взглянýл на негó быстро,
вспыхнул, взял егó зá руку, повёл в кабинéт и зáпер
за собóю дверь. «Вáше высокоблагорóдие! — продолжáл старúк, — что с вóзу упáло, то пропáло;[28]
отдáйте мне по крáйней мéре бéдную мою Дýню.
Ведь вы натéшились éю; не погубúйте ж её пона-
прáсну». — «Что сдéлано, тогó не воротúшь,[29]
сказáл молодóй человéк в крáйнем замешáтельстве;
— виновáт пéред тобóю и рад просúть у тебя про-
щéния; но не дýмай, чтоб я Дýню мог покúнуть: онá
бýдет счáстлива, даю тебé чéстное слóво. Зáчем тебé её? Онá меня лю́бит; она отвыкла от прéжнего
своегó состоя́ния. Ни ты, ни онá — вы не забýдете
тогó, что случúлось». Потóм, сýнув емý что-то за
рукáв, он отворúл дверь, и смотрúтель, сам не пóм-
ня как, очутúлся на ýлице.

Дóлго стоял он неподвúжно, наконéц увúдел за
обшлагóм своегó рукавá свёрток бумáг; он вынул их
и развернýл нéсколько пятú и десятúрублёвых смя-
тых ассигнáций. Слёзы опять навернýлись на глазáх
егó, слёзы негодовáния! Он сжал бумáжки в комóк,
брóсил их нáземь, притоптáл каблукóм и пошёл...
Отошéд[30] нéсколько шагóв, он остановúлся, подý-
мал... и воротúлся... Но ассигнáций ужé нé было.
Хорошó одéтый молодóй человéк, увúдя егó, под-
бежáл к извóзчику, сел поспéшно и закричáл: «по-

staying at Demut's Inn. The stationmaster decided to go and see him.

Early in the morning he appeared in his anteroom and asked that his honor be told that an old soldier wished to see him. The orderly, who was polishing a boot on its tree, announced that his master was sleeping and would not be receiving anyone before eleven o'clock. The stationmaster left and returned at the appointed time. Minsky himself came out to him in a dressing-gown and a red skullcap. "What do you want, my friend?" he asked him. The old man's heart was seized with a strong emotion, tears welled up in his eyes, and all he could say in a trembling voice was: "Your honor, for God's sake have the goodness. . ." Minsky glanced at him quickly, flushed, took him by the arm, led him into the study and locked the door. "Your honor," continued the old man, "it's no use crying over spilled milk; at least give me back my poor Dunya. You've had your fun with her; don't ruin her for nothing." "What is done can't be undone," said the young man in extreme embarrassment. "I stand guilty before you and am glad to ask your forgiveness, but don't think that I could abandon Dunya: she will be happy, I give you my word of honor. What do you want with her? She loves me; she has grown unused to her former station in life. Neither she nor you will forget what has happened." Then, stuffing something into the cuff of his sleeve, he opened the door, and the stationmaster, without quite realizing it himself, found himself out in the street.

For a long time he stood motionless, then saw in the cuff of his sleeve a roll of papers. He took it out and unfolded several crumpled five- and ten-ruble notes. Tears again welled up in his eyes, tears of indignation! He squashed the notes into a ball, threw them on the ground, stamped on them with his heel and set off. . . After going a few paces he stopped, thought—and went back. But the notes were no longer there. On catching sight of him, a well-dressed young man ran up to a cab, got in hurriedly and shouted: "Be off!" The stationmaster did not pursue шёл!..» Смотри́тель за ним не погна́лся. Он реши́лся отпра́виться домо́й на свою́ ста́нцию, но пре́жде хоте́л хоть раз ещё уви́деть бе́дную свою́ Ду́ню. Для сего́, дня че́рез два, вороти́лся он к Ми́нскому; но вое́нный лаке́й сказа́л ему́ суро́во, что ба́рин никого́ не принима́ет, гру́дью вы́теснил его́ из пере́дней и хло́пнул две́ри ему́ под нос. Смотри́тель постоя́л, постоя́л — да и пошёл.

В э́тот са́мый день, ве́чером, шёл он по Лите́йной,[31] отслужи́в моле́бен у Всех Скорбя́щих.[32] Вдруг промча́лись пе́ред ним щегольски́е дро́жки, и смотри́тель узна́л Ми́нского. Дро́жки останови́лись пе́ред трёхэта́жным до́мом, у са́мого подъе́зда, и гуса́р вбежа́л на крыльцо́. Счастли́вая мысль мелькну́ла в голове́ смотри́теля. Он вороти́лся, и, поровня́вшись с ку́чером — «Чья, брат, ло́шадь? — спроси́л он, — не Ми́нского ли?» — «То́чно так»,[33] — отвеча́л ку́чер, — а что тебе́?» — «Да вот что: ба́рин твой приказа́л мне отнести́ к его́ Ду́не запи́сочку, а я и позабу́дь,[34] где Ду́ня-то его́ живёт». — «Да вот здесь, во второ́м этаже́. Опозда́л ты, брат, с твое́й запи́ской; тепе́рь уж он сам у неё». — «Ну́жды нет,[35] — возрази́л смотри́тель с неизъясни́мым движе́нием се́рдца, — спаси́бо, что надоу́мил, а я своё де́ло сде́лаю». И с э́тим сло́вом пошёл он по ле́стнице.

Две́ри бы́ли за́перты; он позвони́л, прошло́ не́сколько секу́нд в тя́гостном для него́ ожида́нии. Ключ загреме́л, ему́ отвори́ли. «Здесь стои́т Авдо́тья Самсо́новна?»[36] — спроси́л он. «Здесь, — отвеча́ла молода́я служа́нка; — заче́м тебе́ её на́добно?» Смотри́тель, не отвеча́я, вошёл в за́лу. «Нельзя́, нельзя́! — закрича́ла вслед ему́ служа́нка; — у Авдо́тьи Самсо́новны го́сти». Но смотри́тель, не слу́шая, шёл да́лее. Две пе́рвые ко́мнаты бы́ли темны́, в тре́тьей был ого́нь. Он подошёл к раство́ренной две́ри и останови́лся. В ко́мнате, прекра́сно у́бранной, Ми́нский сиде́л в заду́мчивости. Ду́ня, оде́тая со все́ю ро́скошью мо́ды, сиде́ла на ру́чке его́ кре́сел, как нае́здница на своём англи́йском седле́. Она́ с him. He decided to go home to his station, but first he wanted to see his poor Dunya at least once again. To this end, a couple of days later, he returned to Minsky's, but the orderly told him gruffly that his master was not receiving anyone, bodily pushed him out of the anteroom and slammed the door in his face. The stationmaster stood there, stood there—and then left.

That same day, in the evening, he was walking along Liteynaya Street after having said a "Te Deum" at the Church of the Lady of Our Sorrows. Suddenly, an elegant carriage whisked by him and he recognized Minsky. The carriage stopped in front of a three-storied house, right outside the entrance, and the hussar ran onto the porch. A happy idea flashed through the stationmaster's head. He went back and, as he was passing the coachman, he asked, "Whose horse is this, my friend? Isn't it Minsky's?" "That's right," answered the driver, "but what do you want?" "Well, it's like this: your master told me to take a note to his Dunya and I clean forgot where this Dunya of his lives." "Well, it's here, on the second floor. But you are late, friend, with your note, now he's with her himself." "Never mind," said the stationmaster with an indescribable feeling in his heart. "Thanks for putting me straight, I'll still do my errand." And with these words he went up the stairs.

The door was locked; he rang. Several seconds passed in agonizing expectation. The key rattled, the door was opened for him. "Does Avdotya Samsonovna live here?" he asked. "Yes," answered a young servant girl, "what do you want with her?" The stationmaster entered the hall without answering. "You mustn't, you mustn't!" cried the girl after him, "Avdotya Samsonovna has company." But the stationmaster, not heeding her, went on. The first two rooms were dark, in the third there was a light. He went up to the open door and stopped. In the beautifully furnished room Minsky sat, brooding. Dunya, dressed in the height of fashion, sat on the arm of his chair like a horsewoman on her English side-saddle. She looked tenderly at нѣжностью смотрѣла на Минского, наматывая чёрные его кудри на свои сверкающие пальцы[37] Бѣдный смотритель! Никогда дочь его не казалась ему столь прекрасною; он поневоле ею любовался. «Кто там?» — спросила она, не поднимая головы. Он всё молчал. Не получая отвѣта, Дуня подняла голову... и с криком упала на ковёр. Испуганный Минский кинулся её поднимать, и, вдруг увидя в дверях старого смотрителя, оставил Дуню и подошёл к нему, дрожа от гнѣва. «Чего тебѣ надобно? — сказал он ему, стиснув зубы; — что ты за мною всюду крадёшься, как разбойник? или хочешь меня зарѣзать? Пошёл вон!» — и сильной рукою, схватив старика за ворот, вытолкнул его на лѣстницу.

Старик пришёл к себѣ на квартиру. Приятель его совѣтовал ему жаловаться; но смотритель подумал, махнул рукой[38] и рѣшился отступиться. Через два дня отправился он из Петербурга обратно на свою станцию и опять принялся за свою должность. «Вот уже третий год, — заключил он, — как живу я без Дуни и как об ней нет ни слуху, ни духу.[39] Жива ли, нет ли, Бог её вѣдает. Всяко случается. Не её первую, не её послѣднюю сманил проѣзжий повѣса, а там подержал да и бросил. Много их в Петербургѣ, молоденьких дур, сегодня в атласѣ да бархатѣ, а завтра, поглядишь, метут улицу вмѣстѣ с голью кабацкою.[40] Как подумаешь порою, что и Дуня, может быть, тут же пропадает, так поневоле согрѣшишь да пожелаешь ей могилы...»

Таков был рассказ приятеля моего, старого смотрителя, рассказ неоднократно прерываемый слезами, которые живописно отирал он своею полою, как усердный Терентьич в прекрасной балладѣ Дмитриева.[41] Слёзы сии отчасти возбуждаемы были пуншем, коего вытянул он пять стаканов[42] в продолжение своего повѣствования; но как бы то ни было, они сильно тронули моё сердце. С ним разставшись, долго не мог я забыть старого смотрителя, долго думал я о бѣдной Дунѣ...

Minsky as she wound his black curls on her beringed fingers. The poor stationmaster! Never had his daughter looked so beautiful to him; he admired her against his will. "Who's there?" she asked without raising her head. He remained silent. Receiving no answer, Dunya raised her head . . . and with a scream fell on the carpet. Minsky, frightened, hastened to pick her up, but at the sudden sight of the old stationmaster in the doorway, left Dunya and went up to him, trembling with rage. "What do you want?" he asked him through clenched teeth. "Why do you go creeping after me everywhere like a brigand? Do you want to murder me? Get out!" And, seizing the old man by the collar with a strong hand, he pushed him out onto the staircase.

The old man went back to his quarters. His friend advised him to lodge a complaint, but after giving it some thought the stationmaster decided to forget the whole thing. Two days later he set out from Petersburg back to his station where he resumed his duties. "This is the third year," he concluded, "that I have been living without Dunya and that there hasn't been a sign of her. Is she alive or not, God alone knows. All sorts of things do happen. She is neither the first nor the last to be lured away by a passing rake, to be kept for a while and thrown off. There are many of them in Petersburg, silly little fools, today they are in satins and velvets, and tomorrow lo! they are sweeping the street along with the tavern scum. At times, when I think that Dunya may be lost like that, I can't help sinning and wishing her dead. . . ."

Such was the story of my friend, the old stationmaster, a story interrupted more than once by tears which he wiped away picturesquely with the hem of his coat like the faithful Terentyich in Dmitriev's beautiful ballad. These tears were partly brought on by the punch of which he had put away five glasses in the course of his narrative, but all the same they did touch my heart. After parting with the old stationmaster I could not forget him for a long time and for a long time kept thinking about poor Dunya. . . .

Недавно ещё, проезжая через местечко ***, вспомнил я о моём приятеле; я узнал, что станция, над которой он начальствовал, уже уничтожена. На вопрос мой: «Жив ли старый смотритель?» — никто не мог дать мне удовлетворительного ответа. Я решился посетить знакомую сторону, взял вольных лошадей[43] и пустился в село Н.

Это случилось осенью. Серенькие тучи покрывали небо; холодный ветер дул с пожатых полей, унося красные и жёлтые листья со встречных деревьев. Я приехал в село при закате солнца и остановился у почтового домика. В сени (где некогда поцеловала меня бедная Дуня) вышла толстая баба и на вопросы мой отвечала, что старый смотритель с год как помер, что в доме его поселился пивовар, а что она жена пивоварова. Мне стало жаль моей напрасной поездки и семи рублей, издержанных даром. — «Отчего ж он умер?» — спросил я пивоварову жену. «Спился, батюшка»,[44] — отвечала она. «А где его похоронили?» — «За околицей, подле покойной хозяйки его». — «Нельзя ли довести меня до его могилы?» — «Почему же нельзя. Эй, Ванька! полно тебе с кошкою возиться. Проводи-ка барина на кладбище, да укажи ему смотрителеву могилу».

При сих словах оборванный мальчик, рыжий и кривой, выбежал ко мне и тотчас повёл меня за околицу.

— Знал ты покойника? — спросил я его дорогой.

— Как не знать! Он выучил меня дудочки вырезывать. Бывало (царство ему небесное!),[45] идёт из кабака, а мы-то за ним: «Дедушка, дедушка! орешков!» — а он нас орешками и наделяет. Всё бывало с нами возится.

— А проезжие вспоминают ли его?

— Да ныне мало проезжих; разве заседатель[46] завернёт, да тому не до мёртвых. Вот летом проезжала барыня, так та спрашивала о старом смотрителе и ходила к нему на могилу.

— Какая барыня? — спросил я с любопытством.

Quite recently, passing through the little town of S., I remembered my friend. I learned that the station of which he had been in charge had been abolished. To my question, "Is the old stationmaster alive?" nobody could give a satisfactory answer. I decided to visit the familiar parts, hired some horses and set off for the village of N.

This was in autumn. Gray storm-clouds covered the sky; a cold wind blew off the stubble-fields, carrying red and yellow leaves from the trees it met on its way. I arrived in the village at sunset and stopped at the posting house. A fat woman came out, into the passageway (where once poor Dunya had kissed me); to my questions she replied that the old stationmaster had died about a year before, that a brewer had come to live in his house, and that she was the brewer's wife. I began to regret my useless trip and the seven rubles I had wasted on it. "But how did he come to die?" I asked the brewer's wife. "Drank himself to death, mister," she answered. "And where is he buried?" "Outside the village, by the side of his late missus." "Could someone take me to his grave?" "Why not? Hi, Vanka! quit fooling with that cat. Take the gentleman to the graveyard and show him the stationmaster's grave."

At these words a ragged boy, redheaded and with one good eye, ran out to me and forthwith conducted me outside the village.

"Did you know the dead man?" I asked him on the way.

"Sure I knew him! He taught me to carve whistles. He'd be coming from the tavern (may his soul rest in peace!) and we would run after him: 'Grandad, grandad! let's have some nuts,' and he would hand out some to us. He was always doing things with us."

"And do the travelers remember him?"

"Well, there aren't many travelers now; maybe the court assessor will drop in, but that one doesn't worry about the dead. But last summer a lady came; she did ask about the old stationmaster and went to his grave."

"What kind of lady?" I asked with curiosity.

— Прекра́сная ба́рыня, — отвеча́л мальчи́шка; — е́хала она́ в каре́те в шесть лошаде́й, с тремя́ ма́ленькими барча́тами и с корми́лицей, и с чёрной мо́ською; и как ей сказа́ли, что ста́рый смотри́тель у́мер, так она́ запла́кала и сказа́ла де́тям: «сиди́те сми́рно, а я схожу́ на кла́дбище». А я бы́ло вы́звался довести́ её. А ба́рыня сказа́ла: «Я сама́ доро́гу зна́ю». И дала́ мне пята́к серебро́м[47] — така́я до́брая ба́рыня!..

Мы пришли́ на кла́дбище, го́лое ме́сто, ниче́м не ограждённое, усе́янное деревя́нными креста́ми, не осенёнными ни еди́ным деревцо́м. Отроду не вида́л я тако́го печального кла́дбища.

— Вот моги́ла ста́рого смотри́теля, — сказа́л мне ма́льчик, вспры́гнув на гру́ду песку́, в кото́рую врыт был чёрный крест с ме́дным о́бразом.

— И ба́рыня приходи́ла сюда́? — спроси́л я.

— Приходи́ла, — отвеча́л Ва́нька; — я смотре́л на неё и́здали. Она́ легла́ здесь и лежа́ла до́лго. А там ба́рыня пошла́ в село́ и призвала́ попа́, дала́ ему де́нег и пое́хала, а мне дала́ пята́к серебро́м — сла́вная ба́рыня!

И я дал мальчи́шке пятачо́к и не жале́л уже́ ни о пое́здке, ни о семи́ рубля́х, мно́ю истра́ченных.

"A fine lady," answered the boy. "She drove in a carriage with six horses, with three well-dressed little kids and a wet nurse and a black pug; and when she was told that the old stationmaster had died she began to cry and said to the children: 'You stay here quietly while I go to the cemetery.' And I offered to take her there. But the lady said: 'I know the way.' And she gave me five kopecks in silver—such a kind lady. . . ."

We had come to the graveyard, a bare place, unenclosed, dotted over with wooden crosses, and unshaded by a single tree. In all my life I had not seen such a melancholy graveyard.

"Here's the old stationmaster's grave," said the boy, jumping onto a pile of sand into which was set a black cross with a copper ikon.

"And did the lady come here?" I asked.

"She did," replied Vanka; "I watched her from a distance. She lay down here and lay for a long time. And then the lady went to the village, called the priest, gave him some money and drove away; and to me she gave five kopecks in silver—such a nice lady!"

I, too, gave the boy a five-kopeck piece and no longer regretted either the trip or the seven rubles I had spent.

NIKOLAY GOGOL
(1809-1852)

Nikolay Vasilievich Gogol-Yanovsky (he dropped the second half of his family name) was born in the little town of Sorochintsy—it figures in one of his stories on which Mussorgsky based his short comic opera—in the Province of Poltava. His family was Ukrainian (or Little Russian, as Gogol himself would have said) Cossack gentry. His father was a small landowner and an amateur playwright who, unlike his son, wrote in Ukrainian. After studying at the Lyceum of Nezhin, Gogol went to St. Petersburg and entered civil service. Later he taught history at the Young Ladies' Institute and even at the University of St. Petersburg, though in this latter job he almost immediately proved a failure. He had come to Petersburg with literary ambitions and a long narrative poem in his pocket. Upon its publication, it proved a complete flop: Gogol bought up the copies and destroyed them. Stung by this setback he decided to emigrate to America but went only as far as Lubeck. Befriended and encouraged by Zhukovsky, Pushkin and other writers of their circle, he brought out in 1831 and 1832 the two volumes of *Evenings on a Farm Near Dikanka,* followed in 1835 by two volumes of *Mirgorod* and two volumes of *Arabesques* (which contained his first Petersburg stories). In April 1836 his comedy *Revizor* (The Government Inspector), which many believe to be the greatest comedy in the Russian language, was produced in Petersburg. It had a mixed reception. Rather in a huff, Gogol left Russia and for the next twelve years lived abroad, in Rome and elsewhere. There he wrote *The Overcoat* and the first volume of *Dead Souls,* his greatest work. Gogol's last years were marked by a profound psychological and religious crisis. Suffice it to mention: the publication of his *Selected Passages from a Correspondence with Friends* (in 1847), a book of great conceit and yet of undoubted sincerity which incensed even his closest friends and greatest well-wishers; his frantic trip to the Holy Land in quest of spiritual comfort (1848); his subsequent fits of ascetic self-mortification; his burning of his manuscripts, including most of the second volume of *Dead Souls* (1852). The account of the details of Gogol's death reads like a grotesque nightmare from one of his own works.

Gogol is one of the most enigmatic and controversial figures in Russian literature, both as a man and as a writer. Belinsky and other social-minded critics extolled him as the father of Russian realism. This view was firmly held through most of the nineteenth century, but was revised and reversed in modern times by such men as Rozanov, Merezhkovsky, Bryusov, and Bely. Soviet criticism has now reverted to the old view of Gogol as a satirical social realist. Would it not be more proper, however, to see in him a surrealist *avant la lettre?*

"The Nose," on which Gogol began to work in 1833, was published by Pushkin in 1836 in the third issue of his *Sovremennik.* Prior to that the story had been rejected by a reputable Moscow magazine as "common" and "filthy." Pushkin provided it with the following editorial note: "N. V. Gogol has long objected to the publication of this joke. But we found in it so much that was unexpected, fantastic, jolly, and original, that we persuaded him to allow us to share with the public the pleasure it has afforded us."

The story has been subjected to a variety of interpretations: in terms of Freudian complexes and in terms of social symbolism (the nose as a symbol of social status, of self-esteem conferred on man by his rank). The possible influence of Sterne's *Tristram Shandy* and of Hoffmann (or rather a parody of him) has also been mentioned. Perhaps it would be safer to side with Pushkin and treat the story as a joke, as sheer nonsense for nonsense's sake. As D. S. Mirsky said, "In it more than anywhere else Gogol displays his extraordinary magic power of making great comic art out of nothing."

НОС
Н. В. Гоголя

Márta 25 числá случи́лось в Петербу́рге не-
обыкновéнно-стрáнное происшéствие. Цирю́льник
Ивáн Я́ковлевич, живу́щий на Вознесéнском прос-
пéкте[1] (фами́лия егó утрáчена, и дáже на вы́веске
егó — где изображён господи́н с намы́ленною щекóю
и нáдписью: «и кровь отворя́ют» — не вы́ставлено
ничегó бóлее), цирю́льник Ивáн Я́ковлевич проснý́л-
ся довóльно рáно и услы́шал зáпах горя́чего хлéба.
Приподня́вшись немнóго на кровáти, он уви́дел, что
супрýга егó, довóльно почтéнная дáма, óчень лю-
би́вшая пить кóфий[2], вынимáла из печи́ тóлько что
испечённые хлéбы.

«Сегóдня я, Праскóвья Осиповна, не бýду пить
кóфий», сказáл Ивáн Я́ковлевич: «а вмéсто тогó
хóчется мне съесть горя́чего хлéбца с лýком». (То
есть Ивáн Я́ковлевич хотéл бы и тогó и другóго,
но знал, что бы́ло совершéнно невозмóжно трéбо-
вать двух вещéй рáзом: и́бо Праскóвья Осиповна
óчень не люби́ла таки́х при́хотей.) «Пусть дурáк
ест хлеб; мне же лу́чше», подýмала про себя́ супрýга: «остáнется кóфию ли́шняя пóрция». И брó-
сила оди́н хлеб на стол.

Ивáн Я́ковлевич для прили́чия надéл сверх ру-
бáшки фрак и, усéвшись пéред столóм, насы́пал
соль, пригот0́вил две голóвки лýку, взял в рýки
нож и, сдéлавши значи́тельную ми́ну, принялся́ рé-
зать хлеб. — Разрéзавши хлеб на две полови́ны, он
поглядéл в середи́ну и к удивлéнию своемý уви́дел

THE NOSE
Nikolay Gogol

On March 25th there took place, in Petersburg, an extraordinarily strange occurrence. The barber Ivan Yakovlevich, who lives on Voznesensky Avenue (his family name has been lost and even on his signboard, where a gentleman is depicted with a lathered cheek and the inscription "Also bloodletting," there is nothing else)—the barber Ivan Yakovlevich woke up rather early and smelled fresh bread. Raising himself slightly in bed he saw his spouse, a rather respectable lady who was very fond of drinking coffee, take some newly baked loaves out of the oven.

"I won't have any coffee today, Praskovya Osipovna," said Ivan Yakovlevich. "Instead, I would like to eat a bit of hot bread with onion." (That is to say, Ivan Yakovlevich would have liked both the one and the other, but he knew that it was quite impossible to demand two things at once, for Praskovya Osipovna very much disliked such whims.) "Let the fool eat the bread; all the better for me," the wife thought to herself, "there will be an extra cup of coffee left." And she threw a loaf onto the table.

For the sake of propriety Ivan Yakovlevich put a tailcoat on over his shirt and, sitting down at the table, poured out some salt, got two onions ready, picked up a knife and, assuming a meaningful expression, began to slice the bread. Having cut the loaf in two halves, he looked inside and to his astonishment saw something white. Ivan Yakovlevich

33

что-то бел́евшееся. Ива́н Я́ковлевич ковырну́л осторо́жно ножо́м и пощу́пал па́льцем: «Пло́тное!» сказа́л он сам про себя́: «что бы э́то тако́е бы́ло?»

Он засу́нул па́льцы и вы́тащил — нос!.. Ива́н Я́ковлевич и ру́ки опусти́л;[3] стал протира́ть глаза́ и щу́пать: нос, то́чно нос! и ещё, каза́лось, как бу́дто чей-то знако́мый. У́жас изобрази́лся в лице́ Ива́на Я́ковлевича. Но э́тот у́жас был ничто́ про́тив него-дова́ния, кото́рое овладе́ло его́ супру́гою.

«Где э́то ты, зверь, отре́зал нос?» закрича́ла она́ с гне́вом. «Моше́нник! пья́ница! Я сама́ на тебя́ донесу́ поли́ции. Разбо́йник како́й! Вот уж я от трёх челове́к слы́шала, что ты во вре́мя бритья́ так тереби́шь за носы́, что е́ле де́ржатся».

Но Ива́н Я́ковлевич был ни жив, ни мёртв. Он узна́л, что э́тот нос был не чей друго́й, как колле́жского асе́ссора[4] Ковалёва, кото́рого он брил ка́ждую се́реду[5] и воскресе́нье.

«Стой, Праско́вья Оси́повна! Я положу́ его́, заверну́вши в тря́пку, в уголо́к: пусть там мале́нечко полежи́т; а по́сле его́ вы́несу».

«И слу́шать не хочу́! Чтобы я позво́лила у себя́ в ко́мнате лежа́ть отре́занному но́су?.. Суха́рь под-жа́ристый![6] Знай уме́ет то́лько бри́твой вози́ть по ремню́, а до́лга своего́ ско́ро совсе́м не в состоя́нии бу́дет исполня́ть, потаску́шка, негодя́й! Чтобы я ста́ла за тебя́ отвеча́ть поли́ции?.. Ах ты, пачку́н, бревно́ глу́пое! Вон его́! вон! неси́ куда́ хо́чешь! чтобы я ду́ху его́ не слыха́ла!»

Ива́н Я́ковлевич стоя́л соверше́нно как уби́тый. Он ду́мал, ду́мал — и не знал, что поду́мать. «Чёрт его́ зна́ет, как э́то сде́лалось», сказа́л он наконе́ц, почеса́в руко́ю за́ ухом. «Пьян ли я вчера́ возврати́лся, и́ли нет, уж наве́рное сказа́ть не могу́. А по всем приме́там должно́ быть происше́ствие несбы́точное: и́бо хлеб — де́ло пече́ное, а нос совсе́м не то. Ничего́ не разберу́!..» Ива́н Я́ковлевич замолча́л. Мысль о том, что полице́йские оты́щут у него́ нос и обвиня́т его́, привела́ его́ в соверше́нное беспаpoked it carefully with the knife and felt it with his finger. "Solid!" he said to himself. "What could it be?"

He stuck in his finger and extracted—a nose! Ivan Yakovlevich was dumbfounded. He rubbed his eyes and felt the object: a nose, a nose indeed, and a familiar one at that. Ivan Yakovlevich's face expressed horror. But this horror was nothing compared to the indignation which seized his spouse.

"You beast, where did you cut off a nose?" she shouted angrily. "Scoundrel! drunkard! I'll report you to the police myself. What a ruffian! I have already heard from three people that you jerk their noses about so much when shaving that it's a wonder they stay in place."

But Ivan Yakovlevich was more dead than alive. He recognized the nose as that of none other than Collegiate Assessor Kovalyov, whom he shaved every Wednesday and Sunday.

"Hold on, Praskovya Osipovna! I shall put it in a corner, after I've wrapped it in a rag: let it lie there for a while, and later I'll take it away."

"I won't even hear of it. That I should allow a cut-off nose to lie about in my room? You dry stick! All he knows is how to strop his razor, but soon he'll be in no condition to carry out his duty, the rake, the villain! Am I to answer for you to the police? You piece of filth, you blockhead! Away with it! Away! Take it anywhere you like! Out of my sight with it!"

Ivan Yakovlevich stood there as though bereft of senses. He thought and thought—and really did not know what to think. "The devil knows how it happened," he said at last, scratching behind his ear with his hand. "Was I drunk or wasn't I when I came home yesterday, I really can't say. Whichever way you look at it, this is an impossible occurrence. After all, bread is something baked, and a nose is something altogether different. I can't make it out at all."

Ivan Yakovlevich fell silent. The idea that the police might find the nose in his possession and bring a charge against him drove him into a complete frenzy. He was al-мятство. Уже́ ему́ мере́щился а́лый воротни́к, краси́во вы́шитый серебро́м, шпа́га... и он дрожа́л всем те́лом. Наконе́ц доста́л он своё испо́днее пла́тье и сапоги́, натащи́л на себя́ всю э́ту дрянь и, сопровожда́емый нелёгкими увеща́ниями Праско́вьи Оси́повны, заверну́л нос в тря́пку и вы́шел на у́лицу.

Он хоте́л его́ куда́-нибудь подсу́нуть: и́ли в ту́мбу под воро́тами, и́ли так ка́к-нибудь неча́янно вы́ронить, да и поверну́ть в переу́лок. Но на беду́ ему́ попада́лся како́й-нибудь знако́мый челове́к, кото́рый начина́л то́тчас запро́сом: «куда́ идёшь?» и́ли «кого́ так ра́но собра́лся брить?» так что Ива́н Яковлевич ника́к не мог улучи́ть мину́ты. В друго́й раз он уже́ совсе́м урони́л его́, но бу́дошник[7] еще и́здали указа́л ему́ алеба́рдою, примо́лвив: «подыми́! вон ты что́-то урони́л!» И Ива́н Яковлевич до́лжен был подня́ть нос и спря́тать его́ в карма́н. Отча́яние овладе́ло им, тем бо́лее что наро́д беспреста́нно умножа́лся на у́лице, по ме́ре того́ как на́чали отпира́ться магази́ны и ла́вочки.

Он реши́лся итти́ к Иса́киевскому мо́сту:[8] не уда́стся ли ка́к-нибудь швырну́ть его́ в Неву́?..[9] Но я не́сколько винова́т, что до сих пор не сказа́л ничего́ об Ива́не Яковлевиче, челове́ке почте́нном во мно́гих отноше́ниях.

Ива́н Яковлевич, как вся́кий поря́дочный ру́сский мастерово́й, был пья́ница стра́шный. И хотя́ ка́ждый день брил чужи́е подборо́дки, но его́ со́бственный был у него́ ве́чно не брит. Фрак у Ива́на Яковлевича (Ива́н Яковлевич никогда́ не ходи́л в сюртуке́) был пе́гий, то есть он был чёрный, но весь в кори́чнево-жёлтых и се́рых я́блоках;[10] воротни́к лосни́лся; а вме́сто трёх пу́говиц висе́ли одни́ то́лько ни́точки. Ива́н Яковлевич был большо́й ци́ник, и когда́ колле́жский асе́ссор Ковалёв обыкнове́нно говори́л ему́ во вре́мя бритья́: «у тебя́, Ива́н Яковлевич, ве́чно воня́ют ру́ки!» то Ива́н Яковлевич отвеча́л на э́то вопро́сом: «отчего́ ж бы им воня́ть?» — «Не зна́ю, бра́тец, то́лько воня́ют», говори́л колле́ж-ready visualizing the scarlet collar, beautifully embroidered with silver, the saber—and he trembled all over. At last he got out his underwear and boots, pulled on all these tatters and, followed by rather weighty exhortations from Praskovya Osipovna, wrapped the nose in a rag and went out into the street.

He wanted to shove it under something somewhere, either into the hitching-post by the gate—or just drop it as if by accident and then turn off into a side street. But as bad luck would have it, he kept running into people he knew, who at once would ask him, "Where are you going?" or "Whom are you going to shave so early?", so that Ivan Yakovlevich couldn't find the right moment. Once he actually did drop it, but a policeman some distance away pointed to it with his halberd and said: "Pick it up—you've dropped something there," and Ivan Yakovlevich was obliged to pick up the nose and hide it in his pocket. He was seized with despair, all the more so as the number of people in the street constantly increased when the shops began to open.

He decided to go to St. Isaac's Bridge—might he not just manage to toss it into the Neva? But I am somewhat to blame for having so far said nothing about Ivan Yakovlevich, in many ways a respectable man.

Like any self-respecting Russian artisan, Ivan Yakovlevich was a terrible drunkard. And although every day he shaved other people's chins his own was ever unshaven. Ivan Yakovlevich's tailcoat (Ivan Yakovlevich never wore a frockcoat) was piebald, that is to say, it was all black but dappled with brownish-yellow and gray; the collar was shiny, and in place of three of the buttons hung just the ends of thread. Ivan Yakovlevich was a great cynic, and when Collegiate Assessor Kovalyov told him while being shaved, "Your hands, Ivan Yakovlevich, always stink," Ivan Yakovlevich would reply with the question, "Why should they stink?" "I don't know, my dear fellow," the Collegiate Assessor would say, "but they do," and Ivan

ский асéссор, — и Ивáн Яковлевич, понюхавши та-
бакý, мýлил емý за это и на щекé, и под нóсом, и
зá ухом, и под бородóю,[11] однúм слóвом, где тóлько
емý былá охóта.

Этот почтéнный гражданúн находúлся ужé на
Исáкиевском мостý. Он прéжде всегó осмотрéлся;
потóм нагнýлся на перúла бýдто бы посмотрéть под
мост, мнóго ли рыбы бéгает, и швырнýл потихóньку
тряпку с нóсом. Он почýвствовал, как бýдто бы с
негó рáзом свалúлось дéсять пуд[12]: Ивáн Яковлевич
дáже усмехнýлся. Вмéсто тогó, чтобы иттú брить
чинóвничьи подбородки, он отпрáвился в заведéние
с нáдписью: «Кýшанье и чай» спросúть стакáн пýн-
шу, как вдруг замéтил в концé мостá квартáльного
надзирáтеля[13] благорóдной нарýжности, с ширóки-
ми бакенбáрдами, в треугóльной шляпе, со шпáгою.
Он óбмер; а мéжду тем квартáльный кивáл емý
пáльцем и говорúл: «А подойдú сюдá, любéзный!»

Ивáн Яковлевич, знáя фóрму, снял úздали ещё
картýз и, подошéдши провóрно, сказáл: «Желáю
здрáвия вáшему благорóдию!»[14]

«Нет, нет, брáтец, не благорóдию; скажú-ка, что
ты там делáл, стóя на мостý?»

«Ей-Бóгу, сýдарь, ходúл брить да посмотрéл
тóлько, шúбко ли рекá идёт».

«Врёшь, врёшь! Этим не отдéлаешься. Извóль-ка
отвечáть!»

«Я вáшу мúлость[15] два рáза в недéлю, úли дáже
три, готóв брить без всякого прекослóвия», от-
вечáл Ивáн Яковлевич.

«Нет, приятель, это пустякú! Меня три цирюль-
ника брéют, да ещё и за большýю честь почитáют.
А вот извóль-ка рассказáть, что ты там дéлал?»

Ивáн Яковлевич побледнéл... Но здесь происшéствие совершéнно закрывáется тумáном, и что дá-
лее произошлó, решúтельно неизвéстно.

Yakovlevich, after taking a pinch of snuff, would, in retalia-
tion, lather all over his cheeks and under his nose, and
behind his ear, and under his chin—in other words, where-
ever his fancy took him.

This worthy citizen now found himself on St. Isaac's
Bridge. To begin with, he took a good look around, then
leaned on the railings as though to look under the bridge
to see whether or not there were many fish swimming
about, and surreptitiously tossed down the rag contain-
ing the nose. He felt as though all of a sudden a ton had
been lifted off him: Ivan Yakovlevich even smirked. Instead of going to shave some civil servants' chins he set
off for an establishment bearing a sign "Snacks and Tea"
to order a glass of punch when he suddenly noticed, at
the end of the bridge, a police officer of distinguished appearance, with wide sideburns, wearing a three-cornered
hat and with a sword. His heart sank: the officer was wag-
ging his finger at him and saying, "Step this way, my
friend."

Knowing the etiquette, Ivan Yakovlevich removed his
cap while still some way off, and approaching with alacrity
said, "I wish your honor good health."

"No, no, my good fellow, not 'your honor.' Just you
tell me, what were you doing over there, standing on the
bridge?"

"Honestly, sir, I've been to shave someone and only
looked to see if the river were running fast."

"You're lying, you're lying. This won't do. Just be so
good as to answer."

"I am ready to shave your worship twice a week, or
even three times, and no complaints," replied Ivan Yakovlevich.

"No, my friend, all that's nonsense. I have three barbers
who shave me and deem it a great honor, too. Just be so
good as to tell me, what were you doing over there?"

Ivan Yakovlevich turned pale. . . . But here the whole
episode becomes shrouded in mist, and of what happened
subsequently absolutely nothing is known.

II

Коллежский асессор Ковалёв проснулся довольно
рано и сделал губами: «брр...», что всегда он делал,
когда просыпался, хотя сам не мог растолковать, по
какой причине. Ковалёв потянулся, приказал себе
подать небольшое, стоявшее на столе, зеркало. Он,
хотел взглянуть на прыщик, который вчерашнего
вечера[16] вскочил у него на носу; но к величайшему
изумлению увидел, что у него вместо носа совершён-
но гладкое место. Испугавшись, Ковалёв велел подать воды и протёр полотенцем глаза: точно, нет
носа! Он начал щупать рукою, чтобы узнать: не
спит ли он? кажется, не спит. Коллежский асессор
Ковалёв вскочил с кровати, встряхнулся: нет носа!..
Он велел тотчас подать себе одеться и полетел к
обер-полицмейстеру.[17]

Но между тем необходимо сказать что-нибудь о
Ковалёве, чтобы читатель мог видеть, какого рода
был этот коллежский асессор. Коллежских асес-
соров, которые получают это звание с помощью
учёных аттестатов, никак нельзя сравнивать с теми
коллежскими асессорами, которые делались на Кав-
казе.[18] Это два совершенно особенные рода. Учёные
коллежские асессоры... Но Россия такая чудная зем-
ля, что если скажешь об одном коллежском асес-
соре, то все коллежские асессоры, от Риги до Кам-
чатки,[19] непременно примут на свой счёт. То же ра-
зумей и о всех званиях и чинах. — Ковалёв был кав-
казский коллежский асессор. Он два года только
ещё состоял в этом звании и потому ни на минуту
не мог его позабыть; а чтобы более придать себе
благородства и веса, он никогда не называл себя кол-
лежским асессором, но всегда майором.[20] «Послушай,
голубушка»,[21] говорил он обыкновенно, встретивши
на улице бабу, продававшую манишки: «ты приходи-
ди ко мне на дом; квартира моя в Садовой; спроси
только: здесь ли живёт майор Ковалёв — тебе всякий покажет». Если же встречал какую-нибудь сма-

II

Collegiate Assessor Kovalyov woke up rather early and made a "b-rr-rr" sound with his lips as he was wont to do on awakening, although he could not have explained the reason for it. Kovalyov stretched and asked for the small mirror standing on the table. He wanted to have a look at the pimple which had, the evening before, appeared on his nose. But to his extreme amazement he saw that he had, in the place of his nose, a perfectly smooth surface. Frightened, Kovalyov called for some water and rubbed his eyes with a towel: indeed, no nose! He ran his hand over himself to see whether or not he was asleep. No, he didn't think so. The Collegiate Assessor jumped out of bed and shook himself—no nose! He at once ordered his clothes to be brought to him, and flew off straight to the chief of police.

In the meantime something must be said about Kovalyov, to let the reader see what sort of man this collegiate assessor was. Collegiate assessors who receive their rank on the strength of scholarly diplomas can by no means be equated with those who make the rank in the Caucasus. They are two entirely different breeds. Learned collegiate assessors. . . But Russia is such a wondrous land that if you say something about one collegiate assessor all the collegiate assessors from Riga to Kamchatka will not fail to take it as applying to them, too. The same is true of all our ranks and titles. Kovalyov belonged to the Caucasus variety of collegiate assessors. He had only held that rank for two years and therefore could not forget it for a moment; and in order to lend himself added dignity and weight he never referred to himself as collegiate assessor but always as major. "Listen, my dear woman," he would usually say on meeting in the street a woman selling shirt fronts, "come to my place, my apartment is on Sadovaya; just ask where Major Kovalyov lives, anyone will show you." And if the woman he met happened to be a pretty

зли́венькую, то дава́л ей сверх того́ секре́тное при-
каза́ние, прибавля́я: «Ты спроси́, ду́шенька,[22] кварти́ру майо́ра Ковалёва». — Поэ́тому-то са́мому и
мы бу́дем вперёд э́того колле́жского асе́ссора назы-
ва́ть майо́ром.

Майо́р Ковалёв име́л обыкнове́ние ка́ждый день
проха́живаться по Не́вскому проспе́кту. Воротничо́к
его́ мани́шки был всегда́ чрезвыча́йно чист и накрах-
ма́лен. Бакенба́рды у него́ бы́ли тако́го ро́да, каки́е
и тепе́рь ещё мо́жно ви́деть у губе́рнских и пове́то-
вых[23] землеме́ров, у архите́кторов, е́сли то́лько они́
ру́сские лю́ди, и та́кже у отправля́ющих ра́зные по-
лице́йские обя́занности и, вообще́, у всех тех муже́й,
кото́рые име́ют по́лные румя́ные щёки и о́чень хоро-
шо́ игра́ют в бостон:[24] э́ти бакенба́рды иду́т по са́-
мой среди́не щеки́ и прямёхонько дохо́дят до но́са.
Майо́р Ковалёв носи́л мно́жество печа́ток, сердоли́-
ковых и с герба́ми, и таки́х на кото́рых бы́ло вы́ре-
зано: среда́, четве́рг, понеде́льник и проч. Майо́р
Ковалёв прие́хал в Петербу́рг по на́добности, а
и́менно иска́ть прили́чного своему́ зва́нию ме́ста: е́с-
ли уда́стся, то ви́це-губерна́торского, а не то — эк-
зеку́торского[25] в како́м-нибудь ви́дном департа́мен-
те. Майо́р Ковалёв был не прочь и жени́ться; но
то́лько в тако́м слу́чае, когда́ за неве́стою случи́тся
две́сти ты́сяч капита́лу. И потому́ чита́тель тепе́рь
мо́жет суди́ть сам; каково́ бы́ло положе́ние э́того
майо́ра, когда́ он уви́дел, вме́сто дово́льно недурно́-
го и уме́ренного но́са, преглу́пое, ро́вное ме́сто.

Как на беду́, ни оди́н изво́зчик не пока́зывался на
у́лице, и он до́лжен был итти́ пешко́м, заку́тавшись
в свой плащ и закры́вши платко́м лицо́, пока́зывая
вид, как бу́дто у него́ шла кровь. «Но аво́сь-ли́бо мне
так предста́вилось: не мо́жет быть, чтобы нос про-
па́л сду́ру». Он зашёл в конди́терскую наро́чно с
тем, чтобы посмотре́ться в зе́ркало. К сча́стию, в
конди́терской никого́ не́ было: ма́льчи́шки мели́
ко́мнаты и расставля́ли сту́лья; не́которые с со́нны-
ми глаза́ми выноси́ли на подно́сах горя́чие пирожки́;

one, he would also give some confidential instructions, adding, "You just ask, lovey, for Major Kovalyov's apartment."—That is why we, too, will henceforth refer to this collegiate assessor as Major.

Major Kovalyov was in the habit of taking a daily stroll along Nevsky Avenue. The collar of his dress shirt was always exceedingly clean and starched. His sidewhiskers were of the kind you can still see on provincial and district surveyors, or architects (provided they are Russians), as well as on those individuals who perform various police duties, and in general on all those men who have full rosy cheeks and are very good at boston; these sidewhiskers run along the middle of the cheek straight up to the nose. Major Kovalyov wore a great many cornelian seals, some with crests and others with Wednesday, Thursday, Monday, etc., engraved on them. Major Kovalyov had come to Petersburg on business, to wit, to look for a post befitting his rank; if he could arrange it, that of a vice-governor; otherwise, that of a procurement officer in some important government department. Major Kovalyov was not averse to getting married, but only in the event that the bride had a fortune of two hundred thousand. And therefore the reader can now judge for himself what this major's state was when he saw, in the place of a fairly presentable and moderate-sized nose, a most ridiculous flat and smooth surface.

As bad luck would have it, not a single cab showed up in the street, and he was forced to walk, wrapped up in his cloak, his face covered with a handkerchief, pretending that his nose was bleeding. "But perhaps I just imagined all this—a nose cannot disappear in this idiotic way." He stepped into a coffee-house just in order to look at himself in a mirror. Fortunately, there was no one there. Serving boys were sweeping the rooms and arranging the chairs; some of them, sleepy-eyed, were bringing out trays of hot

на столах и стульях валялись залитые кофием вче-
рашние газеты. «Ну, слава Богу, никого нет», произнёс он; «теперь можно поглядеть». Он робко подошёл к зеркалу и взглянул; «Чёрт знает что, какая
дрянь!» произнёс он, плюнувши... «Хотя бы уже
что-нибудь было вместо носа, а то ничего!..»

С досадою закусив губы, вышел он из кондитер-
ской и решился, против своего обыкновения, не
глядеть ни на кого и никому не улыбаться. Вдруг
он стал как вкопанный[26] у дверей одного дома; в
глазах его произошло явление неизъяснимое: перед
подъездом остановилась карета; дверцы отвори-
лись; выпрыгнул, согнувшись, господин в мундире
и побежал вверх по лестнице. Каков же был ужас и
вместе изумление Ковалёва, когда он узнал, что это
был собственный его нос! При этом необыкновен-
ном зрелище, казалось ему, всё переворотилось у
него в глазах; он чувствовал, что едва мог стоять;
но решился во что бы ни стало[27] ожидать его возвра-
щения в карету, весь дрожа как в лихорадке. Чрез
две минуты нос действительно вышел. Он был в
мундире, шитом золотом, с большим стоячим ворот-
ником; на нём были замшевые панталоны; при боку
шпага. По шляпе с плюмажем можно было заклю-
чить, что он считался в ранге статского советника.[28]
По всему заметно было, что он ехал куда-нибудь с
визитом. Он поглядел на обе стороны, закричал ку-
черу: «подавай!», сел и уехал.

Бедный Ковалёв чуть не сошёл с ума. Он не знал,
как и подумать о таком странном происшествии.
Как же можно, в самом деле, чтобы нос, который
ещё вчера был у него на лице, не мог ездить и ходить, — был в мундире! Он побежал за каретою, которая, к счастию, проехала недалеко и остановилась перед Казанским собором.[29]

Он поспешил в собор, пробрался сквозь ряд ни-
щих старух с завязанными лицами и двумя отвер-
стиями для глаз, над которыми он прежде так сме-
ялся, и вошёл в церковь. Молельщиков внутри церк-

turnovers; yesterday's papers, coffee-stained, lay about on tables and chairs. "Well, thank God, there is no one here," said the Major. "Now I can have a look." Timidly he approached the mirror and glanced at it. "Damnation! How disgusting!" he exclaimed after spitting. "If at least there were something in place of the nose, but there's nothing!"

Biting his lips with annoyance, he left the coffee-house and decided, contrary to his habit, not to look or to smile at anyone. Suddenly he stopped dead in his tracks before the door of a house. An inexplicable phenomenon took place before his very eyes: a carriage drew up to the entrance; the doors opened; a gentleman in uniform jumped out, slightly stooping, and ran up the stairs. Imagine the horror and at the same time the amazement of Kovalyov when he recognized that it was his own nose! At this extraordinary sight everything seemed to whirl before his eyes; he felt that he could hardly keep on his feet. Trembling all over as though with fever, he made up his mind, come what may, to await the gentleman's return to the carriage. Two minutes later the Nose indeed came out. He was wearing a gold-embroidered uniform with a big stand-up collar and doeskin breeches; there was a sword at his side. From his plumed hat one could infer that he held the rank of a state councillor. Everything pointed to his being on the way to pay a call. He looked right and left, shouted to his driver, "Bring the carriage round," got in and was driven off.

Poor Kovalyov almost went out of his mind. He did not even know what to think of this strange occurrence. Indeed, how could a nose which as recently as yesterday had been on his face and could neither ride nor walk—how could it be in uniform? He ran after the carriage, which fortunately had not gone far but had stopped before the Kazan Cathedral.

He hurried into the cathedral, made his way past the ranks of old beggarwomen with bandaged faces and two slits for their eyes, whom he used to make such fun of, and

ви было немного; они все стояли только при входе
в двери. Ковалёв чувствовал себя в таком расстро-
енном состоянии, что никак не в силах был молить-
ся, и искал глазами этого господина по всем углам.
Наконец увидел его стоявшего в стороне. Нос спрятал совершенно лицо своё в большой стоячий ворот-
ник, и с выражением величайшей набожности мо-
лился.

«Как подойти к нему?» думал Ковалёв. «По всему,
по мундиру, по шляпе видно, что он статский советник. Чёрт его знает, как это сделать!»

Он начал около него покашливать; но нос ни на
минуту не оставлял набожного своего положения
и отвешивал поклоны.

«Милостивый государь...»[30] сказал Ковалёв, внут-
ренно принуждая себя ободриться: «милостивый
государь...»

«Что вам угодно?» отвечал нос, оборотившись.

«Мне странно, милостивый государь... мне кажется... вы должны знать своё место. И вдруг я вас
нахожу и где же? — в церкви. Согласитесь...»

«Извините меня, я не могу взять в толк, о чём вы
изволите говорить... Объяснитесь».

«Как мне ему объяснить?» подумал Ковалёв и,
собравшись с духом, начал: «Конечно я... впрочем я
майор. Мне ходить без носа, согласитесь, это неприлично. Какой-нибудь торговке, которая продаёт
на Воскресенском мосту[31] очищенные апельсины,
можно сидеть без носа; но имея в виду получить...
притом будучи во многих домах знаком с дамами:
Чехтарёва, статская советница, и другие... Вы по-
судите сами... я не знаю, милостивый государь...
(При этом майор Ковалёв пожал плечами.) Извините... если на это смотреть сообразно с правилами
долга и чести... вы сами можете понять...»

«Ничего решительно не понимаю», отвечал нос.
«Изъяснитесь удовлетворительнее».

«Милостивый государь...» сказал Ковалёв с чув-
ством собственного достоинства: «я не знаю как

went inside. There were but few worshippers there: they all stood by the entrance. Kovalyov felt so upset that he was in no condition to pray and searched with his eyes for the gentleman in all the church corners. At last he saw him standing to one side. The Nose had completely hidden his face in his big stand-up collar and was praying in an attitude of utmost piety.

"How am I to approach him?" thought Kovalyov. "From everything, from his uniform, from his hat, one can see that he is a state councillor. I'll be damned if I know how to do it."

He started clearing his throat, but the Nose never changed his devout attitude and continued his genuflections.

"My dear sir," said Kovalyov, forcing himself to take courage, "my dear sir. . ."

"What is it you desire?" said the Nose turning round.

"It is strange, my dear sir . . . I think . . . you ought to know your place. And all of a sudden I find you—and where? In church. You'll admit . . ."

"Excuse me, I cannot understand what you are talking about. . . . Make yourself clear."

"How shall I explain to him?" thought Kovalyov and, emboldened, began: "Of course, I . . . however, I am a major. For me to go about without my nose, you'll admit, is unbecoming. It's all right for a peddler woman who sells peeled oranges on Voskresensky Bridge, to sit without a nose. But since I'm expecting—and besides, having many acquaintances among the ladies—Mrs. Chekhtaryova, a state councillor's wife, and others . . . Judge for yourself . . . I don't know, my dear sir . . ." (Here Major Kovalyov shrugged his shoulders.) "Forgive me, if one were to look at this in accordance with rules of duty and honor . . . you yourself can understand. . . ."

"I understand absolutely nothing," replied the Nose. "Make yourself more clear."

"My dear sir," said Kovalyov with a sense of his own dignity, "I don't know how to interpret your words . . .

понима́ть слова́ ва́ши... Здесь всё де́ло, ка́жется, со-
верше́нно очеви́дно... Или вы хоти́те... Ведь вы мой
со́бственный нос!»

Нос посмотре́л на майо́ра, и бро́ви его́ не́сколько
нахму́рились.

«Вы ошиба́етесь, ми́лостивый госуда́рь. Я сам по
себе́. Прито́м ме́жду на́ми не мо́жет быть никаки́х
те́сных отноше́ний. Су́дя по пу́говицам ва́шего виц-
мунди́ра, вы должны́ служи́ть в сена́те и́ли по
кра́йней ме́ре, по юсти́ции. Я же по учёной ча́сти».

Сказа́вши э́то, нос отверну́лся и продолжа́л мо-
ли́ться.

Ковалёв соверше́нно смеша́лся, не зна́я что де́лать
и что да́же поду́мать. В э́то вре́мя послы́шался при-
я́тный шум да́мского пла́тья: подошла́ пожила́я да́-
ма, вся у́бранная кружева́ми, и с не́ю то́ненькая, в
бе́лом пла́тье, о́чень ми́ло рисова́вшемся на её стро́й-
ной та́лии, в па́левой шля́пке, лёгкой как пиро́жное.
За ни́ми останови́лся и откры́л табаке́рку высо́кий
гайду́к с больши́ми бакенба́рдами и це́лой дю́жиной
воротнико́в.

Ковалёв вы́ступил побли́же, вы́сунул бати́стовый
воротничо́к мани́шки, попра́вил висе́вшие на золо-
то́й цепо́чке свои́ печа́тки и, улыба́ясь по сторона́м,
 ̀рати́л внима́ние на лёгонькую да́му, кото́рая, как
весе́нний цвето́чек, слегка́ наклоня́лась и подноси́ла
ко лбу свою́ бе́ленькую ру́чку с полупрозра́чными
па́льцами. Улы́бка на лице́ Ковалёва раздви́нулась
ещё да́лее, когда́ он уви́дел из-под шля́пки её кру́г-
ленький, я́ркой белизны́ подборо́док и часть щеки́,
осенённой цве́том пе́рвой весе́нней ро́зы. Но вдруг
он отскочи́л, как бу́дто бы обжёгшись. Он вспо́мнил,
что у него́ вме́сто но́са соверше́нно нет ничего́, и
слёзы вы́давились из глаз его́. Он оборо́тился с тем,
чтобы напрями́к сказа́ть господи́ну в мунди́ре, что
он то́лько прики́нулся ста́тским сове́тником, что он
плут и подле́ц и что он бо́льше ничего́, как то́лько
его́ со́бственный нос... Но но́са уже́ не́ было: он

The whole thing seems to me quite obvious . . . Or do you wish . . . After all, you are my own nose!"—

The Nose looked at the major and slightly knitted his brows.

"You are mistaken, my dear sir, I exist in my own right. Besides, there can be no close relation between us. Judging by the buttons on your uniform, you must be employed in the Senate or at least in the Ministry of Justice. As for me, I am in the scholarly line."

Having said this, the Nose turned away and went back to his prayers.

Kovalyov was utterly flabbergasted. He knew not what to do or even what to think. Just then he heard the pleasant rustle of a lady's dress: an elderly lady, all in lace, had come up near him and with her, a slim one, in a white frock which agreeably outlined her slender figure, and in a straw-colored hat, light as a cream-puff. Behind them, a tall footman with huge sidewhiskers and a whole dozen collars, stopped and opened a snuff-box.

Kovalyov stepped closer, pulled out the cambric collar of his dress shirt, adjusted his seals hanging on a golden chain and, smiling in all directions, turned his attention to the ethereal young lady who, like a spring flower, bowed her head slightly and put her little white hand with its translucent fingers to her forehead. The smile on Kovalyov's face grew even wider when from under her hat he caught a glimpse of her little round dazzling-white chin and part of her cheek glowing with the color of the first rose of spring. But suddenly he sprang back as though scalded. He remembered that there was absolutely nothing in the place of his nose, and tears came to his eyes. He turned round, intending without further ado to tell the gentleman in uniform that he was merely pretending to be a state councillor, that he was a rogue and a cad and nothing more than his, the major's, own nose. . . . But the Nose was no longer there; he had managed to dash off,

успе́л ускака́ть, вероя́тно, опя́ть к кому́-нибудь с
визи́том.

Это пове́ргло Ковалёва в отча́яние. Он пошёл на-
за́д и останови́лся с мину́ту под колонна́дою, тща́-
тельно смотря́ во все сто́роны, не попадётся ли где
нос. Он о́чень хорошо́ по́мнил, что шля́па на нём
была́ с плюма́жем и мунди́р с золоты́м шитьём; но
шине́ль не заме́тил, ни цве́та его́ каре́ты, ни лоша-
де́й, ни да́же того́, был ли у него́ сза́ди какой-нибудь
лаке́й и в како́й livре́е. При том каре́т несло́сь та-
ко́е мно́жество взад и вперёд и с тако́ю быстрото́ю,
что тру́дно бы́ло да́же приме́тить; но е́сли бы и
приме́тил он каку́ю-нибудь из них, то не име́л бы
никаки́х средств останови́ть. День был прекра́сный
и со́лнечный. На Не́вском наро́ду была́ тьма; дам
це́лый цвето́чный водопа́д сы́пался по всему́ троту-
а́ру, начина́я от Полице́йского до Ани́чкина моста́.[32]
Вон и знако́мый ему́ надво́рный сове́тник[33] идёт, ко-
то́рого он называ́л подполко́вником, осо́бливо е́же-
ли то случа́лось при посторо́нних. Вон и Ярыги́н, сто-
лонача́льник[34] в сена́те, большо́й прия́тель, кото́рый
ве́чно в босто́не обреми́зивался, когда́ игра́л во́семь.
Вон и друго́й майо́р, получи́вший на Кавка́зе асе́с-
сорство, маха́ет руко́й, чтобы шёл к нему́...

«А чёрт возьми́!» сказа́л Ковалёв. «Эй, изво́зчик,
вези́ пря́мо к о́бер-полицмейстеру!»

Ковалёв сел в дро́жки и то́лько покри́кивал из-
во́зчику: «Валя́й во всю ива́новскую!»[35]

«У себя́ о́бер-полицме́йстер?» вскрича́л он, за-
ше́дши в се́ни.

«Ника́к нет», отвеча́л привра́тник, «то́лько что
уе́хал».

«Вот тебе́ раз!»[36]

«Да», приба́вил привра́тник, «оно́ и не так дав-
но́, но уе́хал. Мину́точкой бы пришли́ ра́ньше, то,
мо́жет, заста́ли бы до́ма».

Ковалёв, не отнима́я платка́ от лица́, сел на из-
во́зчика и закрича́л отча́янным го́лосом: «пошёл!»

«Куда́?» сказа́л изво́зчик.

probably to pay another call.

This plunged Kovalyov into despair. He went back, stopped for a moment under the colonnade and looked carefully, this way and that, for the Nose to turn up somewhere. He remembered quite well that the latter had a plumed hat and a gold-embroidered uniform, but he had not noticed his overcoat, or the color of his carriage or of his horses, not even whether he had a footman at the back, and if so in what livery. Moreover, there was such a multitude of carriages dashing back and forth and at such speed that it was difficult to tell them apart; but even if he did pick one of them out, he would have no means of stopping it. The day was fine and sunny. There were crowds of people on Nevsky Avenue. A whole flowery cascade of ladies poured over the sidewalk, all the way down from Police Bridge to Anichkin Bridge. Here came a court councillor he knew, and was used to addressing as lieutenant-colonel, especially in the presence of strangers. Here, too, was Yarygin, a head clerk in the Senate, a great friend of his, who invariably lost at boston when he went up eight. Here was another major who had won his assessorship in the Caucasus, waving to Kovalyov to join him. . . .

"O hell!" said Kovalyov. "Hey, cabby, take me straight to the chief of police!"

Kovalyov got into the cab and kept shouting to the cabman, "Get going as fast as you can."

"Is the chief of police at home?" he called out as he entered the hall.

"No, sir," answered the doorman, "he has just left."

"You don't say."

"Yes," added the doorman, "he has not been gone long, but he's gone. Had you come a minute sooner perhaps you might have found him in."

Without removing the handkerchief from his face, Kovalyov got back into the cab and in a voice of despair shouted, "Drive on!"

"Where to?" asked the cabman.

«Пошёл прямо!»

«Как прямо? тут поворот: направо или налево?»

Этот вопрос остановил Ковалёва и заставил его
опять подумать. В его положении следовало ему
прежде всего отнестись в Управу благочиния,[37] не
потому что оно имело прямое отношение к полиции,
но потому что её распоряжения могли быть гораздо
быстрее, чем в других местах: искать же удовлетво-
рения по начальству того места, при котором нос
объявил себя служащим, было бы безрассудно, потому что из собственных ответов носа уже можно было
видеть, что для этого человека ничего не было свя-
щенного, и он мог так же солгать и в этом случае,
как солгал, уверяя, что он никогда не видался с ним.
Итак, Ковалёв уже хотел было приказать ехать в
Управу благочиния, как опять пришла мысль ему,
что этот плут и мошенник, который поступил уже
при первой встрече таким бессовестным образом,
мог опять удобно, пользуясь временем, как-нибудь
улизнуть из города, — и тогда все искания будут
тщетны, или могут продолжиться, чего Боже со-
храни, на целый месяц. Наконец, казалось, само небо
вразумило его. Он решился отнестись прямо в газетную экспедицию[38] и заблаговременно сделать пу-
бликацию с обстоятельным описанием всех качеств,
дабы всякий, встретивший его, мог в ту же минуту
его представить к нему или, по крайней мере, дать
знать о месте пребывания. Итак он, решив на этом,
велел извозчику ехать в газетную экспедицию, и
во всю дорогу не переставал его тузить кулаком в
спину, приговаривая: «скорей, подлец! скорей, мошенник!» — «Эх, барин!» говорил извозчик, потря-
хивая головой и стегая вожжой свою лошадь, на которой шерсть была длинная, как на болонке. Дрож-
ки, наконец, остановились, и Ковалёв запыхавшись
вбежал в небольшую приёмную комнату, где седой
чиновник, в старом фраке и очках, сидел за столом
и, взявши в зубы перо, считал принесённые медные
деньги.

"Drive straight ahead!"

"What do you mean straight ahead? There is a turn here. Right or left?"

This question nonplussed Kovalyov and made him think again. In his plight the first thing for him to do was to apply to the Police Department, not because his case had anything to do directly with the police, but because they could act much more quickly than any other institution; while to seek satisfaction from the superiors of the department by which the Nose claimed to be employed would be pointless because from the Nose's own replies it was obvious that this fellow held nothing sacred, and that he was capable of lying in this case, too, as he had done when he had assured Kovalyov that they had never met. Thus Kovalyov was on the point of telling the cabman to take him to the Police Department when the thought again occurred to him that this rogue and swindler, who had already treated him so shamelessly during their first encounter, might again seize his first chance to slip out of town somewhere, and then all search would be futile or might drag on, God forbid, a whole month. Finally, it seemed, heaven itself brought him to his senses. He decided to go straight to the newspaper office and, before it was too late, place an advertisement with a detailed description of the Nose's particulars, so that anyone coming across him could immediately deliver him or at least give information about his whereabouts. And so, his mind made up, he told the cabby to drive to the newspaper office, and all the way down to it kept whacking him in the back with his fist, saying, "Faster, you villain! faster, you rogue!" —"Ugh, mister!" the cabman would say, shaking his head and flicking his reins at the horse whose coat was as long as a lapdog's. At last the cab drew up to a stop, and Kovalyov, panting, ran into a small reception room where a gray-haired clerk in an old tailcoat and glasses sat at a table and, pen in his teeth, counted newly brought in coppers.

«Кто здесь принима́ет объявле́ния?» закрича́л Ковалёв. «А, здра́вствуйте!»

«Моё почте́ние», сказа́л седо́й чино́вник, подня́в-
ши на мину́ту глаза́ и опусти́вши их сно́ва на разло́-
женные ку́чи де́нег.

«Я жела́ю припеча́тать...»[39]

«Позво́льте. Прошу́ немно́жко повремени́ть», произнёс чино́вник, ста́вя одно́ю руко́ю ци́фру на бума́-
ге и передвига́я па́льцами ле́вой руки́ два очка́ на
счётах. Лаке́й с галуна́ми и нару́жностию, пока́зы-
вавшею пребыва́ние его́ в аристократи́ческом до́ме,
стоя́л во́зле стола́ с запи́скою в рука́х и почёл при-
ли́чным показа́ть свою́ общежи́тельность: «Пове́ри-
те ли, су́дарь, что собачо́нка не сто́ит восьми́ гри́-
вен, то есть я не́ дал бы за неё и восьми́ гро́шей; а
графи́ня лю́бит, ей-Бо́гу, лю́бит, — и вот тому́, кто её
оты́щет, сто рубле́й! Е́сли сказа́ть по прили́чию, то
вот так, как мы тепе́рь с ва́ми, вку́сы люде́й совсе́м не
совме́стны: уж когда́ охо́тник, то держи́ ляга́вую со-
ба́ку и́ли пу́деля; не пожале́й пятисо́т, ты́сячу дай,
но зато́ уж чтоб была́ соба́ка хоро́шая».

Почте́нный чино́вник слу́шал э́то с значи́тельною
ми́ною, и в то же вре́мя занима́лся сме́тою: ско́лько
букв в принесённой запи́ске. По сторона́м стоя́ло
мно́жество стару́х, купе́ческих сиде́льцев и дво́рни-
ков с запи́сками. В одно́й значи́лось, что отпуска́ет-
ся в услуже́ние[40] ку́чер тре́звого поведе́ния; в дру-
го́й — малоподе́ржанная коля́ска, вы́везенная в
1814 году́ из Пари́жа;[41] там отпуска́лась дворо́вая
де́вка 19 лет, упражня́вшаяся в пра́чешном де́ле,
го́дная и для други́х рабо́т; про́чные дро́жки без
одно́й рессо́ры, молода́я горя́чая ло́шадь в се́рых
я́блоках, семна́дцати лет от роду, но́вые полу́ченные
из Ло́ндона семена́ ре́пы и реди́са, да́ча со все́ми
уго́дьями: двумя́ сто́йлами для лошаде́й и ме́стом,
на кото́ром мо́жно развести́ превосхо́дный берёзо-
вый и́ли ело́вый сад; там же находи́лся вы́зов же-
ла́ющих купи́ть ста́рые подо́швы, с приглаше́нием
яви́ться к перето́ржке ка́ждый день от 8 до 3 часо́в

"Who accepts advertisements here?" cried Kovalyov. "Ah, good morning!"

"How do you do," said the gray-haired clerk, raising his eyes for a moment and lowering them again to look at the neat stacks of money.

"I should like to insert—"

"Excuse me. Will you wait a moment," said the clerk as he wrote down a figure on a piece of paper with one hand and moved two beads on the abacus with the fingers of his left hand. A liveried footman, whose appearance suggested his sojourn in an aristocratic house, and who stood by the table with a note in his hand, deemed it appropriate to demonstrate his savoir-faire: "Would you believe it, sir, this little mutt is not worth eighty kopecks, that is, I wouldn't even give eight kopecks for it; but the countess loves it, honestly she does—and so whoever finds it will get one hundred rubles! To put it politely, just as you and I are talking, people's tastes differ: if you're a hunter, keep a pointer or a poodle; don't grudge five hundred, give a thousand, but then let it be a good dog."

The worthy clerk listened to this with a grave expression while at the same time trying to count the number of letters in the note brought to him. All around stood a great many old women, salespeople and house porters with notes. One of them offered for sale a coachman of sober conduct; another, a little-used carriage brought from Paris in 1814; still others, a nineteen-year-old serf girl experienced in laundering work and suitable for other kinds of work; a sound droshky with one spring missing; a young and fiery dappled-gray horse seventeen years old; turnip and radish seed newly received from London; a summer residence with all the appurtenances—to wit, two stalls for horses and a place for planting a grove of birches or firs; there was also an appeal to those wishing to buy old boot soles, inviting them to appear for final bidding every day between eight and three o'clock. The room in which

утра́. Ко́мната, в кото́рой мести́лось всё это о́бще-
ство, была́ ма́ленькая, и во́здух в ней был чрезвы-
ча́йно густ; но колле́жский асе́ссор Ковалёв не мог
слы́шать за́паха, потому́ что закры́лся платко́м, и
потому́ что са́мый нос его́ находи́лся Бог зна́ет в
каки́х места́х.

«Ми́лостивый госуда́рь, позво́льте вас попроси́ть...
Мне о́чень ну́жно», сказа́л он, наконе́ц, с нетерпе́-
нием.

«Сейча́с, сейча́с! Два рубля́ со́рок три копе́йки!
Сию́ мину́ту! Рубль шестьдеся́т четы́ре копе́йки!»
говори́л седовла́сый господи́н, броса́я стару́хам и
дво́рникам запи́ски в глаза́. «Вам что уго́дно?» на-
коне́ц сказа́л он, обрати́вшись к Ковалёву.

«Я прошу́...» сказа́л Ковалёв: «случи́лось моше́н-
ничество, и́ли плутовство́, я до сих пор не могу́ ни-
ка́к узна́ть. Я прошу́ то́лько припеча́тать, что тот,
кто ко мне э́того подлеца́ предста́вит, полу́чит до-
ста́точное вознагражде́ние».

«Позво́льте узна́ть, как ва́ша фами́лия?»

«Нет, заче́м же фами́лию? Мне нельзя́ сказа́ть её.
У меня́ мно́го знако́мых: Чехтарёва, ста́тская сове́т-
ница, Пелаге́я Григо́рьевна Подто́чина, штаб-офи-
це́рша...[42] Вдруг узна́ют, Бо́же сохрани́! Вы мо́жете
про́сто написа́ть: колле́жский асе́ссор, и́ли, ещё лу́ч-
ше, состоя́щий в майо́рском чи́не».

«А сбежа́вший был ваш дворо́вый челове́к?»[43]

«Како́е дворо́вый челове́к? Это бы ещё не тако́е
большо́е моше́нничество! Сбежа́л от меня́... нос...»

«Гм! кака́я стра́нная фами́лия! И на большу́ю
су́мму э́тот г. Но́сов обокра́л вас?»

«Нос, то́ есть... вы не то ду́маете! Нос, мой со́б-
ственный нос пропа́л неизве́стно куда́. Чёрт хоте́л
подшути́ть надо мно́ю!»

«Да каки́м же о́бразом пропа́л? Я что́-то не могу́
хороше́нько поня́ть».

«Да я не могу́ вам сказа́ть, каки́м о́бразом; но
гла́вное то, что он разъезжа́ет тепе́рь по го́роду и
называ́ет себя́ ста́тским сове́тником. И потому́ я вас

this entire company was crowded was small, and the air in it was extremely thick; but Collegiate Assessor Kovalyov was not in a position to notice the smell, because he kept his handkerchief pressed to his face and because his nose itself was goodness knows where.

"My dear sir, may I ask you . . . It is very urgent," he said at last with impatience.

"Presently, presently! Two rubles forty-three kopecks! Just a moment! One ruble sixty-four kopecks," recited the gray-haired gentleman, tossing the notes into the faces of the old women and the house porters. "What can I do for you?" he said at last, turning to Kovalyov.

"I wish . . . ," said Kovalyov. "There has been a swindle or a fraud . . . I still can't find out. I just wish to advertise that whoever hands this scoundrel over to me will receive an adequate reward."

"Allow me to inquire, what is your name?"

"What do you want my name for? I can't give it to you. I have many acquaintances: Mrs. Chekhtaryova, the wife of a state councillor; Pelageya Grigoryevna Podtochina, the wife of a field officer. . . What if they suddenly were to find out? Heaven forbid! You can simply write down: a collegiate assessor or, still better, a person holding the rank of major."

"And was the runaway your household serf?"

"What do you mean, household serf? That wouldn't be such a bad swindle! The runaway was . . . my nose. . . ."

"Hmm! what a strange name! And did this Mr. Nosov rob you of a big sum?"

"My nose, I mean to say—You've misunderstood me. My nose, my very own nose has disappeared goodness knows where. The devil must have wished to play a trick on me!"

"But how did it disappear? I don't quite understand it."

"Well, I can't tell you how; but the main thing is that it is now gallivanting about town and calling itself a state прошу́ объяви́ть, что́бы пойма́вший предста́вил его́ неме́дленно ко мне в са́мом скоре́йшем вре́мени. Вы посуди́те, в са́мом де́ле, как же мне быть без тако́й заме́тной ча́сти те́ла? э́то не то, что како́й-нибудь мизи́нный па́лец на ноге́, кото́рую я в сапо́г[44] — и никто́ не уви́дит, е́сли его́ нет. Я быва́ю по четверга́м у ста́тской сове́тницы Чехтарёвой; Подто́чина Пелаге́я Григо́рьевна, штаб-офице́рша, и у ней до́чка о́чень хоро́шенькая, то́же о́чень хоро́шие знако́мые, и вы посуди́те са́ми, как же мне тепе́рь... Мне тепе́рь к ним нельзя́ яви́ться».

Чино́вник заду́мался, что означа́ли кре́пко сжа́вшиеся гу́бы.

«Нет, я не могу́ помести́ть тако́го объявле́ния в газе́тах», сказа́л он наконе́ц по́сле до́лгого молча́ния.

«Как? отчего́?»

«Так. Газе́та мо́жет потеря́ть репута́цию. Если вся́кий начнёт писа́ть, что у него́ сбежа́л нос, то... И так уже́ говоря́т, что печа́тается мно́го несообра́зностей и ло́жных слу́хов».

«Да чем же э́то де́ло несообра́зное? Тут, ка́жется, ничего́ нет тако́го».

«Это вам так ка́жется, что нет. А вот, на про́шлой неде́ле, тако́й же был слу́чай. Пришёл чино́вник таки́м же о́бразом, как вы тепе́рь пришли́, принёс запи́ску, де́нег по расчёту пришло́сь 2 р. 73 к., и всё объявле́ние состоя́ло в том, что сбежа́л пу́дель чёрной ше́рсти. Ка́жется, что бы тут тако́е? А вы́шел па́сквиль: пу́дель-то э́тот был казначе́й, не по́мню како́го-то заведе́ния».

«Да ведь я вам не о пу́деле де́лаю объявле́ние, а о со́бственном моём но́се: ста́ло быть, почти́ то же, что о само́м себе́».

«Нет, тако́го объявле́ния я ника́к не могу́ помести́ть».

«Да когда́ у меня́ то́чно пропа́л нос!»

«Если пропа́л, то э́то де́ло ме́дика. Говоря́т, что есть таки́е лю́ди, кото́рые мо́гут приста́вить како́й уго́дно нос. Но впро́чем я замеча́ю, что вы должны́ councillor. And that is why I am asking you to advertise that whoever apprehends it should deliver it to me immediately and without delay. Judge for yourself. How, indeed, can I do without such a conspicuous part of my body? It itsn't like some little toe which I put into my boot, and no one can see whether it is there or not. On Thursdays I call at the house of Mrs. Chekhtaryova, a state councillor's wife. Mrs. Podtochina, Pelageya Grigoryevna, a field officer's wife, and her very pretty daughter, are also very good friends of mine, and you can judge for yourself how can I now . . . I can't appear at their house now."

The clerk thought hard, his lips pursed tightly in witness thereof.

"No, I can't insert such an advertisement in the papers," he said at last after a long silence.

"How so? Why?"

"Well, the paper might lose its reputation. If everyone were to write that his nose had run away, why . . . As it is, people say that too many absurd stories and false rumors are printed."

"But why is this business absurd? I don't think it is anything of the sort."

"That's what you think. But take last week, there was another such case. A civil servant came in, just as you have, bringing a note, was billed two rubles seventy-three kopecks, and all the advertisement consisted of was that a black-coated poodle had run away. Doesn't seem to amount to much, does it now? But it turned out to be a libel. This so-called poodle was the treasurer of I don't recall what institution."

"But I am not putting in an advertisement about a poodle —it's about my very own nose; that is, practically the same as about myself."

"No, I can't possibly insert such an advertisement."

"But when my nose actually has disappeared!"

"If it has disappeared, then it's a doctor's business. They say there are people who can fix you up with any nose you like. However, I observe that you must be a man of быть[45] челове́к весёлого нра́ва и лю́бите в о́бществе пошути́ть».

«Кляну́сь вам, вот как Бог свят![46] Пожа́луй, уж е́сли до того́ дошло́, то я покажу́ вам».

«Заче́м беспоко́иться!» продолжа́л чино́вник, ню́хая таба́к. «Впро́чем, е́сли не в беспоко́йство», приба́вил он с движе́нием любопы́тства: «то жела́тельно бы взгляну́ть».

Колле́жский асе́ссор о́тнял от лица́ плато́к.

«В са́мом де́ле, чрезвыча́йно стра́нно!» сказа́л чино́вник: «ме́сто соверше́нно гла́дкое, как бу́дто бы то́лько что вы́печенный блин. Да, до невероя́тности ро́вное!»

«Ну, вы тепе́рь бу́дете спо́рить? Вы ви́дите са́ми, что нельзя́ не напеча́тать. Я вам бу́ду осо́бенно благода́рен, и о́чень рад, что э́тот слу́чай доста́вил мне удово́льствие с ва́ми познако́миться...» Майо́р, как ви́дно из э́того, реши́лся на сей раз немно́го попо́дличать.

«Напеча́тать-то, коне́чно, де́ло небольшо́е», сказа́л чино́вник: «то́лько я не предви́жу в э́том никако́й для вас вы́годы. Если уже́ хоти́те, то отда́йте тому́, кто име́ет иску́сное перо́, описа́ть как ре́дкое произведе́ние нату́ры и нап. ча́тать стате́йку в «Се́верной Пчеле́»[47] (тут он поню́хал ещё раз табаку́) для по́льзы ю́ношества (тут он утёр нос), и́ли так, для о́бщего любопы́тства».

Колле́жский асе́ссор был соверше́нно обезнадё́жен. Он опусти́л глаза́ вниз газе́ты, где бы́ло извеще́ние о спекта́клях; уже́ лицо́ его́ бы́ло гото́во улыбну́ться, встре́тив и́мя актри́сы хоро́шенькой собо́ю, и рука́ взяла́сь за карма́н: есть ли при нём си́няя ассигна́ция,[48] потому́ что шта́б-офице́ры, по мне́нию Ковалёва, должны́ сиде́ть в кре́слах, — но мысль о но́се всё испо́ртила!

Сам чино́вник, каза́лось был тро́нут затрудни́тельным положе́нием Ковалёва. Жела́я ско́лько-нибудь облегчи́ть его́ го́ресть, он почёл прили́чным вы́разить уча́стие своё в не́скольких слова́х: «Мне, пра́во, gay disposition and fond of kidding in company."

"I swear to you by all that is holy! Perhaps, if it comes
to that, why I'll show you."

"Why trouble yourself?" continued the clerk, taking a
pinch of snuff. "However, if it isn't too much trouble,"
he added, moved by curiosity, "I'd like to have a look."

The collegiate assessor removed the handkerchief from
his face.

"Very strange indeed!" said the clerk. "It's absolutely
flat, like a pancake fresh off the griddle. Yes, incredibly
smooth."

"Well, will you go on arguing after this? You see yourself that you can't refuse to print my advertisement. I'll
be particularly grateful and am very glad that this opportunity has given me the pleasure of making your acquaintance. . . ." The major, as we can see, decided this time to
use a little flattery.

"To insert it would be easy enough, of course," said the
clerk, "but I don't see any advantage to you in it. If you
really must, give it to someone who wields a skillful pen
and let him describe this as a rare phenomenon of nature
and publish this little item in *The Northern Bee*" (here he
took another pinch of snuff) "for the benefit of the young"
(here he wiped his nose), "or just so, as a matter of general
interest."

The collegiate assessor felt completely discouraged. He
dropped his eyes to the lower part of the paper where
theatrical performances were announced. His face was
about to break out into a smile as he came across the name
of a pretty actress, and his hand went to his pocket to
check whether he had a blue note, because in his opinion
field officers ought to sit in the stalls—but the thought of
his nose spoiled it all.

The clerk himself seemed to be moved by Kovalyov's
embarrassing situation. Wishing at least to ease his distress
he deemed it appropriate to express his sympathy in a
few words: "I really am grieved that such a thing happened

о́чень приско́рбно, что с ва́ми случи́лся тако́й анек-
до́т. Не уго́дно ли вам поню́хать табачку́? э́то раз-
бива́ет головны́е бо́ли и печа́льные расположе́ния;
да́же в отноше́нии к геморо́идам это хорошо́». Го-
воря́ э́то, чино́вник поднёс Ковалёву табаке́рку, до-
во́льно ло́вко подверну́в под неё кры́шку с портре́том
како́й-то да́мы в шля́пке.

Этот неумы́шленный посту́пок вы́вел из терпе́ния
Ковалёва. «Я не понима́ю, как вы нахо́дите ме́сто
шу́ткам», сказа́л он с се́рдцем: «ра́зве вы не ви́дите,
что у меня́ и́менно нет того́, чем бы я мог поню́хать?
Чтоб чёрт побра́л ваш таба́к! Я тепе́рь не могу́ смот-
ре́ть на него́, и не то́лько на скве́рный ваш берёзин-
ский, но хоть бы вы поднесли́ мне самого́ рапе́».[49]
Сказа́вши э́то, он вы́шел, глубоко́ раздоса́дованный,
из газе́тной экспеди́ции и отпра́вился к ча́стному приставу,[50] чрезвыча́йному охо́тнику до са́хару. На до-
му́ его́ вся пере́дняя, она́ же и столо́вая, была́ уста-
но́влена са́харными голова́ми, кото́рые нанесли́ к
нему́ из дру́жбы купцы́. Куха́рка в это вре́мя ски-
да́ла с ча́стного при́става казённые ботфо́рты; шпага и все вое́нные доспе́хи уже́ ми́рно разве́сились по
угла́м и гро́зную трехуго́льную шля́пу уже́ затро́ги-
вал трёхле́тний сыно́к его́; и он по́сле боево́й, бра́н-
ной жи́зни, гото́вился вкуси́ть удово́льствия ми́ра.

Ковалёв вошёл к нему́ в то вре́мя, когда́ он потя-
ну́лся, кря́кнул и сказа́л: «Эх, сла́вно засну́ два ча-
сика!» И потому́ мо́жно бы́ло предви́деть, что при-
хо́д колле́жского асе́ссора был соверше́нно не во-
время. И не зна́ю, хотя́ бы он да́же принёс ему́ в то
вре́мя не́сколько фу́нтов ча́ю или сукна́, он бы не
был при́нят сли́шком раду́шно. Ча́стный был боль-
шо́й поощри́тель всех иску́сств и мануфакту́рностей;
но госуда́рственную ассигна́цию предпочита́л всему́.
«Это вещь», обыкнове́нно говори́л он: «уж нет ни-
чего́ лу́чше э́той ве́щи: есть не про́сит, ме́ста зай-
мёт немно́го, в карма́не всегда́ поме́стится, уро́нишь
— не расшибётся».

Ча́стный при́нял дово́льно су́хо Ковалёва и сказа́л,

to you. Wouldn't you care for a pinch of snuff? It dispels headaches and melancholy; it's even good for hemorrhoids." With those words the clerk offered Kovalyov his snuff box, rather deftly snapping open the lid which pictured a lady in a hat.

This unpremeditated action made Kovalyov lose all patience. "I can't understand how you find this a time for jokes," he said angrily. "Can't you see that I lack the very thing one needs to take snuff? To hell with your snuff! I can't bear the sight of it now, even if you offered me some *rapé* itself, let alone your wretched Berezin's." After saying this he left the newspaper office, deeply vexed, and went to visit the district police inspector, a man with a passion for sugar. In his house the entire parlor, which served also as the dining room, was stacked with sugar loaves which local tradesmen brought to him out of friendship. At the moment his cook was pulling off the inspector's regulation topboots; his sword and all his military trappings were already hanging peacefully in the corners, and his three-year-old son was reaching for his redoubtable three-cornered hat, while the inspector himself was preparing to taste the fruits of peace after his day of warlike, martial pursuits.

Kovalyov came in at the moment when the inspector had just stretched, grunted and said, "Oh, for a couple of hours' good snooze!" It was therefore easy to see that the collegiate assessor had come at quite the wrong time. And I wonder whether he would have been welcome even if he had brought several pounds of tea or a piece of cloth. The police inspector was a great patron of all arts and manufactures, but he preferred a bank note to everything else. "This is the thing," he would usually say. "There can be nothing better than it—it doesn't ask for food, it doesn't take much space, it'll always fit into a pocket, and if you drop it it won't break."

The inspector received Kovalyov rather coolly and said

что после обеда не то время, чтобы производить
следствие, что сама натура назначила, чтобы, на-
евшись, немного отдохнуть (из этого коллежский
асессор мог видеть, что частному приставу были не-
безызвестны изречения древних мудрецов), что у
порядочного человека не оторвут носа и что много
есть на свете всяких майоров, которые не имеют
даже и исподнего в приличном состоянии и таска-
ются по всяким непристойным местам.

То есть, не в бровь, а прямо в глаз![51] Нужно заметить, что Ковалёв был чрезвычайно обидчивый
человек. Он мог простить всё, что ни говорили о
нём самом, но никак не извинял, если это относилось к чину или званию. Он даже полагал, что в
театральных пьесах можно пропустить всё то, что
относилось к обер-офицерам, но на штаб-офицеров
никак не должно нападать. Приём частного так его
сконфузил, что он тряхнул головою и сказал с чув-
ством достоинства, немного расставив свои руки:
«Признаюсь, после этаких обидных с вашей стороны замечаний, я ничего не могу прибавить...» и вышел.

Он приехал домой, едва слыша под собою ноги.
Были уже сумерки. Печальною или чрезвычайно
гадкою показалась ему квартира после всех этих
неудачных исканий. Взошедши в переднюю, увидел
он на кожаном запачканном диване лакея своего
Ивана, который, лёжа на спине, плевал в потолок и
попадал удачно в одно и то же место. Такое равно-
душие человека взбесило его; он ударил его шля-
пою по лбу, примолвив: «ты, свинья, всегда глупо-
стями занимаешься!»

Иван вскочил вдруг с своего места и бросился со
всех ног снимать с него плащ.

Вошедши в свою комнату, майор, усталый и пе-
чальный, бросился в кресла, и, наконец, после не-
скольких вздохов сказал:

«Боже мой! Боже мой! За что это такое несча-
стие? Будь я без руки или без ног — всё бы это

that after dinner was hardly the time to conduct investigations, that nature itself intended that man should rest a little after a good meal (from this the collegiate assessor could see that the aphorisms of the ancient sages were not unknown to the police inspector), that no real gentleman would allow his nose to be pulled off, and that there were many majors in this world who hadn't even decent underwear and hung about in all sorts of disreputable places.

This last was too close for comfort. It must be observed that Kovalyov was extremely quick to take offense. He could forgive whatever was said about himself, but never anything that referred to rank or title. He was even of the opinion that in plays one could allow references to junior officers, but that there should be no criticism of field officers. His reception by the inspector so disconcerted him that he tossed his head and said with an air of dignity, spreading his arms slightly: "I confess that after such offensive remarks on your part, I've nothing more to add. . . ." and left the room.

He came home hardly able to stand on his feet. It was already dusk. After all this fruitless search his apartment appeared to him melancholy or extraordinarily squalid. Coming into the entrance hall he caught sight of his valet Ivan who, lying on his back on the soiled leather sofa, was spitting at the ceiling and rather successfully hitting one and the same spot. Such indifference on the man's part infuriated him; he struck him on the forehead with his hat, saying, "You pig, always doing something stupid!"

Ivan jumped up abruptly and rushed to take off his cloak.

Entering his room the major, tired and sad, sank into an armchair and at last, after several sighs, said:

"O Lord, O Lord! What have I done to deserve such misery? Had I lost an arm or a leg, it would not have been

лу́чше; будь я без уше́й — скве́рно, одна́кож всё
сносне́е; но без но́са челове́к — чёрт зна́ет что:
пти́ца не пти́ца, граждани́н не граждани́н; про́сто
возьми́ да и вы́швырни за око́шко! И пусть бы уже́
на войне́ отруби́ли и́ли на дуэ́ли, и́ли я сам был причи́ною; но ведь пропа́л ни за́ что, ни про́ что,[52] пропа́л да́ром, ни за грош!.. То́лько нет, не мо́жет
быть», приба́вил он, немно́го поду́мав. «Невероя́тно,
что́бы нос пропа́л; никаки́м о́бразом невероя́тно.
Э́то, ве́рно, и́ли во сне сни́тся, и́ли про́сто гре́зится;
мо́жет быть, я ка́к-нибудь оши́бкою вы́пил вме́сто
воды́ во́дку, кото́рою вытира́ю по́сле бритья́ себе́
бо́роду. Ива́н дура́к не при́нял, и я, ве́рно, хвати́л
её».—Что́бы действи́тельно увери́ться, что он не пьян,
майо́р ущипну́л себя́ так бо́льно, что сам вскри́кнул.
Э́та боль соверше́нно увери́ла его́, что он де́йствует
и живёт наяву́. Он потихо́ньку прибли́зился к зе́ркалу и снача́ла зажму́рил глаза́ с то́ю мы́слию, что
аво́сь-либо нос пока́жется на своём ме́сте; но в ту
же мину́ту отскочи́л наза́д, сказа́вши: «э́кой па́сквильный вид!»

Э́то бы́ло, то́чно, непоня́тно. Е́сли бы пропа́ла пу́говица, сере́бряная ло́жка, часы́, или что́-нибудь подо́бное; — но пропа́сть, и кому́ же пропа́сть? и прито́м ещё на со́бственной кварти́ре!.. Майо́р Ковалёв,
сообразя́ все обстоя́тельства, предполага́л едва́ ли
не бли́же всего́ к и́стине, что вино́ю э́того до́лжен
быть не кто друго́й, как штаб-офице́рша Подто́чина, кото́рая жела́ла, что́бы он жени́лся на её до́чери. Он и сам люби́л за не́ю приволокну́ться, но избега́л оконча́тельной разде́лки. Когда́ же штаб-офице́рша объяви́ла ему́ напрями́к, что она́ хо́чет вы́дать ее за него́, он потихо́ньку отча́лил с свои́ми
комплиме́нтами, сказа́вши, что ещё мо́лод, что ну́жно ему́ прослужи́ть лет пято́к, что́бы уже́ ро́вно
бы́ло со́рок два го́да. И потому́ штаб-офице́рша,
ве́рно из мще́ния, реши́лась его́ испо́ртить и наняла́
для э́того каки́х-нибудь колдо́вок-баб, потому́ что
никаки́м о́бразом нельзя́ бы́ло предположи́ть, что́бы

so bad; had I lost my ears, it would have been bad enough but nevertheless bearable; but without a nose a man is goodness knows what; he's not a bird, he's not a human being; in fact, just take him and throw him out the window! And if at least it had been chopped off in battle or in a duel, or if I myself had been to blame; but it disappeared just like that, with nothing, nothing at all to show for it. But no, it can't be," he added after some thought. "It's unbelievable that a nose should disappear; absolutely unbelievable. I must be either dreaming or just imagining it. Maybe, somehow, by mistake instead of water I drank the vodka which I rub on my chin after shaving. That fool Ivan didn't take it away and I probably gulped it down." —To satisfy himself that he was not drunk the major pinched himself so hard that he cried out. The pain he felt fully convinced him that he was wide awake. He stealthily approached the mirror and at first half-closed his eyes, thinking that perhaps the nose would appear in its proper place; but the same moment he sprang back exclaiming, "What a caricature of a face!"

It was indeed incomprehensible. If a button, a silver spoon, a watch, or some such thing had disappeared—but to disappear, and for whom to disappear? and besides in his own apartment, too! . . . After considering all the circumstances, Major Kovalyov was inclined to think that most likely it was the fault of none other than the field officer's wife, Mrs. Podtochina, who wanted him to marry her daughter. He, too, liked to flirt with her but avoided a final showdown. And when the field officer's wife told him point-blank that she wanted to marry her daughter off to him, he eased off on his attentions, saying that he was still young, that he had to serve another five years when he would be exactly forty-two. And so the field officer's wife, presumably in revenge, had decided to put a curse on him and hired for this purpose some old witchwomen, because it was impossible even to suppose that the nose had been

нос был отрезан: никто не входил к нему в комнату;
цирюльник же Иван Яковлевич брил его ещё в сре-
ду, и в продолжение всей среды и даже во весь чет-
верток[53] нос у него был цел, — это он помнил и знал
очень хорошо; притом была бы им чувствуема боль,
и, без сомнения, рана не могла бы так скоро зажить
и быть гладкою, как блин. Он строил в голове пла-
ны: звать ли штаб-офицершу формальным порядком в суд или явиться к ней самому и уличить её.
Размышления его прерваны были светом, блеснув-
шим сквозь все скважины дверей, который дал
знать, что свеча в передней уже зажжена Иваном.
Скоро показался и сам Иван, неся её перед собою и
озаряя всю комнату. Первым движением Ковалёва
было схватить платок и закрыть то место, где вчера
ещё был нос, чтобы в самом деле глупый человек
не зазевался, увидя у барина такую странность.

Не успел Иван уйти в конуру свою, как послышался в передней незнакомый голос, произнёсший:
«Здесь ли живёт коллежский асессор Ковалёв?»

«Войдите. Майор Ковалёв здесь», сказал Ковалёв,
вскочивши поспешно и отворяя дверь.

Вошёл полицейский чиновник красивой наруж-
ности, с бакенбардами не слишком светлыми и не тём-
ными, с довольно полными щеками, тот самый, который в начале повести стоял в конце Исакиевского
моста.

«Вы изволили затерять нос свой?»

«Так точно».

«Он теперь найден».

«Что вы говорите?» закричал Ковалёв. Радость
отняла у него язык. Он глядел в оба на стоявшего
перед ним квартального, на полных губах и щеках
которого ярко мелькал трепетный свет свечи. «Каким образом?»

«Странным случаем: его перехватили на дороге.
Он уже садился в дилижанс и хотел уехать в Ригу.
И пашпорт давно был написан на имя одного чинов-
ника. И странно то, что я сам принял его сначала за

simply cut off: no one had entered his room; the barber, Ivan Yakovlevich, had shaved him as recently as Wednesday and throughout that whole day and even on Thursday his nose was all there—he remembered and knew it very well. Besides, he would have felt the pain and no doubt the wound could not have healed so soon and be as smooth as a pancake. Different plans of action occurred to him: should he formally summons Mrs. Podtochina to court or go to her himself and expose her in person? His reflections were interrupted by light breaking through all the cracks in the door, which told him that Ivan had lit the candle in the hall. Soon Ivan himself appeared, carrying it before him and brightly illuminating the whole room. Kovalyov's first gesture was to snatch his handkerchief and cover the place where his nose had been only the day before, so that indeed the silly fellow would not stand there gaping at such an oddity in his master's strange appearance.

Barely had Ivan gone into his cubbyhole when an unfamiliar voice was heard in the hall saying, "Does Collegiate Assessor Kovalyov live here?"

"Come in. Major Kovalyov is here," said Kovalyov, jumping up quickly and opening the door.

In came a police officer of handsome appearance with sidewhiskers that were neither too light nor too dark, and rather full cheeks, the very same who at the beginning of this story was standing at the end of St. Isaac's Bridge.

"Did you happen to mislay your nose?"

"That's right."

"It has been recovered."

"What are you saying!" exclaimed Major Kovalyov. He was tongue-tied with joy. He stared at the police officer standing in front of him, on whose full lips and cheeks the trembling light of the candle flickered. "How?"

"By an odd piece of luck—he was intercepted on the point of leaving town. He was about to board a stagecoach and leave for Riga. He even had a passport made out a long time ago in the name of a certain civil servant. Strangely enough, I also at first took him for a gentleman.

господи́на. Но к сча́стию бы́ли со мной очки́, и я
тот же час уви́дел, что э́то был нос. Ведь я близору́к,
и е́сли вы ста́нете передо мно́ю, то я ви́жу то́лько
у вас лицо́, но ни но́са, ни бороды́, ничего́ не заме́чу.
Моя́ тёща, то есть мать жены́ мое́й, то́же ничего́
не ви́дит».

Ковалёв был вне себя́. «Где же он? Где? Я сейча́с
побегу́».

«Не беспоко́йтесь. Я, зна́я, что он вам ну́жен,
принёс его́ с собо́ю. И стра́нно то, что гла́вный уча́-
стник в э́том де́ле есть моше́нник цирю́льник на
Вознесе́нской у́лице, кото́рый сиди́т тепе́рь на съе́з-
жей.[54] Я давно́ подозрева́л его́ в пья́нстве и воров-
стве́, и ещё тре́тьего дня стащи́л он в одно́й ла́вочке
бо́ртище пу́говиц.[55] Нос ваш соверше́нно тако́в, как
был». — При э́том кварта́льный поле́з в карма́н и
вы́тащил отту́да завёрнутый в бума́жке нос.

«Так, он!» закрича́л Ковалёв: «то́чно он! Отку́-
шайте сего́дня со мно́ю ча́шечку ча́ю».

«Почёл бы за большу́ю прия́тность, но ника́к не
могу́: мне ну́жно зае́хать отсю́да в смири́тельный
дом... Очень больша́я подняла́сь дороговизна на все
припа́сы... У меня́ в до́ме живёт и тёща, то есть мать
мое́й жены́, и де́ти; ста́рший осо́бенно подаёт боль-
ши́е наде́жды: о́чень у́мный мальчи́шка, но средств
для воспита́ния соверше́нно нет никаки́х».

Ковалёв догада́лся и, схвати́в со стола́ кра́сную
ассигна́цию,[56] су́нул в ру́ки надзира́телю, кото́рый,
расша́ркавшись, вы́шел за дверь, и в ту же почти́
мину́ту Ковалёв слы́шал уже́ го́лос его́ на у́лице, где
он увещева́л по зуба́м одного́ глу́пого мужика́, на-
е́хавшего со свое́ю теле́гою как раз на бульва́р.

Колле́жский асе́ссор по ухо́де кварта́льного не́-
сколько мину́т остава́лся в како́м-то неопределён-
ном состоя́нии и едва́ че́рез не́сколько мину́т пришёл
в возмо́жность ви́деть и чу́вствовать: в тако́е бес-
па́мятство пове́ргла его́ неожи́данная ра́дость. Он
взял бережли́во на́йденный нос в о́бе руки́, сло́жен-
ные го́рстью, и ещё раз рассмотре́л его́ внима́тельно.

But fortunately I had my glasses with me and I saw at once that it was a nose. You see, I am nearsighted and when you stand before me all I can see is that you have a face, but I can't make out if you have a nose or a beard or anything. My mother-in-law, that is, my wife's mother, can't see anything, either."

Kovalyov was beside himself. "Where is it? Where? I'll run there at once."

"Don't trouble yourself. Knowing that you need it I have brought it with me. And the strange thing is that the chief villain in this business is that rascally barber from Voznesensky Street who is now in a lockup. I have long suspected him of drunkenness and theft, and as recently as the day before yesterday he stole a dozen buttons from a certain shop. Your nose is quite in order."—With these words the police officer reached into his pocket and pulled out a nose wrapped up in a piece of paper.

"That's it!" shouted Kovalyov. "That's it, all right! Do join me in a little cup of tea today."

"I would consider it a great pleasure, but I simply can't: I have to drop in at a mental asylum. . . . All food prices have gone up enormously. . . . I have my mother-in-law, that's my wife's mother, living with me, and my children; the eldest is particularly promising, a very clever lad, but we haven't the means to educate him."

Kovalyov grasped his meaning and, snatching up a red banknote from the table, thrust it into the hands of the inspector who, clicking his heels, went out the door. Almost the very same instant Kovalyov heard his voice out in the street where he was admonishing with his fist a stupid peasant who had driven his cart onto the boulevard.

After the police officer had left, the collegiate assessor remained for a few minutes in a sort of indefinable state and only after several minutes recovered the capacity to see and feel: his unexpected joy had made him lose his senses. He carefully took the newly found nose in both his cupped hands and once again examined it thoroughly.

«Так, он, то́чно он!» говори́л майо́р Ковалёв. «Вот
и пры́щик на ле́вой стороне́, вскочи́вший вчера́шне-
го дня».[57] Майо́р чуть не засмея́лся от ра́дости.

Но на све́те нет ничего́ долговре́менного, а потому́
и ра́дость в сле́дующую мину́ту за пе́рвою уже́ не
так жива́; в тре́тью мину́ту она́ стано́вится ещё
слабе́е и, наконе́ц, незаме́тно слива́ется с обыкно-
ве́нным положе́нием души́, как на воде́ круг, рож-
дённый паде́нием ка́мешка, наконе́ц слива́ется с
гла́дкою пове́рхностью. Ковалёв на́чал размышля́ть
и смекну́л, что де́ло ещё не ко́нчено: нос на́йден, но
ведь ну́жно же его́ приста́вить, помести́ть на своё
ме́сто.

«А что, е́сли он не приста́нет?»

При тако́м вопро́се, сде́ланном[58] самому́ себе́, ма-
йо́р побледне́л.

С чу́вством неизъясни́мого стра́ха бро́сился он к
столу́, придви́нул зе́ркало, что́бы ка́к-нибудь не по-
ста́вить нос кри́во. Ру́ки его́ дрожа́ли. Осторо́жно
и осмотри́тельно наложи́л он его́ на пре́жнее ме́сто.
О, у́жас! Нос не приклеи́вался!.. Он поднёс его́ ко
рту, нагре́л его́ слегка́ свои́м дыха́нием и опя́ть поднёс к гла́дкому ме́сту, находи́вшемуся ме́жду двух
щёк; но нос никаки́м о́бразом не держа́лся.

«Ну! ну же! полеза́й, дура́к!» говори́л он ему́. Но
нос был как деревя́нный и па́дал на стол с таки́м
стра́нным зву́ком, как бу́дто бы про́бка. Лицо́ майо́-
ра су́дорожно скриви́лось. «Неуже́ли он не прира-
стёт?» говори́л он в испу́ге. Но ско́лько раз ни под-
носи́л он его́ на его́ же со́бственное ме́сто, стара́ние
было́ попре́жнему неуспе́шно.

Он кли́кнул Ива́на и посла́л его́ за до́ктором, ко-
то́рый занима́л в том же са́мом до́ме лу́чшую квар-
ти́ру в бельэта́же.[59] До́ктор э́тот был ви́дный из
себя́ мужчи́на, име́л прекра́сные смоли́стые бакен-
ба́рды, све́жую, здоро́вую докто́ршу, ел поутру́ я́б-
локи и держа́л рот в необыкнове́нной чистоте́, поло-
ща́ его́ ка́ждое у́тро почти́ три че́тверти часа́ и
шлифу́я зу́бы пятью́ ра́зных родо́в щёточками. До́к-

"That's it, that's it, all right," said Major Kovalyov. "Here on the left side is the pimple which swelled up yesterday." The major very nearly laughed with joy.

But there is nothing enduring in this world, and that is why even joy is not as keen in the moment that follows the first; and a moment later it grows weaker still and finally merges imperceptibly into one's usual state of mind, just as a ring on the water, made by the fall of a pebble, merges finally into the smooth surface. Kovalyov began to reflect and realized that the whole business was not yet over: the nose was found but it still had to be affixed, put in its proper place.

"And what if it doesn't stick?"

At this question, addressed to himself, the major turned pale.

Seized by unaccountable fear, he rushed to the table and drew the looking-glass closer, to avoid affixing the nose crookedly. His hands trembled. Carefully and deliberately, he put it in its former place. O horror! the nose wouldn't stick. . . . He carried it to his mouth, warmed it slightly with his breath, and again brought it to the smooth place between his two cheeks; but the nose just wouldn't stay on.

"Well, come on, come on, you fool!" he kept saying to it. But the nose was as though made of wood and plopped back on the table with a strange corklike sound. The major's face was twisted in convulsion. "Won't it really grow on?" he said fearfully. But no matter how many times he tried to fit it in its proper place, his efforts were unsuccessful as before.

He called Ivan and sent him for the doctor who occupied the best apartment on the first floor of the same house. The doctor was a fine figure of a man; he had beautiful pitch-black sidewhiskers, a fresh, healthy wife, ate raw apples first thing in the morning, and kept his mouth extraordinarily clean, rinsing it every morning for nearly three quarters of an hour and polishing his teeth with five dif-

тор яви́лся в ту же мину́ту. Спроси́вши, как давно́
случи́лось несча́стие, он по́днял майо́ра Ковалёва за
подборо́док и дал ему́ больши́м па́льцем щелчка́ в
то са́мое ме́сто, где пре́жде был нос, так что майо́р
до́лжен был отки́нуть свою́ го́лову наза́д с тако́ю
си́лою, что уда́рился заты́лком в сте́ну. Ме́дик ска-
за́л, что э́то ничего́, и, посове́товавши отодви́нуть-
ся немно́го от стены́, веле́л ему́ перегну́ть го́лову
снача́ла на пра́вую сто́рону и, пощу́павши то ме́сто,
где пре́жде был нос, сказа́л: «Гм!». Пото́м веле́л ему́
перегну́ть го́лову на ле́вую сто́рону и сказа́л: «Гм!»
и в заключе́ние дал опя́ть ему́ больши́м па́льцем щел-
чка́, так что майо́р Ковалёв дёрнул голово́ю как конь,
кото́рому смо́трят в зу́бы. Сде́лавши таку́ю про́бу,
ме́дик покача́л голово́ю и сказа́л: «Нет, нельзя́. Вы
уж лу́чше так остава́йтесь, потому́ что мо́жно сде́-
лать ещё ху́же. Оно́ коне́чно, приста́вить мо́жно; я
бы, пожа́луй, вам сейча́с приста́вил; но я вас уверя́ю,
что э́то для вас ху́же».

   «Вот хорошо́! как же мне остава́ться без но́са»?
сказа́л Ковалёв. «Уж ху́же не мо́жет быть, как те-
пе́рь. Это про́сто чёрт зна́ет что! Куда́ же я э́та-
кою па́сквильностию покажу́сь? Я име́ю хоро́шее
знако́мство: вот и сего́дня мне ну́жно быть на ве́че-
ре в двух дома́х. Я со мно́гими знако́м: ста́тская со-
ве́тница Чехтарёва, Подто́чина, штаб-офице́рша...
хоть по́сле тепе́решнего посту́пка её я не име́ю с
ней друго́го де́ла, как то́лько чрез поли́цию. Сде́-
лайте ми́лость», произнёс Ковалёв умоля́ющим го́-
лосом: «нет ли сре́дства? ка́к-нибудь приста́вьте;
хоть не хорошо́, лишь бы то́лько держа́лся; я да́же
могу́ его́ слегка́ подпира́ть руко́ю в опа́сных слу́ча-
ях. Я же прито́м и не танцу́ю, чтобы мог вреди́ть
каки́м-нибудь неосторо́жным движе́нием. Всё, что
отно́сится на счёт благода́рности за визи́ты, уж
бу́дьте уве́рены, ско́лько дозво́лят мой сре́дства...»

   «Ве́рите ли», сказа́л до́ктор ни гро́мким, ни ти́-
хим го́лосом, но чрезвыча́йно уве́тливым и магнети́-
ческим: «что я никогда́ из коры́сти не лечу́. Это

ferent kinds of little brushes. The doctor came at once. After asking him how long ago the mishap had occurred, he lifted Major Kovalyov's face by the chin and flicked him with his thumb on the very spot where the nose used to be, so that the major had to throw his head back with such force that he hit the back of it against the wall. The doctor said this didn't matter and, suggesting that he move a little away from the wall, told him first to bend his head to the right, and, after feeling the spot where the nose had been, said "Hmm!" Then he told him to bend his head to the left and said "Hmm!"; and in conclusion he again flicked him with his thumb so that Major Kovalyov jerked his head like a horse whose teeth are being examined. Having carried out this test, the doctor shook his head and said: "No, can't be done. You'd better stay like this, or we might make things even worse. Of course, it can be stuck on. I daresay, I could do it right now for you, but I assure you it'll be worse for you."

"I like that! How am I to remain without a nose?" said Kovalyov. "It couldn't possibly be worse than now. This is simply a hell of a thing! How can I show myself anywhere in such a scandalous state? I have acquaintances in good society; why, this evening, now, I am expected at parties in two houses. I know many people: Mrs. Chekhtaryova, a state councillor's wife, Mrs. Podtochina, a field officer's wife . . . although after what she's done now I'll have nothing more to do with her except through the police. I appeal to you," pleaded Kovalyov, "is there no way at all? Fix it on somehow, even if not very well, just so it stays on; in an emergency, I could even prop it up with my hand. And besides, I don't dance, so I can't do any harm by some careless movement. As regards my grateful acknowledgment of your visits, be assured that as far as my means allow . . . ."

"Would you believe it," said the doctor in a voice that was neither loud nor soft but extremely persuasive and magnetic, "I never treat people out of self-interest. This

противно мои́м пра́вилам и моему́ иску́сству. Пра́в-
да, я беру́ за визи́ты, но еди́нственно с тем то́лько,
чтобы не обидеть мои́м отка́зом. Коне́чно, я бы при-
ста́вил ваш нос: но я вас уверя́ю че́стью, е́сли уже́
вы не ве́рите моему́ сло́ву, что э́то бу́дет гора́здо
ху́же. Предоста́вьте лу́чше де́йствию само́й нату́-
ры. Мо́йте ча́ще холо́дною водо́ю, и я вас уверя́ю,
что вы, не име́я но́са, бу́дете так же здоро́вы, как
е́сли бы име́ли его́. А нос я вам сове́тую положи́ть
в ба́нку со спи́ртом и́ли ещё лу́чше влить туда́ две
столо́вые ло́жки о́строй во́дки и подогре́того у́ксуса,
— и тогда́ вы мо́жете взять за него́ поря́дочные
де́ньги. Я да́же сам возьму́ его́, е́сли вы то́лько не
подорожи́тесь».

«Нет, нет! ни за что не прода́м!» вскрича́л отча́-
янный майо́р Ковалёв: «лу́чше пусть он пропадёт!»

«Извини́те!» сказа́л до́ктор, откла́ниваясь, «я хо-
те́л быть вам поле́зным... Что ж де́лать! По кра́йней
ме́ре, вы ви́дели моё стара́ние». Сказа́вши э́то, до́к-
тор с благоро́дною оса́нкою вы́шел из ко́мнаты. Ковалёв не заме́тил да́же лица́ его́ и в глубо́кой бес-
чу́вственности ви́дел то́лько выгля́дывавшие из ру-
каво́в его́ чёрного фра́ка рука́вчики бе́лой и чи́стой
как снег руба́шки.

Он реши́лся на друго́й же день, пре́жде представ-
ле́ния жа́лобы, писа́ть к штаб-офице́рше, не согла-
си́тся ли она́ без бо́ю возврати́ть ему́ то, что сле́ду-
ет. Письмо́ бы́ло тако́го содержа́ния:

Ми́лостивая госуда́рыня,
      Алекса́ндра Григо́рьевна!
Не могу́ поня́ть стра́нного со стороны́ ва́шей де́й-
ствия. Бу́дьте уве́рены, что поступа́я таки́м о́бра-
зом, ничего́ вы не вы́играете и ничу́ть не прину́дите
меня́ жени́ться на ва́шей до́чери. Пове́рьте, что
исто́рия насчёт моего́ но́са мне соверше́нно изве́ст-
на, равно́ как то, что в э́том вы есть гла́вные уча-
стницы,[60] а не кто друго́й. Внеза́пное его́ отделе́ние с
своего́ ме́ста, побе́г и маскирова́ние, то под ви́дом
одного́ чино́вника, то наконе́ц в со́бственном ви́де,

is against my principles and my calling. It is true that I charge for my visits, but solely in order not to offend by my refusal. Of course I could affix your nose; but I assure you on my honor, if you won't take my word for it, that it will be much worse. Rather, let nature take its course. Wash the place more often with cold water, and I assure you that without a nose you'll be as healthy as if you had one. As for the nose itself, I advise you to put the nose in a jar with alcohol, or, better still, pour into the jar two tablespoonfuls of aqua fortis and warmed-up vinegar—and then you can get good money for it. I'll buy it myself, if you don't ask too much."

"No, no! I won't sell it for anything!" exclaimed Major Kovalyov in desperation. "Let it rather go to blazes!"

"Excuse me!" said the doctor, bowing himself out, "I wanted to be of some use to you. . . . Never mind! At least you saw my good will." Having said this the doctor left the room with a dignified air. Kovalyov didn't even notice his face and in his benumbed state saw nothing but the cuffs of his snow-white shirt peeping out of the sleeves of his black tailcoat.

The very next day he decided, before lodging a complaint, to write to Mrs. Podtochina requesting her to restore him his due without a fight. The letter ran as follows:

Dear Madam Alexandra Grigoryevna,

I fail to understand your strange behavior. Be assured that, acting in this way, you gain nothing and certainly will not force me to marry your daughter. Believe me that the incident with my nose is fully known to me, just as is the fact that you—and no one else—is the principal person involved. Its sudden detachment from its place, its flight and its disguise, first as a certain civil servant, then at last in its own shape, is nothing other than the result of a есть бо́льше ничего́, кро́ме сле́дствие волхвова́ний,[61] произведённых ва́ми и́ли те́ми, кото́рые упражня́ются в подо́бных вам благоро́дных заня́тиях. Я с свое́й стороны́ почита́ю до́лгом вас предуве́домить, е́сли упомина́емый мно́ю нос не бу́дет сего́дня же на своём ме́сте, то я принуждён бу́ду прибе́гнуть к защи́те и покрови́тельству зако́нов.

Впро́чем, с соверше́нным почте́нием к вам, име́ю честь быть

Ваш поко́рный слуга́

Плато́н Ковалёв.

Ми́лостивый госуда́рь,
   Плато́н Кузьми́ч!

Чрезвыча́йно удиви́ло меня́ письмо́ ва́ше. Я, призна́юсь вам по открове́нности, ника́к не ожида́ла, а тем бо́лее относи́тельно несправедли́вых укори́зн со стороны́ ва́шей. Предуведомля́ю вас, что я чино́вника, о кото́ром упомина́ете вы, никогда́ не принима́ла у себя́ в до́ме, ни замаскиро́ванного, ни в настоя́щем ви́де. Быва́л у меня́, пра́вда, Фили́пп Ива́нович Пота́нчиков. И хотя́ он, то́чно, иска́л руки́ мое́й до́чери, бу́дучи сам хоро́шего, тре́звого поведе́ния и вели́кой учёности; но я никогда́ не подава́ла ему́ никако́й наде́жды. Вы упомина́ете ещё о но́се. Е́сли вы разуме́ете под сим, что бу́дто бы я хоте́ла оста́вить вас с но́сом,[62] то есть дать вам форма́льный отка́з: то меня́ удивля́ет, что вы са́ми об э́том говори́те, тогда́ как я, ско́лько вам изве́стно, была́ соверше́нно проти́вного мне́ния, и е́сли вы тепе́рь же посва́таетесь на мое́й до́чери зако́нным о́бразом, я гото́ва сей же час удовлетвори́ть вас, и́бо э́то составля́ло всегда́ предме́т моего́ живе́йшего жела́ния, в наде́жде чего́ остаю́сь всегда́ гото́вою к услу́гам ва́шим

Алекса́ндра Подто́чина.[63]

«Нет», говори́л Ковалёв, прочита́вши письмо́. «Она́ то́чно не винова́та. Не мо́жет быть! Письмо́ spell cast by you or by those who engage like you in such noble pursuits. I for my part deem it my duty to forewarn you that if the abovementioned nose is not back in its place this very day I shall be forced to resort to the defense and protection of the law.

Whereupon I have the honor to remain, with my full respect,

Your obedient servant
Platon Kovalyov

Dear Sir
Platon Kuzmich

Your letter came as a complete surprise to me. I frankly confess that I never expected it, especially as regards your unjust reproaches. I beg to inform you that I never received in my house the civil servant you mention, neither in disguise nor in his actual shape. It is true that Filipp Ivanovich Potanchikov had been visiting me. And though he did indeed seek my daughter's hand, being himself of good sober conduct and great learning, I never held out any hopes to him. You also mention your nose. If by this you mean that I wanted to put your nose out of joint, that is, to give you a formal refusal, then I am surprised to hear you mention it, for I, as you know, was of the exactly opposite opinion, and if you now seek my daughter in marriage in the lawful way, I am ready to give you immediate satisfaction, for this has always been the object of my keenest desire, in the hope of which I remain always at your service,

Alexandra Podtochina

"No," said Kovalyov, after he had read the letter. "She certainly isn't guilty. Impossible! The letter is written in a

так напи́сано, как не мо́жет написа́ть челове́к, вино-
ва́тый в преступле́нии. Колле́жский асе́ссор был в
э́том све́дущ потому́, что был по́сылан не́сколько
раз на сле́дствие ещё в Кавка́зской о́бласти. «Каки́м
же о́бразом, каки́ми судьба́ми э́то приключи́лось?
То́лько чёрт разберёт э́то!» сказа́л он наконе́ц, опу-
сти́в ру́ки.

Ме́жду тем слу́хи об э́том необыкнове́нном про-
исше́ствии распространи́лись по всей столи́це и, как
во́дится,[64] не без осо́бенных прибавле́ний. Тогда́ умы́
всех и́менно настро́ены бы́ли к чрезвыча́йному: не-
да́вно то́лько что занима́ли весь го́род о́пыты дей-
ствия магнети́зма.[65] Прито́м исто́рия о танцу́ющих
сту́льях в Коню́шенной у́лице[66] была́ ещё свежа́, и
потому́ не́чего удивля́ться, что ско́ро на́чали гово-
ри́ть, бу́дто нос колле́жского асе́ссора Ковалёва ро́в-
но в 3 часа́ прогу́ливается по Не́вскому проспе́кту.
Любопы́тных стека́лось ка́ждый день мно́жество.
Сказа́л кто́-то, что нос бу́дто бы находи́лся в мага-
зи́не Ю́нкера: и во́зле Ю́нкера така́я сде́лалась тол-
па́ и да́вка, что должна́ была́ да́же поли́ция всту-
пи́ться. Оди́н спекуля́тор почте́нной нару́жности, с
бакенба́рдами, продава́вший при вхо́де в теа́тр ра́з-
ные сухи́е конди́терские пирожки́, наро́чно поде́лал
прекра́сные деревя́нные, про́чные скамьи́, на кото́-
рые приглаша́л любопы́тных станови́ться за 80 ко-
пе́ек от ка́ждого посети́теля. Оди́н заслужённый
полко́вник наро́чно для э́того вы́шел ра́ньше и́з дому
и с больши́м трудо́м пробра́лся сквозь толпу́; но, к
большо́му негодова́нию своему́, уви́дел в окне́ мага-
зи́на вме́сто но́са обыкнове́нную шерстяну́ю фуфа́й-
ку и литографи́рованную карти́нку с изображе́нием
де́вушки, поправля́вшей чуло́к, и гляде́вшего на неё
из-за де́рева фра́нта с откидны́м жиле́том и небольшо́-
ю боро́дкою, — карти́нку, уже́ бо́лее десяти́ лет
вися́щую всё на одно́м ме́сте. Отоше́д,[67] он сказа́л с
доса́дою: «как мо́жно э́такими глу́пыми и неправдо-
подо́бными слу́хами смуща́ть наро́д?» — Пото́м
пронёсся слух, что не на Не́вском проспе́кте, а в

way no person guilty of a crime can write."—The collegiate assessor was an expert in this matter, having been sent
several times to take part in a judicial investigation while
still serving in the Caucasus.—"How then, how on earth
could this have happened? The devil alone can make it
out," he said at last in utter dejection.

In the meantime rumors about this extraordinary occurrence had spread all over the capital and, as is usual in
such cases, not without some special accretions. In those
days the minds of everybody were particularly inclined
toward things extraordinary: not long before, the whole
town had shown an interest in experiments with the effects
of hypnotism. Moreover, the story of the dancing chairs in
Konyushennaya Street was still fresh in memory, and one
should not be surprised therefore that soon people began
saying that Collegiate Assessor Kovalyov's nose went
strolling along Nevsky Avenue at precisely three o'clock.
Throngs of curious people came there every day. Someone
said that the Nose was in Junker's store: and such a crowd
and jam was created outside Junker's that the police had
to intervene. One profit-seeker of respectable appearance,
with sidewhiskers, who sold a variety of dry pastries at the
entrance to a theater, had specially constructed excellent,
sturdy wooden benches, on which he invited the curious
to mount for eighty kopecks apiece. One veteran colonel
made a point of leaving his house earlier than usual and
with much difficulty made his way through the crowd, but
to his great indignation saw in the window of the shop
instead of the nose an ordinary woolen undershirt and a
lithograph showing a young girl straightening her stocking
and a dandy, with a lapeled waistcoat and a small beard,
peeping at her from behind a tree—a picture which had
been hanging in the same place for more than ten years.
Moving away he said with annoyance, "How can they
confound the people by such silly and unlikely rumors?"
—Then a rumor went round that Major Kovalyov's nose
was out for a stroll, not on Nevsky Avenue but in Taurida

Таврическом саду[68] прогуливается нос майора Ковалёва, что будто бы он давно уже там; что когда
ещё проживал там Хозрев-Мирза,[69] то очень уди-
влялся этой странной игре природы. Некоторые из
студентов Хирургической академии[70] отправились
туда. Одна знатная, почтённая дама просила особенным письмом смотрителя за садом показать де-
тям её этот редкий феномен и, если можно, с объ-
яснением наставительным и назидательным для
юношей.

Всем этим происшествиям были чрезвычайно ра-
ды все светские, необходимые посетители раутов,
любившие смешить дам, у которых запас в то время
совершенно истощился. Небольшая часть почтённых
и благонамеренных людей была чрезвычайно недо-
вольна. Один господин говорил с негодованием, что
он не понимает, как в нынешний просвещённый век
могут распространяться нелепые выдумки, и что он
удивляется, как не обратит на это внимание правительство. Господин этот, как видно, принадлежал к
числу тех господ, которые желали бы впутать правительство во всё, даже в свои ежедневные ссоры с
женою. Вслед за этим... но здесь вновь всё происшествие скрывается туманом, и что было потом, решительно неизвестно.

III

Чепуха совершенная делается на свете. Иногда
вовсе нет никакого правдоподобия: вдруг тот самый нос, который разъезжал в чине статского советника и наделал столько шуму в городе, очутился как ни в чём не бывало вновь на своём месте, то
есть именно между двух щёк майора Ковалёва. Это
случилось уже апреля 7 числа. Проснувшись и не-
чаянно взглянув в зеркало, видит он: нос! хвать рукою — точно нос! «Эге!» сказал Ковалёв, и в радости чуть не дёрнул по всей комнате босиком тропа-
ка,[71] но вошедший Иван помешал. Он приказал тот

Gardens, that it had been there for ages; that when Khos-rev-Mirza lived there he marveled greatly at this strange freak of nature. Some students from the Surgical Academy went there. One aristocratic, respectable lady, in a special letter to the Superintendent of the Gardens, asked him to show her children this rare phenomenon, accompanied, if possible, with an explanation edifying and instructive for the young.

All the men about town, the *habitués* of society parties, who liked to amuse ladies and whose resources had by that time been exhausted, were extremely glad of all these goings-on. A small percentage of respectable and well-meaning people were extremely displeased. One gentleman said indignantly that he could not understand how in this enlightened age such senseless stories could spread and that he was surprised at the government's failure to take heed of it. This gentleman apparently was one of those gentlemen who would like to embroil the government in everything, even in their daily quarrels with their wives. After that . . . but here again the whole incident is shrouded in fog, and what happened afterwards is absolutely unknown.

III

Utterly nonsensical things happen in this world. Sometimes there is absolutely no rhyme or reason in them: suddenly the very nose which had been going around with the rank of a state councillor and created such a stir in the city, found itself again, as though nothing were the matter, in its proper place, that is to say, between the two cheeks of Major Kovalyov. This happened on April 7th. Waking up and chancing to look in the mirror, he sees—his nose! He grabbed it with his hand—his nose indeed! "Aha!" said Kovalyov, and in his joy he very nearly broke into a barefooted dance round the room, but Ivan's entry

же час дать себе умы́ться, и, умыва́ясь, взгляну́л
ещё раз в зе́ркало: нос. Вытира́ясь утира́льником,
он опя́ть взгляну́л в зе́ркало: нос!

«А посмотри́, Ива́н, ка́жется, у меня́ на носу́ как
бу́дто пры́щик», сказа́л он и ме́жду тем ду́мал: «вот
беда́, как Ива́н ска́жет: да нет, су́дарь, не то́лько
пры́щика, и самого́ но́са нет!»

Но Ива́н сказа́л: «Ничего́-с, никако́го пры́щика:
нос чи́стый!»

«Хорошо́, чёрт побери́!» сказа́л сам себе́ майо́р и
щёлкнул па́льцами. В э́то вре́мя вы́глянул в дверь
цирю́льник Ива́н Яковлевич; но так боязли́во, как
ко́шка, кото́рую то́лько что вы́секли за кра́жу са́ла.

«Говори́ вперёд: чи́сты ру́ки?» крича́л ещё и́здали
ему́ Ковалёв.

«Чи́сты».

«Врёшь!»

«Ей-Бо́гу-с чи́сты, су́дарь».

«Ну, смотри́ же».

Ковалёв сел. Ива́н Яковлевич закры́л его́ салфе́т-
кою и в одно́ мгнове́нье, с по́мощью ки́сточки, пре-
врати́л всю бо́роду его́ и часть щеки́ в крем, како́й
подаю́т на купе́ческих имени́нах. «Вишь ты!» ска-
за́л сам себе́ Ива́н Яковлевич, взгляну́вши на нос, и
пото́м перегну́л го́лову на другу́ю сто́рону и посмот-
ре́л на него́ сбо́ку: «Во́на! эк его́ пра́во как поду́ма-
ешь», продолжа́л он и до́лго смотре́л на нос. Нако-
не́ц лего́нько, с бережли́востью, каку́ю то́лько мо́ж-
но себе́ вообрази́ть, он припо́днял два па́льца с тем,
чтобы пойма́ть его́ за ко́нчик. Такова́ уж была́ си-
сте́ма Ива́на Яковлевича.

«Ну, ну, ну, смотри́!» закрича́л Ковалёв. Ива́н
Яковлевич и ру́ки опусти́л, оторопе́л и смути́лся, как
никогда́ не смуща́лся. Наконе́ц осторо́жно стал он
щекота́ть бри́твой у него́ под бородо́ю, и хотя́ бы́ло
ему́ совсе́м не сподру́чно и тру́дно брить без придёр-
жки за ню́хательную часть те́ла, одна́ко же, кое-ка́к
упира́ясь свои́м шерохова́тым больши́м па́льцем ему́

stopped him. He told Ivan to bring him some water to wash in and, while washing, glanced again at the mirror—his nose! Drying himself with his towel, he again glanced at the mirror—his nose!

"Take a look, Ivan, I think there's a pimple on my nose," he said, and in the meantime thought, "How awful if Ivan says: 'Why, no sir, not only there is no pimple but also the nose itself is gone!'"

But Ivan said: "Nothing, sir, no pimple—your nose is fine!"

"That's great, damn it!" the major said to himself, snapping his fingers. At that moment the barber Ivan Yakovlevich peeped in at the door but as timidly as a cat which had just been whipped for stealing lard.

"First you tell me—are your hands clean?" Kovalyov shouted to him before he had approached.

"They are."

"You're lying."

"I swear they are, sir."

"Well, we'll see."

Kovalyov sat down. Ivan Yakovlevich draped him with a napkin and instantly, with the help of a shaving brush, transformed his chin and part of his cheek into the whipped cream served at merchants' namesday parties. "Well, I never!" Ivan Yakovlevich said to himself, glancing at his nose, and then cocked his head on the other side and looked at it sideways: "Look at that! Just you try and figure that out," he continued and took a good look at his nose. At last, gently, with the greatest care imaginable, he raised two fingers to grasp it by the tip. Such was Ivan Yakovlevich's method.

"Now, now, now, look out there!" cried Kovalyov. Dumbfounded and confused as never before in his life, Ivan Yakovlevich let his hands drop. At last he began cautiously tickling him with the razor under the chin, and although it wasn't at all handy for him and difficult to shave without holding on to the olfactory portion of the face, nevertheless, somehow bracing his gnarled thumb в щёку и в нижнюю десну, наконец одолел все препятствия и выбрил.

Когда всё было готово, Ковалёв поспешил тот же час одеться, взял извозчика и поехал прямо в кондитерскую. Входя, закричал он ещё издали: «мальчик, чашку шоколаду!» а сам в ту же минуту к зеркалу: есть нос. Он весело оборотился назад и с сатирическим видом посмотрел, несколько прищуря глаз, на двух военных, у одного из которых был нос никак не больше жилетной пуговицы. После того отправился он в канцелярию того департамента, где хлопотал об вице-губернаторском месте, а в случае неудачи об экзекуторском. Проходя чрез приёмную, он взглянул в зеркало: есть нос. Потом поехал он к другому коллежскому асессору или майору, большому насмешнику, которому он часто говорил в ответ на разные занозистые заметки: «ну, уж ты, я тебя знаю, ты шпилька!»[72] Дорогою он подумал: «если и майор не треснет со смеху, увидевши меня, тогда уже верный знак, что всё, что ни есть, сидит на своём месте». Но коллежский асессор ничего. «Хорошо, хорошо, чёрт побери»! подумал про себя Ковалёв. На дороге встретил он штаб-офицершу Подточину вместе с дочерью, раскланялся с ними и был встречен с радостными восклицаньями, стало быть ничего, в нём нет никакого ущерба. Он разговаривал с ними очень долго, и нарочно вынувши табакерку, набивал пред ними весьма долго свой нос с обоих подъездов, приговаривая про себя: «вот, мол, вам, бабьё, куриный народ[73], а на дочке всё-таки не женюсь. Так просто, par amour[74] — изволь!» И майор Ковалёв с тех пор прогуливался, как ни в чём не бывало, и на Невском проспекте, и в театрах, и везде. И нос тоже, как ни в чём не бывало, сидел на его лице, не показывая даже вида, чтобы отлучался по сторонам. И после того майора Ковалёва видели вечно в хорошем юморе,[75] улыбающегося, преследующего решительно всех хорошеньких дам и даже остановившегося один раз перед лавочкой в against the cheek and the lower jaw, he finally overcame all obstacles and finished shaving him.

When everything was ready, Kovalyov hastened to dress, hired a cab and went straight to the coffee-house. Before he was properly inside the door he shouted, "Boy, a cup of chocolate!" and immediately made for the mirror: the nose was there. He turned round cheerfully and looked ironically, slightly screwing up one eye, at two military gentlemen one of whom had a nose no bigger than a waistcoat button. After that he set off for the office of the department where he was trying to obtain the post of a vice-governor or, failing that, of a procurement officer. Passing through the reception room, he glanced in the mirror: the nose was there. Then he went to visit another collegiate assessor or major, a great wag, to whom he often said in reply to various derisive remarks: "Oh, come off it, I know you, you're a kidder." On the way there he thought: "If the major doesn't explode with laughter on seeing me, it's a sure sign that everything is in its proper place." The collegiate assessor did not explode. "That's great, that's great, damn it!" Kovalyov thought to himself. On the street he met Mrs. Podtochina, the field officer's wife, together with her daughter, bowed to them and was hailed with joyful exclamations, and so everything was all right, no part of him was missing. He talked with them a very long time and, deliberately taking out his snuffbox, right in front of them kept stuffing his nose with snuff at both entrances for a very long time, saying to himself: "So much for you, you women, you stupid hens! I won't marry the daughter all the same. Anything else, *par amour*—by all means." And from that time on, Major Kovalyov went strolling about as though nothing had happened, both on Nevsky Avenue, and in the theaters, and everywhere. And his nose too, as though nothing had happened, stayed on his face, betraying no sign of having played truant. And thereafter Major Kovalyov was always seen in good humor, smiling, running after absolutely all the pretty ladies, and once even stopping in front of a little shop in Gostinny

Гостином Дворе[76] и покупавшего какую-то орден-
скую ленточку, неизвестно для каких причин, потому
что он сам не был кавалером никакого ордена.

Вот какая история случилась в северной столице[77]
нашего обширного государства! Теперь только по
соображении всего видим, что в ней есть много не-
правдоподобного. Не говоря уже о том, что точно
странно сверхъестественное отделение носа и появ-
ленье его в разных местах в виде статского советника, — как Ковалёв не смекнул, что нельзя чрез
газетную экспедицию объявлять о носе? Я здесь не
в том смысле говорю, чтобы мне казалось дорого
заплатить за объявление: это вздор, и я совсем не
из числа корыстолюбивых людей. Но неприлично,
неловко, нехорошо! И опять тоже — как нос очутился в печёном хлебе, и как сам Иван Яковлевич?..
нет, этого я никак не понимаю, решительно не понимаю! Но что страннее, что непонятнее всего, это
то, как авторы могут брать подобные сюжеты. Признаюсь, это уж совсем непостижимо, это точно...
нет, нет, совсем не понимаю. Во-первых, пользы
отечеству решительно никакой; во-вторых... но и
во-вторых тоже нет пользы. Просто я не знаю, что
это...

А однако же, при всём том, хотя, конечно, можно
допустить и то, и другое, и третье, может даже...
ну да и где ж не бывает несообразностей? — А всё
однако же, как поразмыслишь, во всём этом, право,
есть что-то. Кто что ни говори, а подобные проис-
шествия бывают на свете; редко, но бывают.

Dvor and buying himself the ribbon of some order, goodness knows why, for he hadn't been decorated with any
order.

That is the kind of affair that happened in the northern
capital of our vast empire. Only now, on second thoughts,
can we see that there is much that is improbable in it.
Without speaking of the fact that the supernatural detachment of the nose and its appearance in various places in
the guise of a state councillor is indeed strange, how is
it that Kovalyov did not realize that one does not advertise
for one's nose through the newspaper office? I do not mean
to say that advertising rates appear to me too high: that's
nonsense, and I am not at all one of those mercenary
people. But it's improper, embarrassing, not nice! And then
again—how did the nose come to be in a newly baked loaf,
and how about Ivan Yakovlevich? . . . No, this is something I can't understand, positively can't understand. But
the strangest, the most incomprehensible thing of all, is
how authors can choose such subjects. I confess that this
is quite inconceivable; it is indeed . . . no, no, I just can't
understand it at all! In the first place, there is absolutely
no benefit in it for the fatherland; in the second place . . .
but in the second place, there is no benefit either. I simply
don't know what to make of it. . . .

And yet, in spite of it all, though, of course, we may
assume this and that and the other, perhaps even . . . And
after all, where aren't there incongruities?—But all the
same, when you think about it, there really is something in
all this. Whatever anyone says, such things happen in this
world; rarely, but they do.

IVAN TURGENEV

(1818-1883)

Ivan Sergeyevich Turgenev was born into a landowners'
family in the Province of Oryol, in the very heart of
European Russia, the region which gave Russian literature so many outstanding representatives (Tolstoy, Tyutchev, Leskov, Fet, Bunin). Like many of his contemporaries he studied philosophy in Germany and even
thought of becoming a university professor. However,
after a short spell in civil service, he made literature his
vocation. In 1847 he published in Nekrasov's *Sovremennik* the first of his *Sportsman't Sketches;* five years later
twenty-two of them were collected in a book that became
something of a literary and political sensation. Its publication led to Turgenev's arrest and detention and subsequent banishment to his ancestral estate (though the
ostensible reason for these actions was his obituary of
Gogol). The book, most of which was written during
Turgenev's visits to France, is said to have had its share
of influence on Emperor Alexander II's decision to liber-
ate the serfs in 1861; Turgenev however, had not written
it as an abolitionist tract, and in many of the stories
neither the misery of the peasants' plight nor the cruelty
of the landowners is the main theme. It is refreshingly
free from all sentimentalism.

Turgenev's manner, best described perhaps as poetic
realism, is equally far removed from the classical sim-
plicity of Pushkin's prose (though influenced undoubtedly
by Pushkin's poetry and his novel in verse) and from
the baroque ornamentalism of Gogol's: it is much closer
to Lermontov. Turgenev was one of the most exquisite
and fastidious stylists in Russian literature, and his descriptions of nature are justly renowned. He lacked the
creative imaginative power of his two younger contemporaries, Dostoevsky and Tolstoy, who were soon to

eclipse his fame both in Russia and—especially—in the West, but it was he who brought Russian literature out onto the wide European arena. After 1855 he spent much of his life abroad, in France and in Germany, and his personal intercourse with Gustave Flaubert, Emile Zola, George Sand, the brothers Goncourt, Guy de Maupassant, Henry James, and other Western writers, is a well-known chapter in the history of world literature. Turgenev wrote a great many stories besides *Sportsman's Sketches,* and some of them are among the greatest in the language. He also wrote six novels in which, as he himself put it, he wanted to give expression to "the body and pressure of time." These novels were described by one contemporary critic as "a mirror of Russian society in its successive stages". Written between 1855 and 1876, they deal with the Russian life and the problems that agitated Turgenev's contemporaries between the 1840s and the early 1870s.

The story chosen by us here is one of the three stories which were added to *Sportsman's Sketches* in 1874. It was apparently written much earlier. When Turgenev sent it from Paris to his friend, the poet Polonsky, for publication in a volume to raise funds for the victims of famine in the Province of Samara, he described it as an unfinished draft from his old files. He wanted to dedicate it to George Sand who regarded it very highly, but his friend Louis Viardot advised him to wait until he was to write "something more significant and more worthy of [her] glorious name," as Turgenev wrote to George Sand herself on April 15, 1874. In a manuscript copy of the story preserved in the Pushkin House of the Russian Academy of Sciences is found a passage struck out by Turgenev when he was preparing the story for publication: here Lukerya tells of another vision in which a multitude of serfs beg her to suffer for them, for their freedom. In a letter to his German friend and translator, Ludwig Pietsch, Turgenev said that the story was based on a true episode.

ЖИВЫЕ МОЩИ
И. С. Тургénева

> Край роднóй долготерпéнья —
> Край ты рýсского нарóда!
>
> Ф. Тю́тчев[1]

Францýзская поговóрка гласи́т: «Сухóй рыбáк и
мóкрый охóтник явля́ют вид печáльный».[2] Не имéв
никогдá пристрáстия к ры́бной лóвле, я не могý су-
ди́ть о том, что испы́тывает рыбáк в хорóшую, я́сную
погóду и наскóлько в ненáстное врéмя удовóльствие,
доставля́емое емý оби́льной добы́чей, перевéшивает
неприя́тность быть мóкрым. Но для охóтника дождь
— сýщее бéдствие. Именно такóму бéдствию под-
вéрглись мы с Ермолáем[3] в однý из нáших поéздок за
тетеревáми в Белёвский уéзд.[4] С сáмой ýтренней зари́
дождь не переставáл. Уж чегó-чегó мы не дéлали,
чтобы от негó избáвиться! И рези́нковые плáщики
чуть не на сáмую гóлову надевáли, и под дерéвья
станови́лись, чтобы помéньше кáпало... Непромокá-
емые плáщики, не говоря́ ужé о том, что мешáли
стреля́ть, пропускáли вóду сáмым бесстыдным óбразом; а под дерéвьями тóчно на пéрвых порáх как
бýдто и не кáпало, но потóм вдруг накопи́вшаяся в
листвé влáга прорывáлась, кáждая вéтка обдавáла
нас как из дождевóй трубы́, холóдная струйка заби-
рáлась под гáлстух и текла́ вдоль спиннóго хребтá...
А уж э́то послéднее дéло! — как выражáлся Ермо-
лáй.

— Нет, Пётр Петрóвич, — воскли́кнул он нако-
нéц. — Этак нельзя́!.. Нельзя́ сегóдня охóтиться.
Собáкам *чучьé*[5] заливáет, рýжья осекáются... Тьфу!
Задáча!

— Что же дéлать? — спроси́л я.

A LIVING RELIC
Ivan Turgenev

> Native land of long endurance,
> Thou land of the Russian people!
> *Tyutchev*

A French proverb runs: "A dry fisherman and a wet hunter present a sorry sight." Never having had any predilection for fishing I cannot judge what a fisherman feels in fine, bright weather and to what extent, in bad weather, the pleasure afforded him by an abundant catch outweighs the unpleasantness of being wet. But for the hunter rain is a veritable calamity. It was precisely such a calamity that Ermolay and I suffered on one of our black grouse expeditions in Belyov district. Since the very dawn the rain had not stopped. What didn't we do to dodge it! We had even put our rubber cloaks almost right over our heads; we had stood under trees so as to be dripped on less. . . . The waterproof cloaks (not to mention the fact that they hindered our shooting) let through water in a most shameless fashion; and though it is true that at first it seemed not to drip under the trees, then suddenly the moisture, accumulated in the foliage, would break through, every twig letting loose a shower on us as if it were a rainspout, a cold trickle finding its way under one's tie and running along one's spine. And that beats all, as Ermolay would put it.

"No, Pyotr Petrovich," he exclaimed finally, "it's no good! We cannot go hunting today. The dogs' noses are drowned, the guns misfire. . . . Ugh! What a job!"

"What shall we do then?" I asked.

— А вот что. Поедемте в Алексеевку. Вы может, не знаете — хуторок такой есть, матушке вашей принадлежит; отсюда вёрст восемь. Перено-
чуем там, а завтра...

— Сюда вернёмся?

— Нет, не сюда... Мне за Алексеевкой места
известны... многим лучше здешних для тетеревов!

Я не стал расспрашивать моего верного спутника,
зачем он не повёз меня прямо в те места, и в тот же
день мы добрались до матушкина хуторка, суще-
ствования которого я, признаться сказать, и не по-
дозревал до тех пор. При этом хуторке оказался
флигелёк, очень ветхий, но нежилой и потому чистый; я провёл в нём довольно спокойную ночь.

На следующий день я проснулся ранёхонько.
Солнце только что встало; на небе не было ни одного облачка; всё кругом блестело сильным двойным
блеском: блеском молодых утренних лучей и вчерашнего ливня. Пока мне закладывали таратайку,[6] я
пошёл побродить по небольшому, некогда фрукто-
вому, теперь одичалому саду, со всех сторон обсту-
пившему флигелёк своей пахучей, сочной глушью.
Ах, как было хорошо на вольном воздухе, под ясным небом, где трепетали жаворонки, откуда сы-
пался серебряный бисер их звонких голосов! На
крыльях своих они, наверно, унесли капли росы, и
песни их казались орошёнными росою. Я даже шап-
ку снял с головы и дышал радостно — всею грудью... На склоне неглубокого оврага, возле самого
плетня, виднелась пасека; узенькая тропинка вела
к ней, извиваясь змейкой между сплошными стена-
ми бурьяна и крапивы, над которыми высились, Бог
ведает откуда занесённые, остроконечные стебли
темнозелёной конопли.

Я отправился по этой тропинке; дошёл до пасеки.
Рядом с нею стоял плетёный сарайчик, так называ-
емый амшаник, куда ставят ульи на зиму. Я заглянул
в полуоткрытую дверь: темно, тихо, сухо; пахнет
мятой, мелиссой. В углу приспособлены подмостки,

"I know what. Let's go to Alekseyevka. You may not know it, but there is such a little farmstead, it belongs to your mother; it's about eight versts from here. We'll spend the night there, and tomorrow. . ."

"We'll come back here?"

"No, not here. I know some places beyond Alekseyevka . . . much better places than these here for black grouse."

I did not question my faithful companion as to why he had not taken me straight to those places, and on the same day we reached my mother's farmstead the existence of which, I must admit, I had not suspected until then. Adjoining the farm there turned out to be a small cottage, very dilapidated but not inhabited and therefore clean; I passed a fairly quiet night in it.

The next day I woke up quite early. The sun had only just risen; there was not a single cloud in the sky; everything around glistened with a strong double sparkle: the sparkle of the young morning rays and of the previous day's downpour. While a horse was being harnessed to the gig, I went off and wandered round in the small garden—once an orchard, now grown wild—which surrounded the cottage on all sides with its fragrant, succulent wilderness. Oh, how wonderful it was in the fresh air, under the clear sky in which the larks trembled, out of which the silvery beads of their clear voices showered down. On their wings, no doubt, they carried up dewdrops and their songs seemed to be watered by the dew. I even took off my cap and breathed joyfully—deeply . . . from the bottom of my lungs. On the slope of a small gully, right up against a wattle fence, I could see a bee-garden; a little narrow path led to it, winding like a snake between the solid walls of weeds and nettles; above rose the sharp-pointed stalks of dark-green hemp, carried over from Lord knows where.

I set off along this path and came to the bee-garden. Beside it there stood a small wattle shed, a so-called *amshanik,* where the hives are put for the winter. I glanced in through the half-open door: it was dark, quiet, dry; smelling of mint and melissa. In the corner some boards

и на них, прикры́тая одея́лом, кака́я-то ма́ленькая
фигу́ра... Я пошёл бы́ло[7] прочь...

— Ба́рин, а ба́рин! Пётр Петро́вич! — послы́шал-
ся мне го́лос, сла́бый, ме́дленный и си́плый, как ше́-
лест боло́тной осо́ки.

Я останови́лся.

— Пётр Петро́вич! Подойди́те, пожа́луйста! —
повтори́л го́лос. Он доноси́лся до меня́ из угла́, с
тех, заме́ченных мно́ю, подмо́стков.

Я прибли́зился — и остолбене́л от удивле́ния. Пе́-
редо мно́ю лежа́ло живо́е челове́ческое существо́, но
что э́то бы́ло тако́е?

Голова́ соверше́нно вы́сохшая, одноцве́тная, брон-
зовая — ни дать ни взять[8] — ико́на стари́нного пись-
ма́;[9] нос у́зкий, как ле́звие ножа́; губ почти́ не ви-
да́ть, то́лько зу́бы беле́ют и глаза́, да из-под платка́
выбива́ются на лоб жи́дкие пря́ди жёлтых воло́с. У
подборо́дка, на скла́дке одея́ла, дви́жутся, ме́дленно
перебира́я па́льцами, как па́лочками, две кро́шечных
руки́ то́же бро́нзового цве́та. Я вгля́дываюсь по-
при́стальнее: лицо́ не то́лько не безобра́зное, да́же
краси́вое — но стра́шное, необыча́йное. И тем страш-
не́е ка́жется мне э́то лицо́, что по нём, по металли́че-
ским его́ щека́м, я ви́жу — си́лится... си́лится и не
мо́жет расплы́ться улы́бка.

— Вы меня́ не узнаёте, ба́рин? — прошепта́л
опя́ть го́лос; он сло́вно испаря́лся из едва́ шевели́в-
шихся губ. — Да и где узна́ть! Я — Луке́рья... По́-
мните, что хорово́ды[10] у ма́тушки у ва́шей в Спа́с-
ском[11] води́ла... по́мните, я ещё запева́лой была́?

— Луке́рья! — воскли́кнул я. — Ты ли э́то? Воз-
мо́жно ли?

— Я, да, ба́рин, я. Я — Луке́рья.

Я не знал, что сказа́ть, и как ошеломлённый гля-
де́л на э́то тёмное, неподви́жное лицо́, с устремлён-
ными на меня́ све́тлыми и ме́ртвенными глаза́ми.
Возмо́жно ли? Э́та му́мия — Луке́рья, пе́рвая кра-
са́вица во всей на́шей дво́рне, — высо́кая, по́лная,
бе́лая, румя́ная, — хохоту́нья, пляс́унья, певу́нья!

had been set up and on them, loosely covered with a blanket, was a small figure. I was about to go away. . .

"Master, oh master! Pyotr Petrovich," I heard a voice, weak, slow, and husky, like the murmur of marsh sedge.

I stopped.

"Pyotr Petrovich! Come closer, please!" the voice repeated. It came to me from the corner, from the boards I had noticed.

I approached—and stood stock still in amazement. Before me lay a living human being, but what was it?

The head completely dried up, all of one color, bronze, for all the world like an icon painted in the old style; the nose narrow like the blade of a knife; the lips almost invisible, only the teeth and eyes showing white; and from under a kerchief thin strands of yellow hair straying onto the forehead. Around the chin, on the fold of the blanket, move two tiny hands, also bronze, the fingers slowly drumming like tiny sticks. I gaze at it more intently: not only is the face not ugly, it is even beautiful—but frightening, extraordinary. And this face seems all the more frightening to me because over it, over its metallic cheeks, I see—trying, trying hard to spread, but not succeeding—a smile.

"You don't recognize me, master?" the voice whispered again; it seemed to be exhaled from the scarcely moving lips. "But how could you recognize me! I am Lukerya. You remember, the one who used to lead the dancing at your mother's, at Spasskoye, you remember, I led the singing, too?"

"Lukerya!" I exclaimed. "Is it really you? Is it possible?"

"Yes, it is, master, it is. I am Lukerya."

I did not know what to say and gazed as if stunned on this dark motionless face with its light, lifeless eyes fixed on me. Was it possible? This mummy—Lukerya, the leading beauty among all our household serfs, the tall, plump, fair-skinned, rosy-cheeked girl, always the great one for

Лукерья, умница Лукерья, за которою ухаживали все наши молодые парни, по которой я сам втайне вздыхал, я, шестнадцатилетний мальчик!

— Помилуй, Лукерья, — проговорил я наконец, — что это с тобой случилось?

— А беда такая стряслась![12] Да вы не побрезгуйте, барин, не погнушайтесь несчастием моим, сядьте вон на кадушечку — поближе, а то вам меня не слышно будет... вишь,[13] я какая голосистая стала!.. Ну, уж и рада же я, что увидала вас! Как это вы в Алексеевку попали?

Лукерья говорила очень тихо и слабо, но без остановки.

— Меня Ермолай-охотник сюда завёз. Но расскажи же ты мне...

— Про беду-то мою рассказать? Извольте, барин. Случилось это со мной уже давно, лет шесть или семь. Меня тогда только что помолвили за Василья Полякова — помните, такой из себя статный был, кудрявый, ещё буфетчиком у матушки у вашей служил? Да вас уже тогда в деревне не было; в Москву уехали учиться. Очень мы с Василием слюбились; из головы он у меня не выходил; а дело было весною. Вот раз ночью... уж и до зари недалёко... а мне не спится: соловей в саду таково удивительно поёт сладко!.. Не вытерпела я, встала и вышла на крыльцо его послушать. Заливается он, заливается... и вдруг мне почудилось: зовёт меня кто-то Васиным[14] голосом, тихо так: «Луша!..»[15] Я глядь в сторону, да знать спросонья — оступилась, так прямо с рундучка и полетела вниз — да о землю хлоп![16] И, кажись, не сильно я расшиблась, потому — скоро поднялась и к себе в комнату вернулась. Только словно у меня что внутри — в утробе — порвалось... Дайте дух перевести... с минуточку... барин.

Лукерья умолкла, а я с изумлением глядел на неё. Изумляло меня собственно то, что она рассказ свой laughing, dancing, and singing! Lukerya, the clever Lukerya, whom all our young lads courted and for whom I, too, had secretly sighed, I, a sixteen-year-old boy!

"Good gracious, Lukerya," I managed to say at last, "what happened to you?"

"Oh, such a misfortune befell me. But, master, do not feel disgusted, do not turn away from my misfortune, sit down over there, on that keg, a little closer, otherwise you won't be able to hear me. . . . You see how loud-voiced I have become! Oh, I am so glad to have seen you! How did you happen to come to Alekseyevka?"

Lukerya spoke very softly and weakly but without pausing.

"Ermolay the hunter brought me here. But do tell me. . ."

"Tell you about my misfortune? As you wish, master. It happened to me a long time ago, some six or seven years back. At that time they had just betrothed me to Vasily Polyakov—you remember, he was such a fine-looking fellow, with curly hair, and he was butler at your mother's? But at the time you were not in the country any more; you had gone off to Moscow to study. Vasily and I were very much in love; I could not get him out of my head; it was spring. Then once, at night . . . it was not long to dawn . . . and I could not sleep—the nightingale in the garden was singing so wonderfully sweetly. I could not stand it any longer, I got up and went out on the porch to listen to it. It was trilling and trilling away. . . . And suddenly I imagined someone was calling me with Vasya's voice, softly like this: 'Lusha!' I glanced to the side and being, I suppose, half-awake, missed my footing and fell down, right off the porch and bang! on the ground. You'd think I had not hurt myself badly because I soon got up and went back to my room. Only it was as if something within me, in my innards, had snapped. . . . Let me get my breath . . . just a minute . . . master."

Lukerya fell silent and I gazed at her in amazement. What amazed me really was that she was telling her story вела́ почти́ ве́село, без о́хов и вздо́хов, ниско́лько не жа́луясь и не напра́шиваясь на уча́стие.

— С са́мого того́ слу́чая, — продолжа́ла Луке́рья, — ста́ла я со́хнуть, ча́хнуть; чернота́ на меня́ нашла́; тру́дно мне ста́ло ходи́ть, а там уже́ — по́лно и нога́ми владе́ть;[17] ни стоя́ть, ни сиде́ть не могу́: всё бы лежа́ла. И ни пить, ни есть не хо́чется: всё ху́же да ху́же. Ма́тушка ва́ша по доброте́ свое́й и лекаря́м меня́ пока́зывала, и в больни́цу посыла́ла. Одна́ко облегче́нья мне никако́го не вы́шло. И ни оди́н ле́карь да́же сказа́ть не мог, что за боле́знь у меня́ за така́я. Чего́ они́ со мной то́лько не де́лали: желе́зом раскалённым спи́ну жгли, в ко́лотый лёд сажа́ли — и всё ничего́. Совсе́м я окостене́ла[18] под коне́ц... Вот и пореши́ли господа́, что лечи́ть меня́ бо́льше не́чего, а в ба́рском до́ме держа́ть кале́к неспосо́бно... ну, и пересла́ли меня́ сюда́ — потому́ тут у меня́ ро́дственники есть. Вот я и живу́, как ви́дите.

Луке́рья опя́ть умо́лкла и опя́ть уси́лилась улыбну́ться.

— Это, одна́коже, ужа́сно, твоё положе́ние! — воскли́кнул я... и, не зна́я, что приба́вить, спроси́л: — А что же Поляко́в Васи́лий?

О́чень глуп был э́тот вопро́с.

Луке́рья отвела́ глаза́ немно́го в сто́рону.

— Что Поляко́в? Потужи́л, потужи́л — да и жени́лся на друго́й, на де́вушке из Гли́нного. Зна́ете Гли́нное? От нас недале́че. Аграфе́ной её зва́ли. О́чень он меня́ люби́л, да ведь челове́к молодо́й — не остава́ться же ему́ холосты́м. И кака́я уж я ему́ могла́ быть подру́га? А жену́ он нашёл себе́ хоро́шую, до́брую, и де́тки у них есть. Он тут у сосе́да в прика́зчиках живёт: ма́тушка ва́ша по па́чпорту его́ отпусти́ла,[19] и о́чень ему́, сла́ва Бо́гу, хорошо́.

— И так ты всё лежи́шь да лежи́шь? — спроси́л я опя́ть.

— Вот так и лежу́, ба́рин, седьмо́й годо́к. Ле́том-то я здесь лежу́, в э́той плету́шке, а как хо́лодно ста́нет — меня́ в предба́нник[20] перенесу́т. Там лежу́.

almost cheerfully, without moans and groans, without complaining at all, and not begging for sympathy.

"From the time of that accident," continued Lukerya, "I began to dry up, and wither away; blackness came over me; it became difficult for me to walk—and then to use my legs altogether; I could neither stand nor sit. I felt like lying down all the time. Nor did I want to eat or drink. It got worse and worse. Your mother in her kindness had the doctors see me and sent me to the hospital. However, this in no way eased me. And not a single doctor could even say what sort of sickness I had. What they didn't do with me: burned my back with a red-hot iron, put me in chopped ice—and all for nothing. At last I got completely stiff. So the gentry decided that it was no use trying to cure me any more, while it was inconvenient to keep cripples in the manor house. . . well, they sent me off here—because here I have some relatives. And here I live, as you can see."

Lukerya again fell silent and again made an effort to smile.

"But this plight of yours is terrible!" I exclaimed and, not knowing what to add, asked: "What about Vasily Polyakov?"

It was a very stupid question.

Lukerya averted her eyes a little.

"What about Polyakov? He grieved and grieved—and then married another, a girl from Glinnoye. You know Glinnoye? It isn't far from us. Her name was Agrafena. He loved me very much, but, after all, he was a young man, he could not remain single. And what sort of helpmate could I be to him? And he found himself a good, kind wife, and they have little ones. He lives here as a bailiff at a neighbor's: your mother set him free with his documents and, praise be to God, he is doing well."

"And so you lie here all the time?" I asked again.

"I have been lying here like this for over six years, master. In the summer I lie here, in this wattle shed, but when it becomes cold they take me to the lobby of the bathhouse. There I lie."

— Кто же за тобой ходит?[21] Присматривает кто?

— А добрые люди здесь есть тоже. Меня не
оставляют. Да и ходьбы за мной немного. Есть-то,
почитай, что не ем ничего, а вода — вон она в круж-
ке-то: всегда стоит припасённая, чистая, ключевая
вода. До кружки-то я сама дотянуться могу: одна
рука у меня ещё действовать может. Ну, девочка
тут есть, сиротка; нет, нет — да и наведается, спасибо ей. Сейчас тут была... Вы её не встретили?
Хорошенькая такая, беленькая. Она цветы мне но-
сит; большая я до них охотница, до цветов-то. Садовых у нас нет, — были да перевелись. Но ведь и
полевые цветы хороши; пахнут ещё лучше садовых.
Вот хоть бы ландыш... на что приятнее!

— И не скучно, не жутко тебе, моя бедная Лукерья?

— А что будешь делать? Лгать не хочу — сперва очень томно было; а потом привыкла, обтерпе-
лась — ничего; иным[22] ещё хуже бывает.

— Это каким же образом?

— А у иного и пристанища нет! А иной — слепой
или глухой! А я, слава Богу, вижу прекрасно и всё
слышу, всё. Крот под землёю роется — я и то слышу. И запах я всякий чувствовать могу, самый какой ни на есть слабый! Гречиха в поле зацветёт или
липа в саду — мне и сказывать не надо: я первая
сейчас слышу. Лишь бы ветерком оттуда потянуло.
Нет, что Бога гневить? — многим хуже моего бывает. Хоть бы то взять: иной здоровый человек очень
легко согрешить может; а от меня сам грех отошёл.
Намеднись отец Алексей, священник, стал меня при-
чащать, да и говорит: «Тебя, мол, исповедовать нечего: разве ты в твоём состоянии согрешить мо-
жешь?» Но я ему ответила: «А мысленный грех, батюшка?» — «Ну, — говорит, а сам смеётся, — это
грех не великий».

— Да я, должно быть, и этим самым мысленным
грехом не больно грешна, — продолжала Лукерья,
— потому я так себя приучила: не думать, а пуще

"Who then takes care of you? Who looks after you?"

"Oh, there are good people here, too. I am not abandoned. And I don't need much looking after. As for eating, you can reckon I don't eat anything, and water—it is there in that mug: there is always some clean spring water put by. I can reach the mug myself: one of my arms still works. Then there is a girl here, an orphan; now and again she drops in, thanks be to her. She was here just now. Didn't you meet her? Such a pretty, white-skinned girl. She brings me flowers; I am a great one for them, for flowers. We have no garden flowers; there used to be some but they died out. But then wild flowers are beautiful, too; they smell even better than the garden ones. Take just the lily-of-the-valley . . . how much sweeter it is!"

"And it isn't lonesome, isn't frightening for you, my poor Lukerya?"

"But what can you do? I won't lie: at first it was very wearisome, but then I got used to it, I came to put up with it—it's all right, some have it even worse."

"And how is that?"

"Some haven't even a shelter. And some are blind or deaf. But I, thank God, can see beautifully and can hear everything, everything. A mole burrows underground—and I can hear even that. And I can sense every smell, no matter how faint it may be. The buckwheat blooms in the field or the linden in the garden—no need to tell me, I am the first to sense it, at once. It just needs a light breeze to blow from there. No, why anger God?—many have it worse than I. Take just this: healthy people can very easily sin; but from me even sin has fallen off. The other day Father Aleksey, the priest, began to give me the communion and then said: 'There is no need,' said he, 'to confess you: can you really, in your condition, commit a sin?' 'But what about a sin of thought, Father?' I answered him. 'Well,' he said, and he was laughing himself, 'that is no great sin.'"

"And I cannot be very guilty even of a sin of thought," continued Lukerya, "because I have trained myself like that: not to think and, what is more, not to remember.

того — не вспомина́ть. Вре́мя скоре́й прохо́дит.

Я, признаю́сь, удиви́лся.

— Ты всё одна́ да одна́, Луке́рья; как же ты мо́-
жешь помеша́ть, чтобы мы́сли тебе́ в го́лову не шли?
Или ты всё спишь?

— Ой, нет, ба́рин! Спать-то я не всегда́ могу́.
Хоть и больши́х бо́лей у меня́ нет, а но́ет у меня́
там, в са́мом нутре́, и в костя́х то́же; не даёт спать,
как сле́дует. Нет... а так лежу́ я себе́, лежу́-полёжи-
ваю[23] — и не ду́маю; чу́ю, что жива́, дышу́ — и вся
я тут. Смотрю́, слу́шаю. Пчёлы на па́секе жужжа́т
да гудя́т; го́лубь на кры́шу ся́дет и заворку́ет; ку́-
рочка-насе́дочка зайдёт с цыпля́тами кро́шек покле-
ва́ть; а то воробе́й залети́т и́ли ба́бочка — мне о́чень
прия́тно. В позапро́шлом году́ так да́же ла́сточки
вон там в углу́ гнездо́ себе́ сви́ли и дете́й вы́вели.
Уж как же оно́ бы́ло заня́тно! Одна́ влети́т, к гнё-
дышку припадёт, де́ток нако́рмит — и вон. Гляди́шь
— уж на сме́ну ей друга́я. Иногда́ не влети́т, то́лько
ми́мо раскры́той две́ри пронесётся, а де́тки то́тчас
— ну пища́ть[24] да клю́вы разева́ть... Я их и на сле́дую-
щий год поджида́ла, да их, говоря́т, оди́н зде́шний
охо́тник из ружья́ застрели́л. И на что покоры́стил-
ся? Вся-то она́, ла́сточка, не бо́льше жука́... Каки́е
вы, господа́-охо́тники, злы́е!

— Я ла́сточек не стреля́ю, — поспеши́л я заме́-
тить.

— А то раз, — начала́ опя́ть Луке́рья, — вот сме́-
ху-то бы́ло! За́яц забежа́л, пра́во! Соба́ки, что ли,
за ним гнали́сь, то́лько он пря́мо в дверь как прика́-
тит!.. Сел близёхонько и до́лго-таки сиде́л, всё но́-
сом води́л и уса́ми дёргал — настоя́щий офице́р. И
на меня́ смотре́л. По́нял, зна́чит, что я ему́ не
страшна́. Наконе́ц встал, прыг-прыг[25] к две́ри, на по-
ро́ге огляну́лся — да и был тако́в![26] Смешно́й тако́й!

Луке́рья взгляну́ла на меня́... аль, мол, не заба́вно?
Я, в уго́ду[27] ей, посмея́лся. Она́ покуса́ла пересо́хшие
гу́бы.

— Ну, зимо́ю, коне́чно, мне ху́же: потому́ —

Time passes more quickly."

I was surprised, I admit.

"You are alone, alone all the time, Lukerya; how can you keep thoughts from coming into your head? Or do you sleep all the time?"

"Oh, no, master! I cannot always sleep. Even though I have no great pains, it still aches there, right inside me and in my bones, too; it does not let me sleep properly. No . . . but I just lie and lie and don't think. I feel that I am alive; that I breathe and all of me is here. I look, I listen. The bees in the bee-garden buzz and hum; a pigeon will alight on the roof and begin to coo; the brood-hen will come in with her chickens and peck the crumbs; or sometimes a sparrow will fly in or a butterfly—I am very pleased. The year before last, that's how some swallows built their nest over there in the corner and reared their young. How interesting that was! One would fly in, swoop down to the nest, feed its young and away! You look—now the other has taken its place. Sometimes it would not fly in, just flash past the open door, and the little ones would at once cheep and open their beaks. I was expecting them the following year, too, but I am told that a local hunter shot them with his gun. And what did he gain from that? The whole of that swallow is no bigger than a beetle. How wicked you sportsmen are!"

"I do not shoot swallows," I hastened to remark.

"And then once," Lukerya began again, "what a laugh! A hare ran in, really! The dogs were chasing him, or what, only he just rolled straight in through the door. He sat down quite close and sat a long time like that, sniffing around him and twitching his whiskers, a regular officer! And he looked at me. He understood, you see, that he had nothing to fear from me. Finally he got up, hippety-hop toward the door, glanced back on the threshold—and that was the last of him. He was so funny!"

Lukerya glanced at me as if to say "isn't that amusing?" To please her I laughed. She bit her dried lips.

"Well, in winter, of course, I am worse off because it is dark. It's a pity to waste a candle and what is the good темно; свечку зажечь жалко, да и к чему? Я хоть грамоте знаю и читать завсегда охоча[28] была, но что читать? Книг здесь нет никаких, да хоть бы и были, как я буду держать её, книгу-то? Отец Алексей мне, для рассеянности, принёс календарь, да видит, что пользы нет, взял да унёс опять. Однако хоть и темно, а всё слушать есть что: сверчок затрещит али мышь где скрестись станет. Вот тут-то хорошо: не думать!

— А то я молитвы читаю, — продолжала, отдохнув немного, Лукерья. — Только немного я знаю их, этих самых молитв. Да и на что я стану Господу Богу наскучать? О чём я Его просить могу? Он лучше меня знает, чего мне надобно. Послал Он мне крест — значит, меня Он любит. Так нам велено это понимать. Прочту Отче Наш, Богородицу, акафист всем скорбящим[29] — да и опять полёживаю себе безо всякой думочки. И ничего!

Прошло минуты две. Я не нарушал молчанья и не шевелился на узенькой кадушке, служившей мне сиденьем. Жестокая, каменная неподвижность лежавшего передо мною живого, несчастного существа сообщилась и мне: я тоже словно оцепенел.

— Послушай, Лукерья, — начал я наконец. — Послушай, какое я тебе предложение сделаю. Хочешь, я распоряжусь: тебя в больницу перевезут, в хорошую городскую больницу? Кто знает, быть может, тебя ещё вылечат? Во всяком случае ты одна не будешь...

Лукерья чуть-чуть двинула бровями.

— Ох, нет, барин, — промолвила она озабоченным шёпотом, — не переводите меня в больницу, не трогайте меня. Я там только больше муки приму. Уж куда меня лечить!..[30] Вот так-то раз доктор сюда приезжал; осматривать меня захотел. Я его прошу: «Не тревожьте вы меня, Христа ради». Куда! переворачивать меня стал, руки, ноги разминал, разгинал;[31] говорит: «Это я для учёности делаю; на то я служащий человек, учёный! И ты, говорит, не моги[32] мне противиться, потому что мне за мой труды of it? Even though I can read and write and was always a great one for reading, but what is there to read? There are no books here at all, and even if there were, how could I hold a book? Father Aleksey brought me a calendar to help pass the time; but he saw it was no use and he just took it away again. However, even when it is dark there is still something to listen to: a cricket will chirp or a mouse will start scratching somewhere. That's when it is good: no need to think."

"Or else I recite some prayers," Lukerya continued after having rested a little. "Only I don't know many of them, of these prayers. But also why should I bother the Lord God? What can I ask Him for? He knows better than I do what I need. He has sent me a cross to bear, that means He loves me. That is how we are told to understand it. I recite the Lord's Prayer, Hail Mary, the Akathistos to All the Sorrowing, and once again I lie without the slightest thought. It's all right."

A couple of minutes passed. I did not break the silence and did not make the least movement on the narrow keg which served me as a seat. The severe, stony immobility of the unfortunate living creature lying before me had communicated itself to me also; it was as if I too had become numb.

"Listen, Lukerya," I said finally, "listen to the suggestion I have to make. Would you like me to arrange for you to be transferred to a hospital, a good city hospital? Who knows, perhaps they can still cure you? In any case you won't be alone. . . ."

Lukerya made a scarcely perceptible movement with her eyebrows.

"Oh no, master," she murmured in a troubled whisper, "do not have me taken to the hospital, do not touch me. There I shall suffer greater torments. What is the use of treating me! Like when once a doctor came here; he wanted to examine me. I begged him: 'Do not trouble me, for Christ's sake!' What use was it! He started to turn me over, massage and bend my hands, my feet, saying: 'I am doing this for learning's sake; it is for this that I hold a post, am a scholar. And you,' he said, 'you must not

брден на шéю дан, и я для вас же, дуракóв, старá-
юсь». Потормошил, потормошил меня, назвáл мне
мою болéзнь — мудренó таковó — да с тем и уéхал.
А у меня потóм цéлую недéлю все кóсточки нýли.
Вы говорите: я однá бывáю, всегдá однá. Нет, не
всегдá. Ко мне хóдят. Я смирная — не мешáю. Дé-
вушки крестьянские зайдýт, погутóрят;[33] стрáнница
забредёт, стáнет про Иерусалим[34] расскáзывать, про
Киев,[35] про святые городá. Да мне и не стрáшно
однóй быть. Дáже лýчше, ей-ей!.. Бáрин, не трóгайте меня, не возите в больницу... Спасибо вам, вы
дóбрый, тóлько не трóгайте меня, голýбчик.

— Ну, как хóчешь, как хóчешь, Лукéрья. Я ведь
для твоéй же пóльзы полагáл...

— Знáю, бáрин, что для моéй пóльзы. Да, бáрин,
милый, кто другóму помóчь мóжет? Кто емý в дýшу
войдёт? Сам себé человéк помогáй! Вы вот не повé-
рите — а лежý я иногдá так-то однá... и слóвно
никогó в цéлом свéте, крóме меня, нéту. Тóлько однá я — живáя! И чýдится мне, бýдто что меня осе-
нит... Возьмёт меня размышлéние — дáже удивительно!

— О чём же ты тогдá размышляешь, Лукéрья?

— Этого, бáрин, тóже никáк нельзя сказáть: не
растолкýешь. Да и забывáется онó потóм. Придёт,
слóвно как тýчка, прольётся, свежó так, хорошó
стáнет, а что такóе бýло — не поймёшь! Тóлько
дýмается мне: будь óколо меня люди — ничегó бы
этого нé было и ничегó бы я не чýвствовала, окромя[63]
своегó несчáстья.

Лукéрья вздохнýла с трудóм. Грудь ей не пови-
новáлась — так же, как и остальные члéны.

— Как погляжý я, бáрин, на вас, — началá онá
снóва, — óчень вам меня жáлко. А вы меня не слишком жалéйте, прáво! Я вам, напримéр, что скажý:
я иногдá и тепéрь... Вы ведь пóмните, какáя я былá
в своё врéмя весёлая? Бой-дéвка!..[37] Так знáете что?
Я и тепéрь пéсни пою.

— Пéсни?.. Ты?

resist me because I have been given a decoration for my labors and it is for you, fools, that I am exerting myself.' He joggled and joggled me; told me the name of my illness—some outlandish name—and with that went away. After that all my bones ached for a whole week. You say I am alone. No, not always. People come to see me. I am humble, I do not bother anyone. Peasant girls come in, they have a little chat. A pilgrim woman will wander in and start to tell all about Jerusalem, about Kiev and the Holy Cities. And then, I am not afraid to be alone. It is even better, I swear. . . . Master, do not touch me, do not have me taken to hospital. . . . I thank you, you are kind, only do not touch me, my dear."

"Well, as you wish, as you wish, Lukerya. It was for your own good, I thought. . ."

"I know, master, that it was for my good. But, dear master, who can help another? Who can enter into his soul? A man must help himself. Now you would not believe it, but sometimes I lie like this alone and it is as if there is no one in the whole world except me. I alone am alive. And I fancy that something is about to be revealed to me. I give in to meditation; it is even astonishing. . . ."

"What do you meditate about at such times, Lukerya?"

"It is impossible to tell that either, master, impossible to put into words. And then I forget about it afterwards. It comes just like a little storm cloud, it rains, all becomes nice and fresh, but what it actually was you don't understand. Only it occurs to me: if there had been people around me there would not be anything like that; and I should feel nothing except my own misfortune."

Lukerya heaved a heavy sigh: her chest did not obey her just like the rest of her body.

"Looking at you, master," she began once more, "I can see you are very sorry for me. But you must not be too sorry for me, really! I will tell you something, for example: now, too, I sometimes . . . you surely remember what a gay one I was in my time? A spunky girl! Full of pep! So, you know what? Even now I sing songs."

"Songs? You?"

— Да, песни, старые песни, хороводные, под-
блюдные, святочные, [38] всякие! Много я их ведь зна-
ла и не забыла. Только вот плясовых не пою. В те-
перешнем моём звании — оно не годится.

— Как же ты поёшь их... про себя?

— И про себя и голосом. Громко-то не могу, а
всё — понять можно. Вот я вам сказывала — девочка ко мне ходит. Сиротка, значит, понятливая. Так
вот я её выучила; четыре песни она уже у меня пе-
реняла. Аль не верите? Постойте, я вам сейчас...

Лукерья собралась с духом... Мысль, что это по-
лумёртвое существо готовится запеть, возбудила во
мне невольный ужас. Но прежде, чем я мог промол-
вить слово, в ушах моих задрожал протяжный,
едва слышный, но чистый и верный звук... за ним
последовал другой, третий. «Во лузях»[39] пела Лукерья. Она пела, не изменив выражения своего окаме-
нелого лица, уставив даже глаза. Но так трогательно звенел этот бедный, усиленный, как струйка ды-
ма колебавшийся голосок, так хотелось ей всю душу вылить... Уже не ужас чувствовал я: жалость
несказанная стиснула мне сердце.

— Ох, не могу! — проговорила она вдруг, — си-
лушки не хватает... Очень уж я вам обрадовалась.

Она закрыла глаза.

Я положил руку на её крошечные холодные паль-
чики... Она взглянула на меня — и её тёмные веки,
опушённые золотистыми ресницами, как у древних
статуй, закрылись снова. Спустя мгновенье они за-
блистали в полутьме... Слеза их смочила.

Я не шевелился попрежнему.

— Экая я! — проговорила вдруг Лукерья с не-
ожиданной силой и, раскрыв широко глаза, постара-
лась смигнуть с них слезу. — Не стыдно ли? Чего я? Давно этого со мной не случалось... с самого
того дня, как Поляков Вася у меня был прошлой
весной. Пока он со мной сидел да разговаривал —
ну, ничего; а как ушёл он — поплакала я-таки в
одиночку! Откуда бралось!.. Да ведь у нашей се-

"Yes, songs, old songs, dance choruses, fortune-telling songs, carols, all kinds. After all, I used to know many of them and I have not forgotten them. But I don't sing dance songs. In my present condition it is not fitting."

"And how do you sing them, to yourself?"

"Both to myself and out loud. I cannot sing loudly, of course, but still you can understand. I was just telling you, a girl comes to see me. The orphan, I mean; a smart one. So I have taught her. She has learned four songs from me already. Or don't you believe me? Wait, I'll sing for you now. . . ."

Lukerya summoned up her courage. The thought that this half-dead creature was preparing to sing awakened in me an involuntary horror. But before I could get out a word my ears caught the trembling of a drawn-out, scarcely audible but pure and true sound; it was followed by another and still another. Lukerya sang "In the meadows." She sang without changing the expression of her petrified face; even her eyes were fixed. But so touching did this poor, strained, shaky voice sound, like a thin trail of smoke, so great was her desire to pour her whole soul into it—I no longer felt any horror; an ineffable pity gripped my heart.

"Oh, I cannot go on," she brought out suddenly. "I just haven't enough strength. . . . I am so glad you were here, though."

She closed her eyes.

I placed my hand on her tiny, cold fingers. She looked at me—and her dark lids, edged with golden lashes as on an ancient statue, closed once more. After a moment they started to glisten in the half-darkness. A tear had moistened them.

As before I did not stir.

"Look at me!" Lukerya said suddenly with unexpected energy, and, opening her eyes wide, she tried to blink away the tear. "Isn't it shameful! What's come over me? This hasn't happened to me for a long time . . . not since that very day when Vasya Polyakov was here last spring. While he was sitting with me and talking—well, it was all right; but no sooner had he gone, how I cried all alone! Where did it come from! . . . But with us women tears are

стрý слёзы некýпленные. Бáрин, — прибáвила Лукéрья, — чай, у вас платóчек есть... Не побрéзгуйте,
утрúте мне глазá.

Я поспешúл испóлнить её желáние — и платóк
ей остáвил. Онá спервá откáзывалась... на что, мол,
мне такóй подáрок? Платóк был óчень простóй, но
чúстый и бéлый. Потóм онá схватúла егó своúми
слáбыми пáльцами и ужé не разжáла их бóлее. При-
выкнув к темнотé, в котóрой мы обá находúлись, я
мог ясно различúть её черты, мог дáже замéтить
тóнкий румянец, проступúвший сквозь брóнзу её
лицá, мог открыть в этом лицé, так по крáйней мéре мне казáлось, слéды его бывáлой красоты.

— Вот вы, бáрин, спрáшивали меня, — загово-
рúла опять Лукéрья, — сплю ли я? Сплю я тóчно
рéдко, но всякий раз сны вúжу, харóшие сны! Никогдá я больнóй себя не вúжу: такáя я всегдá во
сне здорóвая да молодáя... Однó гóре: проснýсь я,
потянýться хочý харошéнько — ан я вся как скó-
ванная.⁴⁰ Раз мне какóй чýдный сон приснúлся! Хо-
тúте, расскажý вам? Ну, слýшайте. Вúжу я, бýдто
стою я в пóле, а кругóм рожь, такáя высóкая, спе-
лая, как золотáя!.. И бýдто со мной собáчка ры-
женькая, злющая-презлющая — всё укусúть меня
хóчет. И бýдто в рукáх у меня серп, и не простóй
серп, а сáмый как есть мéсяц, вот когдá он на серп
похóж бывáет. И этим сáмым мéсяцем должнá я
эту сáмую рожь сжать дóчиста. Тóлько óчень меня
от жары растомúло, и мéсяц меня слепúт, и лень
на меня нашлá; а кругóм васильки растýт, да такúе
крýпные! И все ко мне голóвками повернýлись. И
дýмаю я: нарвý я этих васильков; Вáся прийтú обе-
щáлся — так вот я себé венóк сперва совью; жать-
то я ещё успéю. Начинáю я рвать васильки, а онú у
меня промéж пáльцев тáют да тáют, хоть ты что!
И не могý я себé венóк свить. А мéжду тем я слышу
— ктó-то уж идёт ко мне, блúзко таковó,⁴¹ и зовёт:
Лýша! Лýша!.. Ай, дýмаю, бедá — не успéла! Всё
равнó, надéну я себé на гóлову этот мéсяц замéсто

not hard to come by. Master," Lukerya added, "I expect you have a handkerchief. Don't be squeamish, wipe my eyes."

I hastened to fulfill her wish—and left her the handkerchief. She refused it at first. . . . "What do I need," she said, "such a present for?" It was a very ordinary handkerchief but clean and white. Then she clutched it with her weak fingers and did not unclasp them again. Having become accustomed to the darkness in which we both were, I could distinguish her features clearly, could even notice the slight flush which showed through the bronze of her face, could discover in that face, so it seemed to me at least, traces of its former beauty.

"You were just asking me, master," Lukerya began to talk again, "whether I sleep. It is true I sleep but rarely, but I have dreams each time, nice dreams! I never see myself sick: in a dream I am always so healthy and young. One thing is sad only: I wake up and want to stretch properly—but it's as if I'm all shackled. Once I had such a wonderful dream! Would you like me to tell you? Well, listen. I dream that I am standing in a field and all around is rye, so high, ripe, so golden! And that I have a little dog with me, red-coated, vicious, most vicious; it keeps wanting to bite me. And that I have a sickle in my hands, and not an ordinary sickle but just the young moon when it looks like a sickle. And with this same moon I am to reap the rye right down to the stubble. But I'm feeling very weary from the heat, and the moon is blinding me and a lazy feeling comes over me; and all around the cornflowers are growing and such large ones! And they have all turned their heads toward me. And I think: 'I shall pick a whole lot of these cornflowers; Vasya has promised to come, so first of all I shall make myself a wreath; as for reaping I shall still manage that in time.' I begin to pick the cornflowers, but they keep melting in my fingers no matter what I do. And I cannot weave myself a wreath. And meanwhile I hear someone is already coming toward me, quite near, and calling, 'Lusha! Lusha!' Oh! I think, what a nuisance, I haven't managed it. Never mind, I shall put this moon

васильков. Надеваю я месяц, ровно как кокошник,[42]
и так сама сейчас вся засияла, всё поле кругом осве-
тила. Глядь — по самым верхушкам колосьев ка-
тит ко мне скорёхонько — только не Вася, а сам
Христос! И почему я узнала, что это Христос —
сказать не могу, таким Его не пишут, а только Он!
Безбородый, высокий, молодой, весь в белом, —
только пояс золотой, — и ручку мне протягивает.
«Не бойся, говорит, невеста Моя разубранная, сту-
пай за Мною; ты у Меня в Царстве Небесном хоро-
воды водить будешь и песни играть райские». И я
к Его ручке как прильну! Собачка моя сейчас меня
за ноги... но тут мы взвились! Он впереди... Крылья
у Него по всему небу развернулись, длинные, как у
чайки, — и я за Ним! И собачка должна отстать от
меня. Тут только я поняла, что эта собачка — болезнь моя и что в Царстве Небесном ей уже места
не будет.

Лукерья умолкла на минуту.

— А то ещё видела я сон, — начала она снова,
— а быть может, это было мне видение — я уж
и не знаю. Почудилось мне, будто я в самой этой
плетушке лежу и приходят ко мне мои покойные
родители — батюшка да матушка — и кланяются
мне низко, а сами ничего не говорят. И спрашиваю
я их: зачем вы, батюшка и матушка, мне кланяе-
тесь? А затем, говорят, что так как ты на сём свете
много мучишься, то не одну ты свою душеньку об-
легчила, но и с нас большую тягу[43] сняла. И нам на
том свете стало много способнее. Со своими греха-
ми ты уже покончила; теперь наши грехи побежда-
ешь. И, сказавши это, родители мне опять поклонились — и не стало их видно: одни стены видны.
Очень я потом сомневалась, что это такое со мною
было. Даже батюшке на духу рассказала. Только
он так полагает, что это было не видение, потому
что видения бывают одному духовному чину.[44]

— А то вот ещё какой мне был сон, — продолжала Лукерья. — Вижу я, что сижу я этак будто на

on my head instead of the cornflowers. I put on the moon like a festive headdress, and all at once I start to shine and I light up all the field around. I look and along the very tops of the ears of rye there comes swiftly toward me—only it isn't Vasya but Christ Himself! And how I know that this is Christ, I cannot say, they do not paint Him that way but it is He. Beardless, tall, young, all in white, only His girdle is gold and He is stretching His hand toward me. 'Do not fear,' He says, 'my bride adorned, come after Me; in My heavenly kingdom you shall lead the dance chorus and sing heavenly songs.' And how I fell for His hand! My little dog goes straight away for my legs. But at that moment we soar up. He is in front. His wings stretch out over the whole sky, long like a gull's, and I follow Him. And the dog has to stay behind. Then only I understand that this dog is my illness and that in the Kingdom of Heaven it will have no place."

Lukerya was silent for a moment.

"And then I had another dream," she began once more, "or perhaps it was a vision, I really don't know. I imagined I was lying in this very wattle shed and my dead parents, father and mother, come to me and bow low to me but they do not say anything. And I ask them: 'Why are you bowing to me, father and mother?' Well, they say, because having suffered much in this world you not only lightened your own soul but have also taken a great weight off us. And it is much easier now for us in the other world. You have already done away with your sins; now you are conquering our sins. And having said that, my parents again bow to me and become invisible; only the walls are to be seen. Afterwards I wondered a great deal what exactly had happened to me. I had even told the priest at confession. Only he believes that it was not a vision because only the clergy have visions."

"And then I had still another dream," continued Lukerya. "I dream that I am just sitting by the highway

большо́й доро́ге под раки́той, па́лочку держу́ остру́-
ганную, кото́мка за плеча́ми и голова́ платко́м оку́та-
на — как есть стра́нница![45] И идти́ мне куда́-то далё-
ко-далёко на богомо́лье. И прохо́дят ми́мо меня́ всё
стра́нники; иду́т они́ ти́хо, сло́вно не́хотя, всё в одну́
сто́рону; ли́ца у всех уны́лые и друг на дру́жку все
о́чень похо́жи. И ви́жу я: вьётся, ме́чется ме́жду
ни́ми одна́ же́нщина, це́лой голово́й вы́ше други́х,
и пла́тье на ней осо́бенное, сло́вно не на́ше, не ру́с-
ское. И лицо́ то́же осо́бенное, по́стное лицо́, стро́гое.
И бу́дто все други́е от неё сторо́нятся; а она́ вдруг
верть[46] — да пря́мо ко мне. Останови́лась и смо́трит;
а глаза́ у ней, как у со́кола, жёлтые, больши́е и
све́тлые-пресве́тлые. И спра́шиваю я её: «Кто ты?»
А она́ мне говори́т: «Я смерть твоя́». Мне чтобы
испуга́ться, а я напро́тив — ра́да-радёхонька,[47] кре-
щу́сь! И говори́т мне та же́нщина, смерть моя́:
«Жаль мне тебя́, Луке́рья, но взять я тебя́ с собо́ю
не могу́. Проща́й!» Го́споди! как мне тут гру́стно
ста́ло!.. «Возьми́ меня́, говорю́, ма́тушка, голу́бушка,
возьми́!» И смерть моя́ оберну́лась ко мне, ста́ла
мне выгова́ривать... Понима́ю я, что назнача́ет она́
мне мой час, да непоня́тно так, нея́вственно... По́сле,
мол, Петро́вок...[48] С э́тим я просну́лась... Таки́е-то
у меня́ быва́ют сны удиви́тельные!

Луке́рья подняла́ глаза́ кве́рху... заду́малась...

— То́лько вот беда́ моя́: случа́ется, це́лая неде́ля
пройдёт, а я не засну́ ни ра́зу. В про́шлом году́ ба́-
рыня одна́ проезжа́ла, уви́дела меня́, да и дала́ мне
скля́ночку с лека́рством про́тив бессо́нницы; по
десяти́ ка́пель приказа́ла принима́ть. Очень мне по-
мога́ло, и я спала́; то́лько тепе́рь давно́ та скля́-
ночка вы́пита... Не зна́ете ли, что э́то бы́ло за ле-
ка́рство и как его́ получи́ть?

Проезжа́вшая ба́рыня, очеви́дно, дала́ Луке́рье
о́пиума. Я обеща́лся доста́вить ей таку́ю скля́ночку
и опя́ть-таки не мог не подиви́ться вслух её терпе́-
нью.

under a willow, holding a whittled stick, a knapsack over my shoulder and my head wrapped up in a kerchief—just like a pilgrim! And I have to go somewhere far, far away on a pilgrimage. And pilgrims keep passing by; they walk slowly, as if unwillingly, always in the one direction; the faces of all of them are downcast and resemble each other very much. And I see: among them is a woman weaving and tossing about, a whole head taller than the others, and her dress is different, as if not ours, not Russian. And her face also different, a lenten, austere face. And all the others seem to be shunning her; and suddenly she turns— and comes straight toward me. She has stopped and looks; and her eyes are, like a falcon's, yellow, large, and ever so light. And I ask her, 'Who are you?' And she says to me: 'I am your death.' I ought to be frightened but on the contrary I am glad, so glad I cross myself. And that woman, my death, says to me: 'I am sorry for you, Lukerya, but I cannot take you with me. Farewell.' Lord! how sad I felt then. 'Take me,' I say, 'my dear, dear lady, take me.' And my death turned to me and began to rebuke me. I understood that she was appointing to me my hour but in a sort of indistinct, unclear way. After the fast for St. Peter's Day like. . . . Upon that I woke up. Those are the wonderful sorts of dreams I have."

Lukerya raised her eyes, became pensive.

"Here is my only trouble: it happens that a whole week goes by and I do not go off to sleep once. Last year a certain lady was passing by; she saw me and gave me a little bottle with medicine for sleeplessness. She told me to take ten drops at a time. It helped me a lot and I slept. Only now the bottle has long since been finished. Do you know what sort of medicine it was and how to get it?"

The passing lady had evidently given Lukerya opium. I promised to let her have such a bottle and once more I could not help marveling aloud at her patience.

— Эх, ба́рин! — возрази́ла она́. — Что вы э́то? Како́е тако́е терпе́ние? Вот Симео́на Сто́лпника[49] терпе́ние бы́ло то́чно вели́кое: три́дцать лет на столбу́ простоя́л! А друго́й уго́дник[50] себя́ в зе́млю зары́ть веле́л по са́мую грудь, и муравьи́ ему́ лицо́ е́ли... А то вот ещё мне ска́зывал оди́н начётчик:[51] была́ не́кая страна́, и ту страну́ ага́ряне завоева́ли, и всех жи́телей[52] они́ му́чили и убива́ли; и что ни де́лали жи́тели, освободи́ть себя́ ника́к не могли́. И прояви́сь тут ме́жду те́ми жи́телями свята́я де́вственница; взяла́ она́ меч вели́кий, ла́ты на себя́ возложи́ла двухпудо́вые, пошла́ на ага́рян[53] и всех их прогнала́ за́ море. А то́лько прогна́вши их, говори́т им: «Тепе́рь вы меня́ сожги́те, потому́ что тако́е бы́ло моё обеща́ние, чтобы мне о́гненною смертью за свой наро́д помере́ть». И ага́ряне её взя́ли и сожгли́, а наро́д с той поры́ навсегда́ освободи́лся! Вот э́то по́двиг! А я что!

Подиви́лся я тут про себя́, куда́ и в како́м ви́де зашла́ леге́нда об Иоа́нне д'Арк,[54] и, помолча́в немно́го, спроси́л Луке́рью: ско́лько ей лет?

— Два́дцать во́семь... а́ли де́вять... Тридцати́ не бу́дет. Да что их счита́ть, года́-то! Я вам ещё вот что доложу́...

Луке́рья вдруг ка́к-то глу́хо ка́шлянула, о́хнула...

— Ты мно́го говори́шь, — заме́тил я ей, — э́то мо́жет тебе́ повреди́ть.

— Пра́вда, — прошепта́ла она́ едва́ слы́шно, — разгово́рке на́шей коне́ц; да куда́ ни шло![55] Тепе́рь, как вы уе́дете, намолчу́сь я вво́лю. По кра́йности, ду́шу отвела́...

Я стал проща́ться с не́ю, повтори́л ей моё обеща́ние присла́ть ей лека́рство, попроси́л её ещё раз хороше́нько поду́мать и сказа́ть мне — не ну́жно ли ей чего́?

— Ничего́ мне не ну́жно; всем дово́льна, сла́ва Бо́гу, — с велича́йшим уси́лием, но умилённо произнесла́ она́. — Дай Бог всем здоро́вья! А вот вам бы, ба́рин, ма́тушку ва́шу уговори́ть — крестья́не зде́ш

"Eh, master," she protested. "What do you mean? What sort of patience is this? Now Simeon Stylites really had great patience: he stayed thirty years on a pillar! And another holy man ordered himself to be buried in the earth up to his chest and the ants ate his face. And here is something a learned Old Believer told me: There was a certain land, and the Sons of Hagar made war against it and they were torturing and killing all the inhabitants; and no matter what the inhabitants did they could not free themselves. And thereupon, there appeared among the inhabitants a holy maiden; she took up a great sword, put on herself armor weighing eighty pounds, went out against the Sons of Hagar and chased them beyond the sea. But no sooner had she chased them away when she said to them: 'Now burn me because such was my promise, that I should die by fire for the sake of my people.' And the Sons of Hagar took her and burnt her but from that time her people were freed for ever! There is a great deed for you! But what am I?"

I marveled to myself then how far the legend of Joan of Arc had come and in what form, and after a short silence I asked Lukerya how old she was.

"Twenty-eight or nine . . . not yet thirty. But why count them, the years! Now I will tell you something else."

Lukerya suddenly gave a deep cough and groaned.

"You talk a lot," I remarked to her, "this may be bad for you."

"That's true," she whispered scarcely audibly, "this is the end to our talk. Well, never mind. Now when you go away, I shall have my fill of being silent. At least I have unburdened my soul."

I began to say good-bye to her, reiterated my promise to send her the medicine, and asked her to think again carefully and tell me if she wanted anything.

"I don't need anything; I am quite satisfied, thank God," she said with a very great effort but with emotion. "May God grant health to you all. Just one thing, master, you should persuade your mother—the peasants here are poor, ние бедные, хоть бы малость оброку с них она сбавила! Земли у них недостаточно, угодий[56] нет... Они бы за вас Богу помолились... А мне ничего не нужно — всем довольна.

Я дал Лукерье слово исполнить её просьбу и подходил уже к дверям... она подозвала меня опять.

— Помните, барин, — сказала она — и чудное что-то мелькнуло в её глазах и на губах, — какая у меня была коса? Помните — до самых колен! Я долго не решалась... Этакие волосы!.. Но где же их было расчёсывать? В моём-то положении!.. Так уж я их и обрезала... Да... Ну, простите, барин! Больше не могу...

В тот же день, прежде чем отправиться на охоту, был у меня разговор о Лукерье с хуторским десятским. Я узнал от него, что её в деревне прозывали «Живые Мощи», что, впрочем, от неё никакого не видать беспокойства; ни ропота от неё не слыхать, ни жалоб. «Сама ничего не требует, а напротив — за всё благодарна; тихоня, как есть тихоня, так сказать надо. Богом убитая, — так заключил десятский, — стало быть, за грехи; но мы в это не входим. А чтобы, например, осуждать её — нет, мы её не осуждаем. Пущай[57] её!»

_____

Несколько недель спустя я узнал, что Лукерья скончалась. Смерть пришла-таки за ней... и «после Петровок». Рассказывали, что в самый день кончины она всё слышала колокольный звон, хотя от Алексеевки до церкви считают пять вёрст с лишком и день был будничный. Впрочем, Лукерья говорила, что звон шёл не от церкви, а «сверху». Вероятно, она не посмела сказать: «с неба».

if only she would reduce the quit-rent a little! They have not enough land, no common-land. . . . They would pray to God for you. As for me, I need nothing, I am quite satisfied."

I gave Lukerya my word to carry out her request and was approaching the door already when she called me back again.

"You remember, master," she said, and something strange flashed in her eyes and over her lips, "what a braid I had? You remember, down to my knees! For a long time I could not make up my mind. Such hair! But how was it to be combed? In my situation! So then I had it cut off. . . Yes. . . Well, farewell, master! I can't any more. . . ."

That same day, before going out to hunt I had a conversation about Lukerya with the foreman on the farm. I learned from him that in the village they called her 'Living Relic'; that, however, they had no trouble with her; neither protest nor complaint was heard from her. "She never asks for anything herself and on the other hand is grateful for everything. She is a quiet one, as quiet as they make them, this must be said. Stricken by God," so the foreman concluded, "must be for her sins, but we don't go into that. And as for condemning her, we do not condemn her. Let her be!"

A few weeks later I learned that Lukerya had died. Death did, after all, come for her—and "after the fast for St. Peter's Day." They said that on the actual day of her death she kept hearing the sound of church bells although it was five-odd versts from Alekseyevka to the church, and it was a weekday. However, Lukerya said that the pealing of bells came not from the church but "from above." Probably she dared not say "from Heaven."

FEODOR DOSTOYEVSKY
(1821-1881)

Feodor Mikhailovich Dostoevsky hardly needs any introduction to the reader: both his life, eventful enough,
and his work are well known. But the story here chosen
to represent him may not be quite so well known. Dostoevsky was, in the first place, a novelist, and his best work
is represented by very long novels or by rather long
stories. To find among his works a suitably short, and
yet characteristic, story was not easy. "Bobok" may not
be one of his best shorter works, but it is both important
and characteristic. It belongs to his late period. Written
between *The Demons* and *A Raw Youth,* it appeared
in 1873 in the sixth issue of *Grazhdanin* (*The Citizen*).

"Bobok" is ascribed by Dostoevsky to "a certain person" who crops up again later in the "Diary" (once
under the pseudonym of "A Silent Observer"). It is thus
an example of *skaz*. But it is a combination of a monolo-
gue—the nervous, staccato style of the narrator resem-
bles Dostoevsky's own—with a great deal of dialogue in
which Dostoevsky displays his usual mastery in individu-
alizing the speech of his graveyard inmates. The General,
the irritable Lady, the obsequious Court Councillor (with
his revealing name), the Shopkeeper, the cynical *beau-
monde* rascal Klinevich, are all easily recognizable by
the intonation of their voices. In its combination of the
macabre and the vulgarly trivial the story is both fascinat-
ing and repulsive. It is a good example of Dostoevsky's
"fantastic realism," which reaches beneath the surface of
the reality to its very core. In a later issue of *The Citizen*
Dostoevsky published an interesting article about a
major exhibition of contemporary Russian artists expound-
ing certain ideas about art which help us understand his
own artistic method. He wrote:

'Reality must be portrayed as it is,' say they [our artists]. Actually, there is no such thing on earth, and never has been, because the essence of things is inaccessible to man and he perceives nature as it is reflected in his idea, after passing through his emotions. One must therefore give more rein to the idea and not be afraid of the ideal. A portrait painter, for instance, sits his sitter in order to do his portrait, prepares, peers at him. Why does he do it? Because he knows from experience that a man does not always look like himself, and therefore he looks for the 'main idea' of his face, for the moment when the model will be most like himself. In knowing how to find and catch such a moment consists the art of portrait painting. What, then, does the artist do here if not rely on his idea (ideal) . . . The ideal, after all, is the same reality, just as legitimate as the current reality . . .

And Dostoevsky went on to add that certain, "almost fantastic," themes were "as real, and as necessary to art and man, as current reality."

It has been pointed out (by Zenta Maurina in her German book on Dostoevsky) that a parallel to Dostoevsky's macabre graveyard fantasy may be seen in Jean-Paul Sartre's play *Huis clos*. The underlying ideas of the two works may be, however, quite different. Dostoevsky's graveyard grotesque is essentially a denunciation of the decadent, despiritualized, crassly materialistic contemporary society, a denunciation that is rooted in Dostoevsky's Christian conception. One should also note in "Bobok" an important recurrent Dostoevskian motif expressed in the urge of the dead to "bare" themselves. "Bobok" can be linked in various ways with some of Dostoevsky's most important works, beginning with *The Notes from the Underground*—the focal point from which so much of Dostoevsky's thought and imaginative insight radiates.

БОБОК
Ф. М. Достоевского

На э́тот раз помеща́ю «Запи́ски одного́ лица́».[2] Это не я; э́то совсе́м друго́е лицо́. Я ду́маю, бо́лее не на́до никако́го предисло́вия.

Запи́ски одного́ лица́

Семён Ардалио́нович тре́тьего дня́ мне как раз:

— Да бу́дешь ли ты, Ива́н Ива́ныч, когда́-нибудь трезв, скажи́ на ми́лость?

Стра́нное тре́бование. Я не обижа́юсь, я челове́к ро́бкий; но одна́ко же вот меня́ и сумасше́дшим сде́лали. Списа́л с меня́ живопи́сец портре́т из случа́йности: «всё-таки ты, говори́т, литера́тор». Я да́лся, он и вы́ставил. Чита́ю: «Ступа́йте смотре́ть на э́то боле́зненное, бли́зкое к помеша́тельству лицо́».

Оно́ пусть, но ведь как же, одна́ко, так пря́мо в печа́ти? В печа́ти на́до всё благоро́дное; идеа́лов на́до, а тут...

Скажи́, по кра́йней ме́ре, ко́свенно, на то тебе́ слог. Нет, он ко́свенно уже́ не хо́чет. Ны́не ю́мор и хоро́ший слог исчеза́ют и руга́тельства за ме́сто остроты́ принима́ются. Я не обижа́юсь: не Бог зна́ет како́й[3] литера́тор, чтобы с ума́ сойти́. Написа́л по́весть — не напеча́тали. Написа́л фельето́н[4] — отказа́ли. Этих фельето́нов я мно́го по ра́зным реда́кциям носи́л, везде́ отка́зывали: со́ли, говоря́т, у вас нет.

— Како́й же тебе́ со́ли, спра́шиваю с насме́шкою: атти́ческой?[5]

124

BOBOK
Feodor Dostoevsky

This time I insert "Someone's Notes." This someone is not myself; it is quite a different person. No further introduction, I believe, is needed.

SOMEONE'S NOTES

It was just the day before yesterday Semyon Ardalyonovich said to me:

"Pray tell me, Ivan Ivanovich, will you ever be sober?"

A strange demand. I don't resent it, I am a timid man. But they've managed to make a madman out of me. An artist happened to paint my portrait: after all, says he, you're a man of letters. I let him do it, and he exhibited it. I read: "Go and see this face—morbid, on the verge of insanity."

All right, but how can one say it so bluntly in print? In print everything ought to be noble; what's needed is ideals, while here . . . .

Put it indirectly at least, that's what style is there for. But no, he doesn't care any longer to be indirect. Nowadays humor and fine style are disappearing, and abuse is taking the place of wit. I don't resent it: I'm not much of a man of letters to go mad. I wrote a novel: it wasn't published. I wrote a journalistic column: it was rejected. I took many such articles to different editorial offices— everywhere they were rejected: there was no salt in them, I was told.

"What sort of salt do you want?" I ask mockingly. "Attic salt?"

Да́же и не понима́ет. Перевожу́ бо́льше книгопро-
да́вцам с францу́зского. Пишу́ и объявле́ния купца́м:
«Ре́дкость! Кра́сненький, де́скать, чай, с со́бствен-
ных планта́ций»... За панеги́рик его́ превосходи́тель-
ству[6] поко́йному Петру́ Матве́евичу большо́й куш
хвати́л. «Иску́сство нра́виться да́мам», по зака́зу
книгопрода́вца соста́вил. Вот э́таких кни́жек я штук
шесть в мое́й жи́зни пусти́л. Вольте́ровы бонмо́[7]
хочу́ собра́ть, да бою́сь, не пре́сно ли на́шим пока́-
жется. Како́й тепе́рь Вольте́р; ны́нче дуби́на, а не
Вольте́р! После́дние зу́бы друг дру́гу повы́били! Ну,
вот и вся моя́ литерату́рная де́ятельность. Ра́зве
что безме́здно пи́сьма по реда́кциям рассыла́ю, за
мое́ю по́лною по́дписью. Всё увеща́ния и сове́ты даю́,
критику́ю и путь указу́ю.[8] В одну́ реда́кцию, на
про́шлой неде́ле, сороково́е письмо́ за два го́да по-
сла́л; четы́ре рубля́ на одни́ почто́вые ма́рки истра́-
тил. Хара́ктер у меня́ скве́рен, вот что.

Ду́маю, что живопи́сец списа́л меня́ не литерату́-
ры ра́ди, а ра́ди двух мои́х симметри́ческих борода́-
вок на лбу: феноме́н, де́скать. Иде́и-то нет, так они́
тепе́рь на феноме́нах выезжа́ют. Ну и как же у него́
на портре́те удали́сь мои́ борода́вки, — живы́е! Это
они́ реали́змом зову́т.

А на счёт помеша́тельства, так у нас про́шлого
го́да мно́гих в сумасше́дшие записа́ли. И каки́м сло́-
гом: «При тако́м, де́скать, самобы́тном тала́нте... и
вот что под са́мый коне́ц оказа́лось... впро́чем, дав-
но́ уже́ на́до бы́ло предви́деть»... Это ещё дово́льно
хитро́; так что с то́чки чи́стого иску́сства да́же и
похвали́ть мо́жно. Ну, а те вдруг ещё умне́й воро-
ти́лись. То-то, свести́-то с ума́ у нас сведу́т, а ум-
не́й-то ещё никого́ не сде́лали.

Всех умне́й, по-мо́ему, тот, кто хоть раз в ме́сяц
самого́ себя́ дурако́м назовёт, — спосо́бность ны́не
неслы́ханная! Пре́жде, по кра́йности, дура́к хоть раз
в год знал про себя́, что он дура́к, ну а тепе́рь ни-ни́.
И до того́ замеша́ли дела́, что дурака́ от у́много не
отличи́шь. Это они́ наро́чно сде́лали.

He doesn't even understand. For the most part, I translate from French for the booksellers. I also write advertisements for merchants: "A rarity! Extra-fine tea from our own plantations. . . ." For a panegyric to his excellency, the late Pyotr Matveyevich, I pocketed a tidy sum. I compiled "The Art of Pleasing Ladies," commissioned by a bookseller. Of this kind of book I produced about six in my lifetime. I should like to collect Voltaire's *bons mots* but am afraid they might seem insipid to our folk. Where does Voltaire get you now? What's wanted now is a cudgel, not Voltaire! They've knocked each other's last teeth out! Well, that's the whole of my literary activity. Unless you include the letters to the editors I send round gratis over my full signature. I keep giving exhortation and advice, criticizing and showing them the true path. Last week I mailed my fortieth letter in two years to one editor; in stamps alone I laid out four rubles. I have a rotten temper, that's what it is.

I think the artist painted me not for the sake of literature, but for the sake of the two symmetrical warts on my forehead—a phenomenon, forsooth! They lack general ideas, so they make do with phenomena. And what a success he made of my warts in that portrait—they're alive! They call that realism.

And as for insanity, last year many people among us were put down as mad. And in what style: "Given such an original talent . . . and that's how it turned out toward the very end . . . however, it should have been foreseen long ago." That's still pretty clever, so that from the point of view of pure art it can even be praised. Well, all of a sudden back they came, wiser than ever. That's it, they know how to drive people mad, but they haven't yet made anyone wiser.

The wisest of all, to my mind, is he who will at least once a month call himself a fool—a faculty unheard of nowadays! Formerly, a fool knew at least once a year that he was a fool, but now—no fear! And they have so muddled things up that you can't tell a fool from a wise man. They've done this on purpose.

Припоминается мне испанская острота, когда французы, два с половиною века назад, выстроили у себя первый сумасшедший дом: «Они заперли всех своих дураков в особенный дом, чтобы уверить, что сами они люди умные». Оно и впрямь: тем, что другого запрёшь в сумасшедший дом, своего ума не докажешь. «К. с ума сошёл, значит, теперь мы умные». Нет, ещё не значит.

Впрочем, чёрт... и что я с своим умом развозился: брюзжу, брюзжу. Даже служанке надоел. Вчера заходил приятель: «У тебя, говорит, слог меняется, рубленый. Рубишь, рубишь — и вводное предложение, потом к вводному ещё вводное, потом в скобках ещё что-нибудь вставишь, а потом опять зарубишь, зарубишь»...

Приятель прав. Со мной что-то странное происходит. И характер меняется, и голова болит. Я начинаю видеть и слышать какие-то странные вещи. Не то чтобы голоса, а так как будто кто подле: «бобок, бобок, бобок!»

Какой такой бобок? Надо развлечься.

———

Ходил развлекаться, попал на похороны. Дальний родственник. Коллежский, однако, советник.[9] Вдова, пять дочерей, все девицы. Ведь это только по башмакам, так во что обойдётся! Покойник добывал, ну а теперь — пенсионишка.[10] Подожмут хвосты. Меня принимали всегда нерадушно. Да и не пошёл бы я и теперь, если бы не экстренный такой случай. Провожал до кладбища в числе других; сторонятся от меня и гордятся. Вицмундир мой действительно плоховат. Лет двадцать пять, я думаю, не бывал на кладбище; вот ещё местечко!

Во-первых, дух. Мертвецов пятнадцать наехало. Покровы разных цен; даже было два катафалка: одному генералу и одной какой-то барыне. Много скорбных лиц, много и притворной скорби, а много и откровенной весёлости. Причту нельзя пожало-

This reminds me of the Spanish witticism coined two and a half centuries ago when the French built their first lunatic asylum: "They've locked up all their fools in a special house to prove that they are wise people themselves." That's true: you will not prove your own wisdom by locking up others in a lunatic asylum. "K. is gone mad, that means we are sane now." No, in itself it doesn't.

However, what the hell! Why all this fuss about my own mind? Grumbling and grumbling. Even my maidservant is fed up with me. Yesterday a friend dropped in: "Your style is changing," he said, "it's choppy. You chop and chop—you interpolate a clause, and then another interpolated clause within it, and then you add still something else in parenthesis, and then you start chopping and chopping again."

My friend is right. Something strange is happening to me. My character is changing, and my head aches. I begin to see and hear strange things. I don't mean exactly voices, but just as though someone beside me goes: "*Bobok, bobok, bobok!*"

What is this *bobok?* I must distract myself.

I went out to distract myself and ended up at a funeral. A distant relation. A Collegiate Councillor, however. A widow, five daughters, all spinsters. In shoes alone how much must it come to? The deceased earned his living, and now all they have is a miserable little pension. They'll tuck their tails between their legs. They always received me inhospitably. I wouldn't have gone now either, were it not a sort of special occasion. With the rest of them I saw him off to the cemetery; they shun me and act haughty. In truth my uniform frockcoat is pretty shabby. It must be all of twenty-five years I think since I have been to a cemetery. Some place!

First of all, the smell. Some fifteen corpses had flocked there. Palls at various prices. There were even two catafalques: one for a general, and the other for some society lady. Many grieving faces, much feigned grief, too, but also a great deal of frank gaiety. The clergy have nothing

ваться: дохо́ды. Но дух, дух. Не жела́л бы быть
зде́шним духо́вным лицо́м.

В лица́ мертвецо́в загля́дывал с осторо́жностью,
не наде́ясь на мою́ впечатли́тельность. Есть выра-
же́ния мя́гкие, есть и неприя́тные. Вообще́ улы́бки
не хоро́ши, а у ины́х да́же о́чень. Не люблю́; сня́тся.

За обе́дней вы́шел из це́ркви на во́здух: день был
серова́т, но сух. То́же и хо́лодно; ну, да ведь и ок-
тя́брь же. Походи́л по моги́лкам. Ра́зные разря́ды.
Тре́тий разря́д в три́дцать рубле́й: и прили́чно, и не
так до́рого. Пе́рвые два в це́ркви и под па́пертью;
ну, э́то куса́ется.[11] В тре́тьем разря́де за э́тот раз
хорони́ли челове́к шесть, в том числе́ генера́ла и ба́-
рыню.

Загляну́л в моги́лки — ужа́сно: вода́ и кака́я вода́!
Соверше́нно зелёная и... ну, да уж что! Помину́тно
моги́льщик выка́чивал черпако́м. Вы́шел, пока́ слу́ж-
ба, поброди́ть за врата́.[12] Тут сейча́с богаде́льня, а
немно́го пода́льше и рестора́н. И так себе́, не ду́рной
рестора́нчик: и закуси́ть и всё. Наби́лось мно́го и из
провожа́тых. Мно́го заме́тил весёлости и одушевле́-
ния и́скреннего. Закуси́л и вы́пил.

Зате́м уча́ствовал собственнору́чно в отнесе́нии
гро́ба из це́ркви к моги́ле. Отчего́ э́то мертвецы́ в
гробу́ де́лаются так тяжелы́? Говоря́т, по како́й-то
ине́рции, что те́ло бу́дто бы ка́к-то уже́ не управ-
ля́ется сами́м... и́ли како́й-то вздор в э́том ро́де;
противоре́чит меха́нике и здра́вому смы́слу. Не лю-
блю́, когда́ при одно́м лишь о́бщем образова́нии су́-
ются у нас разреша́ть специа́льности; а у нас э́то
сплошь. Шта́тские ли́ца лю́бят суди́ть о предме́тах
вое́нных и да́же фельдма́ршальских, а лю́ди с ин-
жене́рным образова́нием су́дят бо́льше о филосо́фии
и полити́ческой эконо́мии.

На лити́ю[13] не пое́хал. Я горд, и е́сли меня́ прини-
ма́ют то́лько по э́кстренной необходи́мости, то чего́
же таска́ться по их обе́дам, хотя́ бы и похоро́нным?

to complain about: it's an income, after all! But the smell, the smell! I wouldn't care to be one of the local chapter.

Distrusting my impressionable nature, I glanced cautiously at the corpses' faces. Some of the expressions are gentle, but some are unpleasant. In general, the smiles are not nice, and in some cases very much so. I don't like them; one dreams of them.

During the service I went out into the fresh air: the day was grayish but dry. It was cold, too; but after all it was October. I strolled among the graves. Different classes. The third class at thirty rubles: both decent and not too expensive. The top two were in the church and under the porch; well, that's pretty steep. About six people received burial in the third class this time, among them the general and the society lady.

I peeked into the graves—dreadful: water, and what water! Absolutely green and—well, let it go. The grave-digger was baling it out all the time with a dipper. While the service was on I went out and wandered outside the gate. Right there is an almshouse and, a little further on, a restaurant. A fair-to-middling little restaurant, not a bad one: you can have a snack and all that. There was quite a crowd of mourners there. I noticed a lot of gaiety and sincere animation. I had a snack and a drink.

Then I personally took part in the bearing of the coffin from the church to the grave. Why is it that the corpses in their coffins become so heavy? They say it's due to some sort of inertia, that the body sort of loses control over itself—or some such nonsense; this contradicts both mechanics and common sense. I don't like it when people with nothing but general education pretend to solve specialized problems, but with us this happens all the time. Civilians love to voice opinions on military matters, even those of a field marshal's competence, while people with engineer's training discuss mostly philosophy and political economy.

I did not go to the wake. I have my pride and if I am received only in cases of urgent necessity, why should I drag myself to their dinners, even if they're funeral din-

Не понимаю только, зачем остался на кладбище; сел
на памятник и соответственно задумался.

Начал с московской выставки,[14] а кончил об удивлении, говоря вообще как о теме. Об «удивлении»
я вот что вывел:

«Всему удивляться, конечно, глупо, а ничему не
удивляться гораздо красивее и почему-то признано
за хороший тон. Но вряд ли так в сущности. По-
моему, ничему не удивляться гораздо глупее, чем
всему удивляться. Да и кроме того: ничему не удивляться почти то же, что ничего и не уважать. Да
глупый человек и не может уважать».

— Да я, прежде всего, желаю уважать. Я *жажду*
уважать, — сказал мне как-то раз, на днях, один
мой знакомый.

Жаждет он уважать! И, Боже, подумал я, что бы
с тобой было, если б ты это дерзнул теперь напеча-
тать!

Тут-то я и забылся. Не люблю читать надгроб-
ных надписей; вечно то же. На плите подле меня
лежал недоеденный бутерброд: глупо и не к месту.
Скинул его на землю, так как это не хлеб, а лишь
бутерброд. Впрочем, на землю хлеб крошить кажется, не грешно; это на пол грешно. Справиться в ка-
лендаре Суворина.[15]

Надо полагать, что я долго сидел, даже слишком;
то-есть даже прилёг на длинном камне в виде мра-
морного гроба. И как это так случилось, что вдруг
начал слышать разные вещи? Не обратил сначала
внимания и отнёсся с презрением. Но однако разговор продолжался. Слышу, — звуки глухие, как будто рты закрыты подушками; и при всём том вня́т-
ные и очень близкие. Очнулся, присел и стал внима-
тельно вслушиваться.

— Ваше превосходительство, это просто никак
невозможно-с. Вы объявили в червях, я вистую, и

ners. The only thing I don't understand is why I stayed on at the cemetery; I sat down on a tombstone and became engrossed in appropriate thoughts.

I began with the Moscow Exhibition and ended by thinking about astonishment in the abstract. On "astonishment" this is what I arrived at:

"To be astonished by everything is, of course, stupid, while to be astonished at nothing is a great deal more becoming and for some reason considered good form. But this is hardly the case really. To my mind, to be astonished at nothing is much more stupid than to be astonished at everything. And moreover, to be astonished at nothing is almost the same as feeling respect for nothing. And indeed a stupid man is incapable of feeling respect."

"What I wish above all, is to feel respect. I *thirst* to feel respect," a friend of mine said to me the other day.

He thirsts to feel respect! O Lord! I thought, what would happen to you if you dared say that in print nowadays!

At this point I sank into oblivion. I don't like reading tombstone epitaphs: everlastingly the same. On the tombstone by my side lay a half-eaten sandwich—stupid and out of place. I flicked it off onto the ground since it was not bread but just a sandwich. As a matter of fact, I believe it isn't a sin to crumble bread on the ground; the sin is to do so on the floor. Look it up in Suvorin's calendar.

I must assume that I sat there long, too long in fact. That is, I even lay down for a while on the long stone shaped like a marble coffin. And how did it happen that all of a sudden I began to hear all sorts of things? At first, I didn't pay attention and reacted with scorn. However, the conversation went on. I listened; the sounds came muffled as though from mouths covered with pillows; and withal quite distinct and close by. I came to, sat up, and began listening attentively.

. "It's simply impossible, your excellency. You called hearts, I lead and all of a sudden you have seven in

вдруг у вас семь в бубна́х. На́до бы́ло усло́виться
зара́нее на счёт бубён-с.

— Что́ же, зна́чит, игра́ть наизу́сть? Где же при-
влека́тельность?

— Нельзя́, ва́ше превосходи́тельство, без гара́н-
тии ника́к нельзя́. На́до непреме́нно с болва́ном, и
чтоб была́ одна́ тёмная сда́ча.

— Ну, болва́на здесь не доста́нешь.

Каки́е зано́счивые, одна́ко, слова́! И стра́нно и не-
ожи́данно. Оди́н тако́й ве́ский и соли́дный го́лос,
друго́й как бы мя́гко услащённый; не пове́рил бы,
е́сли бы не слы́шал сам. На лити́й я, ка́жется, не́
был. И одна́ко как же э́то здесь в префера́нс,[16] и ка-
ко́й тако́й генера́л? Что раздава́лось из-под моги́л,
в том не́ было и сомне́ния. Я нагну́лся и прочёл
на́дпись на па́мятнике:

«Здесь поко́ится те́ло генера́л-майо́ра Первое́до-
ва... таки́х-то и таки́х-то орден́ов кавале́ра. Гм.
Сконча́лся в а́вгусте сего́ го́да... пятьдесяти семи́...
Поко́йся, ми́лый прах, до ра́достного у́тра!»[17]

Гм, чорт, в са́мом де́ле генера́л! На дру́гой мо-
ги́лке, отку́да шёл льсти́вый го́лос, ещё не́ было па́-
мятника; была́ то́лько пли́тка; должно́ быть, из
новичко́в. По го́лосу надво́рный сове́тник.[18]

— Ох-хо-хо-хо! послы́шался совсе́м уже́ но́вый
го́лос, сажена́х в пяти́ от генера́льского ме́ста и уже́
совсе́м из-под све́жей моги́лки, — го́лос мужско́й и
простонаро́дный, но рассла́бленный на благогове́й-
но-умилённый мане́р.

— Ох-хо-хо-хо!

— Ах, опя́ть он ика́ет! — разда́лся вдруг брез-
гли́вый и высокоме́рный го́лос раздражённой да́мы,
как бы вы́сшего све́та. Наказа́ние мне[19] по́дле э́того
ла́вочника!

— Ничего́ я не ика́л, да и пи́щи не принима́л, а
одно́ лишь э́то моё естество́. — И всё-то вы, ба́ры-
ня, от ва́ших зде́шних капри́зов ника́к не мо́жете
успоко́иться.

— Так заче́м вы сюда́ легли́?

diamonds. We ought to have agreed about diamonds beforehand."

"Well, what do you mean—play by rote? Where's the
fun then?"

"You can't do it, your excellency, you simply can't do
it without a guarantee. You must at all costs have a
dummy and one deal in the dark. . . ."

"Well, you can't get a dummy around here."

What presumptuous words! Odd and unexpected. One
of the voices so weighty and dignified, the other, as it
were, slightly saccharine. I would not have believed it if
I had not heard it myself. After all, I hadn't been to the
wake. And yet how could they have been playing preference here, and what sort of general was this? That the
sounds came from under the tombstones there was no
doubt whatever. I bent down and read the inscription on
the monument:

"Here rests the body of Major-General Pervoyedov . . .
knight of such and such orders." Hm . . . Died in August
of the current year . . . age fifty-seven . . . "Repose, o
dear remains, until the joyous morn!"

Hm, what the devil, really and truly a general! On the
other grave, from which came the ingratiating voice, there
was as yet no monument—only a slab; must be one of
the newcomers. A court councillor, by his voice.

"Oh-ho-ho-ho!" an entirely new voice was heard, about
thirty-five feet from the general's place, and this time from
quite a fresh grave; a masculine, plebeian voice, but with
a softly sanctimonious intonation.

"Oh-ho-ho-ho!"

"Oh, he's hiccuping again!" came the squeamish and
haughty voice of the irritated lady, apparently from high
society. "What a bore for me to be next to this shopkeeper."

"I didn't hiccup at all, I didn't even partake of any
food. This is just my nature. As for you, lady, even here
you don't seem to be able to find peace from your fuss-
ing."

"Well, why did you come and lie here?"

— Положи́ли меня́, положи́ли супруга́ и ма́лые де́тки, а не сам я возлёг. Сме́рти та́инство! И не лёг бы я по́дле вас ни за что́, ни за како́е зла́то; а лежу́ по со́бственному капита́лу, судя́ по цене́-с.[20] Ибо э́то мы всегда́ мо́жем, чтобы за моги́лку на́шу по тре́тьему разря́ду внести́.

— Накопи́л; люде́й обсчи́тывал?

— Чем вас обсчита́ешь-то, коли́ с января́, почита́й, никако́й ва́шей упла́ты к нам не́ было. Счётец на вас в ла́вке име́ется.

— Ну, уж э́то глу́по; здесь, по-мо́ему, долги́ розы́скивать о́чень глу́по! Ступа́йте наве́рх. Спра́шивайте у племя́нницы; она́ насле́дница.

— Да уж где тепе́рь спра́шивать и куда́ пойдёшь? Оба дости́гли преде́ла и пред судо́м Бо́жиим во гресе́х[21] равны́.

— Во гресе́х! — презри́тельно передразни́ла поко́йница. — И не сме́йте совсе́м со мной говори́ть!

— Ох-хо-хо-хо!

— Одна́ко ла́вочник-то ба́рыни слу́шается, ва́ше превосходи́тельство.

— Почему́ же бы ему́ не слу́шаться?

— Ну да изве́стно, ва́ше превосходи́тельство, так как здесь но́вый поря́док.

— Како́й же э́то но́вый поря́док?

— Да ведь мы, так сказа́ть, у́мерли, ва́ше превосходи́тельство.

— Ах да! Ну, всё же поря́док... Ну, одолжи́ли; не́чего сказа́ть, уте́шили! Е́сли уж здесь до того́ дошло́, то чего́ же спра́шивать в ве́рхнем-то этаже́? Каки́е, одна́ко же, шту́ки! Продолжа́л одна́ко выслу́шивать, хотя́ и с чрезме́рным негодова́нием.

— Нет, я бы по́жил! Нет... я, зна́ете... я бы по́жил! — разда́лся вдруг чей-то но́вый го́лос, где́-то в промежу́тке ме́жду генера́лом и раздражи́тельной ба́рыней.

"I was laid here, laid by my spouse and my kiddies. I didn't come and repose here myself. The mystery of death! And I wouldn't have lain down next to you for anything, not for any amount of gold; I lie here in keeping with my capital, judging by the price, ma'am. For we can always manage that; that is, to pay for our little third-class grave."

"You saved up—short-changing people?"

"How could one short-change you if, since January, I reckon, you haven't paid us anything! There is a little bill against you at the shop."

"Why, that's really silly. I think it is most silly to try to claim debts here! Go upstairs. Demand from my niece, she is my heiress."

"Well, how can I demand now, and where can I go? We have both reached the end of the line and stand equal in our sins before the Lord's judgment."

"In our sins!" the deceased lady parroted scornfully. "Don't you dare speak to me at all!'

"Oh-ho-ho-ho!"

"After all, the shopkeeper obeys the lady, your excellency."

"Why shouldn't he?"

"Well, you know, your excellency, there is a new order here."

"What sort of new order is it?"

"Why, we are all dead, so to speak, your excellency."

"Oh yes! Still, all the same, order. . . ."

Well, I never—that's a comfort, I must say. If it has come to that here, what can one expect on the upper floor? Some goings-on, I must say! Nonetheless I went on listening, even though with extreme indignation.

* * *

"Yes, I could do with a bit of living! Yes . . . you know . . . I could do with a bit of living!" a new voice was suddenly heard somewhere in between the general and the irritable lady.

— Слышите, ваше превосходительство, наш опять
за то же. По три дня молчит-молчит и вдруг: «Я бы
пожил, нет, я бы пожил!» И с таким знаете, аппетитом, хи-хи!

— И с легкомыслием.

— Пронимает его, ваше превосходительство, и,
знаете, засыпает, совсем уже засыпает, с апреля
ведь здесь, и вдруг: «Я бы пожил!»

— Скучновато однако, — заметил его превосходительство.

— Скучновато, ваше превосходительство, разве
Авдотью Игнатьевну опять пораздразнить, хи-хи?

— Нет, уж прошу уволить. Терпеть не могу этой
задорной криксы.[22]

— А я, напротив, вас обоих терпеть не могу, —
брезгливо откликнулась крикса. — Оба вы самые
прескучные и ничего не умеете рассказать идеаль-
ного. Я про вас, ваше превосходительство, — не
чваньтесь, пожалуйста, — одну историйку знаю,
как вас из-под одной супружеской кровати поутру
лакей щёткой выел.

— Скверная женщина! — сквозь зубы проворчал
генерал.

— Матушка, Авдотья Игнатьевна, — возопил
вдруг опять лавочник, — барынька ты моя, скажи
ты мне, зла не помня, что ж я по мытарствам[23] это
хожу, али что иное деется?..

— Ах, он опять за то же, так я и предчувствова-
ла, потому слышу дух от него, дух, а это он воро-
чается!

— Не ворочаюсь я, матушка, и нет от меня никакого такого особого духу, потому ещё в полном
нашем теле как есть сохранил себя, а вот вы, барынька, так уж тронулись — потому дух действительно нестерпимый, даже и по здешнему месту. Из
вежливости только молчу.

— Ах, скверный обидчик! От самого так и разит,
а он на меня.

"You hear, your excellency, our friend is taking up the same old tune. For three days he keeps silent and suddenly: 'I could do with a bit of living, yes, I could do with a bit of living.' And with such gusto, you know, he-he."

"And with flippancy."

"It gets him, your excellency, and you know, he's going to sleep, he's almost gone to sleep. After all, he's been here since April, and suddenly: 'I could do with a bit of living.'"

"It's a bit of a bore, I must say," remarked His Excellency.

"It is, your excellency. Now how about teasing Avdotya Ignatyevna again, he-he?"

"No, I beg to be excused. Can't stand that quarrelsome cat."

"And as for me, for my part, I can't abide the two of you," querulously retorted the cat. "Both of you are utterly boring and don't know how to tell anything of a lofty nature. As for you, your excellency—don't get on your high horse, please—I know a little story about you, how one morning a footman swept you with his broom from under a certain married lady's bed."

"Nasty woman!" grumbled the general through his teeth.

"Ma'am, Avdotya Ignatyevna!" suddenly wailed the shopkeeper again. "My dear lady, don't bear me a grudge, tell me, am I going the way of torments, or is it something else?"

"Ah, there he is at it again, as I suspected, for I could smell him, smell him—that was him twisting and turning."

"I'm not twisting and turning, ma'am, and there's no particular odor coming from me, because I have still preserved my body intact, while as for you, lady, you're already high, the odor is truly unbearable, even for this place here. I've kept silent from politeness alone."

"Oh, you nasty slanderer! There he is, simply reeking, and he blames it on me."

— Ох-хо-хо-хо! Хоша́ бы[24] сороко́винки[25] на́ши скоре́е присти́гли:[26] слёзные гла́сы их над собо́ю услы́шу, супру́ги вопль и дете́й ти́хий плач!..

— Ну, вот об чем пла́чет: нажру́тся кутьи́[27] и уе́дут. Ах, хоть бы кто проснулся!

— Авдо́тья Игна́тьевна, — заговори́л льсти́вый чино́вник. — Подожди́те ка́пельку,[78] но́венькие заговоря́т.

— А молоды́е лю́ди есть ме́жду ни́ми?

— И молоды́е есть, Авдо́тья Игна́тьевна. Юноши да́же есть.

— Ах как бы кста́ти!

— А что́, не начина́ли ещё? — осве́домился его превосходи́тельство.

— Да́же и третьево́днишние ещё не очну́лись, ва́ше превосходи́тельство, са́ми изво́лите знать, ино́й раз по неде́ле молча́т. Хорошо́, что их вчера́, тре́тьего дня и сего́дня ка́к-то ра́зом вдруг навезли́. А то ведь круго́м са́жень на де́сять почти́ всё у нас прошлого́дние.

— Да, интере́сно.

— Вот, ва́ше превосходи́тельство, сего́дня действи́тельного та́йного сове́тника[29] Тарасе́вича схорони́ли. Я по голоса́м узна́л. Племя́нник его́ мне знако́м, да́веча гроб опуска́л.

— Гм, где же он тут?

— Да шага́х в пяти́ от вас, ва́ше превосходи́тельство, вле́во. Почти́ в са́мых ва́ших нога́х-с... Вот бы вам, ва́ше превосходи́тельство, познако́миться.

— Гм, нет — уж... мне что же пе́рвому.

— Да он сам начнёт, ва́ше превосходи́тельство. Он бу́дет да́же польщён, поручи́те мне, ва́ше превосходи́тельство, и я...

— Ах, ах... ах, что же э́то со мной? — закряхте́л вдруг че́й-то испу́ганный но́венький голосо́к.

— Но́венький, ва́ше превосходи́тельство, но́венький, сла́ва Бо́гу, и как ведь ско́ро! Друго́й раз по неде́ле молча́т.

"Oh-ho-ho-ho! I wish our fortieth day would come sooner! I would hear their tearful laments over me, my wife's wail and my children's quiet weeping."

"Here, look what he's crying for; they'll stuff themselves with funeral rice and go home. Oh, if at least someone were to wake up!"

"Avdotya Ignatyevna," chimed in the obsequious civil servant, "wait a bit, the brand-new ones will start talking."

"And are there any young men among them?"

"There are, Avdotya Ignatyevna. There are even some quite young ones."

"How nice that would be!"

"But why haven't they begun yet?" inquired His Excellency.

"Even those of the day before yesterday haven't come to yet, your excellency, you know it well enough yourself. Sometimes they keep silent for a whole week. It's a good thing that yesterday, the day before yesterday and today they brought a whole batch of them all at once. For otherwise they are all last year's within seventy feet around us."

"Yes, it will be interesting."

"Why, your excellency, today they buried the titular privy councillor Tarasevich. I knew by the voices. I know his nephew, just now he's been lowering the coffin."

"Hm, where is he then?"

"Well, about five paces from you, your excellency, to the left. Almost at your very feet, sir. You should really make his acquaintance, your excellency."

"Hm, not really—why should I be the first. . ."

"Well, he'll make the first move himself, your excellency. He will even be flattered. Leave it to me, your excellency, and I . . ."

"Oh, oh . . . Oh, what's happening to me?" croaked a frightened, brand-new voice.

"A brand-new one, your excellency, a brand-new one, thank God, and look how soon! Sometimes they are silent for a whole week."

— Ах, кажется, молодой человек! — взвизгнула
Авдотья Игнатьевна.

— Я... я... я от осложнения и так внезапно! —
залепетал опять юноша. — Мне Шульц ещё накануне: у вас, говорит, осложнение, а я вдруг к утру
и помер. Ах! Ах!

— Ну, нечего делать, молодой человек, — милостиво и очевидно радуясь новичку заметил генерал,
— надо утешиться! Милости просим в нашу, так
сказать, долину Иосафатову.[30] Люди мы добрые,
узнаете и оцените. Генерал-майор Василий Васильев[31] Первоедов, к вашим услугам.

— Ах, нет! нет, нет, это я никак! Я у Шульца; у
меня, знаете, осложнение вышло, сначала грудь за-
хватило и кашель, а потом простудился: грудь и
грипп... и вот вдруг совсем неожиданно... главное,
совсем неожиданно.

— Вы говорите сначала грудь, — мягко ввязался
чиновник, как бы желая ободрить новичка.

— Да, грудь и мокрота, а потом вдруг нет мо-
кроты и грудь, и дышать не могу... и знаете...

— Знаю, знаю. Но если грудь, вам бы скорее к
Эку, а не к Шульцу.

— А я, знаете, всё собирался к Боткину...[32] и
вдруг...

— Ну, Боткин кусается, — заметил генерал.

— Ах нет, он совсем не кусается; я слышал, он
такой внимательный и всё предскажет вперёд.

— Его превосходительство заметил насчёт це-
ны, — поправил чиновник.

— Ах, что вы, всего три целковых, и он так осма-
тривает, и рецепт... и я непременно хотел, потому
что мне говорили... Что же, господа, как же мне, к
Эку или к Боткину?

— Что? Куда? — приятно хохоча, заколыхался
труп генерала. Чиновник вторил ему фистулой.

"Oh, I think it's a young man!" squealed Avdotya Ignatyevna.

"I . . . I . . . I . . . it was due to complications, and so suddenly," babbled the youth again. "Schultz said to me the day before, 'There are complications,' he said, and suddenly toward morning I died. Oh! Oh!"

"Well, never mind, young man," remarked the general graciously, evidently pleased by the new arrival, "you must be consoled. Welcome to our, one might say, Valley of Jehosaphat. We are kind people; you'll get to know and appreciate us. Major-General Vasily Vasilyev Pervoyedov, at your service."

"Oh no! No, no, I can't possibly! I am at Schultz's. I had complications, you know, first my chest was affected, and coughing, and then I caught cold, my chest and grippe . . . and then quite unexpectedly . . . the main thing is, it was quite unexpected."

"You say first the chest," gently interjected the civil servant as though wishing to encourage the newcomer.

"Yes, my chest and phlegm, and then suddenly no more phlegm, and my chest—I can't breathe . . . and you know . . ."

"I know, I know. But if it's your chest, you should rather have gone to Eck, and not to Schultz . . ."

"Well, you know, I kept planning to go to Botkin, and suddenly . . ."

"But you get stung at Botkin's," remarked the General.

"Oh no, he doesn't sting at all. I've heard he's so attentive and can tell everything in advance. . . ."

"His Excellency meant as regards the fee," the civil servant corrected him.

"Oh, not at all, three rubles only, and he examines you so . . . and the prescription . . .and I was really intent on seeing him, for I was told . . . Well, gentlemen, where shall I go, to Eck or to Botkin?"

"What? Where?" the General's corpse shook with pleasant laughter. The civil servant echoed him in a falsetto.

— Ми́лый ма́льчик, ми́лый, ра́достный ма́льчик, как я тебя́ люблю́! — восто́рженно взви́згнула Авдо́тья Игна́тьевна. — Вот е́сли б э́такого по́дле положи́ли!

Нет, э́того уж я не могу́ допусти́ть! И э́то совреме́нный мертве́ц! Одна́ко послу́шать ещё и не спеши́ть заключе́ниями. Этот сопля́к-новичо́к, — я его́ да́веча в гробу́ по́мню, — выраже́ние перепу́ганного цыплёнка, наипроти́внейшее в ми́ре! Одна́ко что да́лее.

Но да́лее начала́сь така́я катава́сия, что я всего́ и не удержа́л в па́мяти, и́бо о́чень мно́гие ра́зом проснýлись: проснýлся чино́вник, из ста́тских сове́тников, и на́чал с генера́лом то́тчас же и неме́дленно о прое́кте но́вой подкоми́ссии в министе́рстве —— дел и о вероя́тном, сопряжённом с подкоми́ссией, перемеще́нии должностны́х лиц, — чем весьма́ и весьма́ развлёк генера́ла. Признаю́сь, я и сам узна́л мно́го но́вого, так что подиви́лся путя́м, кото́рыми мо́жно иногда́ узнава́ть в сей столи́це администрати́вные но́вости. Зате́м полупросну́лся оди́н инжене́р, но до́лго ещё бормота́л соверше́нный вздор, так что на́ши и не пристава́ли к нему́, а оста́вили до вре́мени вы́лежаться. Наконе́ц, обнару́жила при́знаки моги́льного воодушевле́ния схоронённая поутру́ под катафа́лком зна́тная ба́рыня. Лебезя́тников[33] (и́бо льсти́вый и ненави́димый мно́ю надво́рный сове́тник, помеща́вшийся по́дле генера́ла Первое́дова, по и́мени оказа́лся Лебезя́тниковым) о́чень суети́лся и удивля́лся, что так ско́ро на э́тот раз все просыпа́ются. Признаю́сь, удиви́лся и я; впро́чем, не́которые из просну́вшихся бы́ли схоронены́ ещё тре́тьего дня, как, наприме́р, одна́ моло́денькая о́чень деви́ца, лет шестна́дцати, но всё хихи́кавшая... ме́рзко и плотоя́дно хихи́кавшая.

"Dear boy, dear, joyous boy, how I love you!" Avdotya Ignatyevna squealed ecstatically. "Oh, if only they had laid one like that beside me!"

No, this is more than I can tolerate! And these are the modern dead! However, I must listen a bit more and not be too hasty with conclusions. This sniveling new-comer—I remember seeing him in his coffin a short time ago: the expression of a terrified chicken, the most repulsive expression in the world! However, what next?

———

But next there began such a hullabaloo that I could not retain everything in my memory, for a great many of them awoke all at once. A civil servant of state councillor's rank awoke and at once, without further ado, began talking to the General about the project of a new sub-committee in the Ministry of —— Affairs and about the probable switching of personnel in connection with that subcommittee, and thereby greatly diverted the General. I admit, I also learned much that was new, and so marveled at the channels through which you can sometimes learn administrative news in this capital of ours. Then an engineer half awoke, but for a long time kept muttering utter nonsense, so that our folk did not pester him but left him to lie it out for the time being. Finally, the society lady brought in that morning in a catafalque showed signs of sepulchral animation. Lebezyatnikov (for that turned out to be the name of the obsequious, and to me loathsome, court councillor lying next to General Pervoyedov) fussed a lot and was surprised that everybody was waking up so soon this time. I admit I was sur-prised, too, but then some of those who woke up had been buried the day before yesterday, as, for example, one very young girl, about sixteen years of age, who kept giggling . . . disgustingly and lasciviously giggling.

— Ва́ше превосходи́тельство, та́йный сове́тник Тарасе́вич просыпа́ются![34] — возвести́л вдруг Лебезя́тников с чрезвыча́йною торопли́востью.

— А? что? — брезгли́во и сюсю́кающим го́лосом проша́мкал вдруг очну́вшийся та́йный сове́тник. В зву́ках го́лоса бы́ло не́что капри́зно-повели́тельное. Я с любопы́тством прислу́шался, и́бо в после́дние дни не́что слы́шал о сём Тарасе́виче, — соблазни́тельное и трево́жное в вы́сшей сте́пени.

— Это я-с, ва́ше превосходи́тельство, пока́мест всего́ то́лько я-с.

— Чего́ про́сите и что вам уго́дно?

— Еди́нственно осве́домиться о здоро́вьи ва́шего превосходи́тельства; с непривы́чки здесь ка́ждый с пе́рвого ра́зу чу́вствует себя́ как бы в тесноте́-с... Генера́л Первое́дов жела́л бы име́ть честь знако́мства с ва́шим превосходи́тельством и наде́ются...

— Не слыха́л.

— Поми́луйте, ва́ше превосходи́тельство, генера́л Первое́дов, Васи́лий Васи́льевич...

— Вы генера́л Первое́дов?

— Нет-с, ва́ше превосходи́тельство, я всего́ то́лько надво́рный сове́тник Лебезя́тников-с к ва́шим услу́гам, а генера́л Первое́дов...

— Вздор! И прошу́ вас оста́вить меня́ в поко́е.

— Оста́вьте, — с досто́инством остано́вил, наконе́ц, сам генера́л Первое́дов гну́сную торопли́вость моги́льного своего́ клие́нта.

— Не просну́лись ещё, ва́ше превосходи́тельство, на́до име́ть в виду́-с; э́то они́ с непривы́чки-с: просну́тся и тогда́ при́мут ина́че-с...

— Оста́вьте, — повтори́л генера́л.

— Васи́лий Васи́льевич! Эй вы, ва́ше превосходи́тельство! — вдруг гро́мко и аза́ртно прокрича́л по́дле са́мой Авдо́тьи Игна́тьевны оди́н совсе́м но́вый го́лос, — го́лос ба́рский и де́рзкий, с утомлённым по мо́де вы́говором и с наха́льною его́ скандиро́вкою; — я вас всех уже́ два часа́ наблюда́ю; я ведь три дня лежу́; вы по́мните меня́, Васи́лий Васи́льевич?

"Your excellency, Privy Councillor Tarasevich is about to wake up," suddenly announced Lebezyatnikov with great haste.

"Ah? what?" squeamishly mouthed in a lisping voice the Privy Councillor who had suddenly come to. In the sound of his voice there was something peevishly imperious. I listened with curiosity, for in the last few days I had heard something about this Tarasevich—something scandalous and alarming to the highest degree.

"It's me, sir, your excellency, so far only me, sir."

"What is your request and what is it you want?"

"Solely to inquire about your excellency's health. From lack of habit, everyone at first feels sort of crowded here, sir. . . . General Pervoyedov desires to have the honor of being introduced to your excellency, and hopes . . ."

"Never heard of him."

"But surely, your excellency, General Pervoyedov, Vasily Vasilyevich . . ."

"Are you General Pervoyedov?"

"No, your excellency, I am merely Court Councillor Lebezyatnikov, sir, at your service, and General Pervoyedov . . ."

"Poppycock! And I beg you to leave me in peace."

"Leave him," General Pervoyedov himself interrupted with dignity the odious haste of his graveyard factotum.

"He still hasn't awakened, your excellency, you must bear that in mind, sir. That's from not being used to it, sir. He'll wake up and take it in a different way, sir."

"Leave him," repeated the General.

"Vasily Vasilyevich! Hey there, your excellency!" a completely new voice suddenly called out loudly and with verve right beside Avdotya Ignatyevna—an insolent, gentlemanly voice, with a fashionably languid enunciation and an impudent drawl. "I've been observing all of you these two hours. After all, I've been lying here for three days. You remember me, Vasily Vasilyevich? Klinevich.

Клине́вич, у Волоко́нских встреча́лись, куда́ вас, не
зна́ю почему́, то́же пуска́ли.

— Как, граф Пётр Петро́вич... да неуже́ли же
вы... и в таки́х молоды́х года́х... Как сожале́ю!

— Да я и сам сожале́ю, но то́лько мне всё равно́,
и я хочу́ отвсю́ду извле́чь всё возмо́жное. И не граф,
а баро́н, всего́ то́лько баро́н. Мы каки́е-то шелуди́-
вые баро́нишки, из лаке́ев, да и не зна́ю почему́, на-
плева́ть. Я то́лько негодя́й псевдо-вы́сшего све́та и
счита́юсь «ми́лым полисо́ном».[35] Оте́ц мой како́й-то
генера́лишка, а мать была́ когда́-то принята́ en haut
lieu.[36] Я с Зи́фелем жидо́м[37] на пятьдеся́т ты́сяч про́-
шлого го́да фальши́вых бума́жек провёл, да на него́
и донёс, а де́ньги все с собо́й Ю́лька[38] Charpentier
de-Lusignan увезла́ в Бордо́.[39] И предста́вьте, я уже́
совсе́м был помо́лвлен — Щевале́вская, трёх ме́сяцев
до шестна́дцати не достава́ло, ещё в институ́те,[40] за
ней ты́сяч девяно́сто даю́т. Авдо́тья Игна́тьевна, по́-
мните, как вы меня́, лет пятна́дцать наза́д, когда́ я
ещё был четырнадцатиле́тним пажо́м,[41] разврати́-
ли?..

— Ах, э́то ты, негодя́й, ну хоть тебя́ Бог посла́л,
а то здесь...

— Вы напра́сно ва́шего сосе́да негоциа́нта запо-
до́зрили в дурно́м за́пахе... Я то́лько молча́л, да сме-
я́лся. Ведь э́то от меня́; меня́ так в заколо́ченном
гро́бе и хорони́ли.

— Ах како́й ме́рзкий! То́лько я всё-таки ра́да; вы
не пове́рите, Клине́вич, не пове́рите, како́е здесь от-
су́тствие жи́зни и остроу́мия.

— Ну да, ну да, и я наме́рен завести́ здесь не́что
оригина́льное. Ва́ше превосходи́тельство, — я не
вас, Первое́дов, — ва́ше превосходи́тельство, дру-
го́й, господи́н Тарасе́вич, та́йный сове́тник! Откли́к-
нитесь! Клине́вич, кото́рый вас к m-lle Фюри́ посто́м
вози́л, слы́шите?

— Я вас слы́шу, Клине́вич, и о́чень рад, и пове́рь-
те...

We used to meet at the Volokonskys where you, too, were received, I don't know why."

"What! Count Pyotr Petrovich! is it possible that you —and so young. How sorry I am!"

"I am sorry myself, but it's all one to me, and I want to get the most out of everything. And it's not count, it's baron, just mere baron. We are just mangy wretched barons risen from lackeys, and I don't know why and don't give a damn. I am only a scoundrel of pseudo-high society and am regarded as 'a dear *polisson*.' My father is some sort of lousy general and my mother was received once upon a time *en haut lieu*. Last year I passed fifty thousand worth of counterfeit bank notes with Siffel the Jew and then informed on him, and Yulka Charpentier de Lusignan took all the money away with her to Bordeaux. And imagine, I was practically betrothed —Shchevalevskaya, three months short of sixteen, still at boarding school, she's worth ninety thousand. Avdotya Ignatyevna, do you remember how you seduced me about fifteen years ago, when I was still a fourteen-year-old page?"

"Oh, it's you, you scoundrel! Well, God has sent you at least, otherwise here . . ."

"You were wrong in blaming the bad smell on your neighbor the tradesman. I kept silent and laughed to myself. It comes from me; they had to nail down my coffin for the funeral."

"Oh, how disgusting you are! All the same, I'm glad. You won't believe, Klinevich, you won't believe what an absence of life and wit there is down here."

"Quite so, quite so, and I have the intention of introducing something novel here. Your excellency—I don't mean you, Pervoyedov—your excellency, the other one, Mr. Tarasevich, the privy councillor. Respond! Klinevich, the one who took you to Mlle Furie during Lent. Can you hear me?"

"I can hear you, Klinevich, and am very glad, and believe me. . . ."

— Ни на грош не ве́рю и наплева́ть. Я вас, ми́лый ста́рец, про́сто расцелова́ть хочу́, да, сла́ва Бо́гу, не могу́. Зна́ете вы, господа́, что э́тот grand-père[42] сочини́л? Он тре́тьего дня аль четвёртого по́мер и, мо́жете себе́ предста́вить, це́лых четы́реста ты́сяч казённого недочёту оста́вил? Су́мма на вдов и сиро́т, и он оди́н почему́-то хозя́йничал, так что его́, под коне́ц, лет во́семь не ревизова́ли. Вообража́ю, каки́е там у всех тепе́рь дли́нные ли́ца и чем они́ его́ помина́ют? Не пра́вда ли, сладостра́стная мысль! Я весь после́дний год удивля́лся, как у тако́го семиде-сятиле́тнего старика́шки, пода́грика и хира́грика, уцеле́ло ещё сто́лько сил на развра́т и — и вот те-пе́рь и разга́дка! Эти вдо́вы и сиро́ты — да одна́ уже́ мысль о них должна́ была́ раскаля́ть его́!.. Я про э́то давно́ уже́ знал, оди́н то́лько я и знал, мне Charpentier передала́, и как я узна́л, ту́т-то я на него́, на Свято́й,[43] и налёг по-прия́тельски: «Подава́й два́дцать пять ты́сяч, не то за́втра обревизу́ют»; так, предста́вьте, у него́ то́лько трина́дцать ты́сяч тогда́ нашло́сь, так что он, ка́жется, тепе́рь о́чень кста́ти по́мер. Grand-père, grand-père, слы́шите?

— Cher Клине́вич, я соверше́нно с ва́ми согла́сен и напра́сно вы... пуска́лись в таки́е подро́бности. В жи́зни сто́лько страда́ний, истяза́ний и так ма́ло возме́здия... я пожела́л, наконе́ц, успоко́иться, и, ско́лько ви́жу, наде́юсь извле́чь и отсю́да всё...

— Бьюсь об закла́д, что он уже́ проню́хал Кати́шь[44] Бересто́ву!

— Каку́ю?.. Каку́ю Кати́шь? — плотоя́дно задро-жа́л го́лос ста́рца.

— А-а, каку́ю Кати́шь? А вот здесь нале́во, в пяти́ шага́х от меня́, от вас — в десяти́. Она́ уж здесь пя́тый день и е́сли б вы зна́ли, grand-père, что́ э́то за мерза́вочка... хоро́шего до́ма, воспи́тана и — монстр, монстр до после́дней сте́пени! Я там её нико-му́ не пока́зывал, оди́н я и знал... Кати́шь, откли́к-нись!

"I don't believe a pennyworth of it, and don't give a damn. I would simply love to kiss you, my dear old man, but thank goodness I can't. Do you know, ladies and gentlemen, what this *grand-père* pulled off? He died three or four days ago, and can you imagine, now the fund is four hundred thousand short? It was a fund for widows and orphans, and for some reason he was running it alone, so that it ended up by not being audited for nearly eight years. I can well imagine what long faces they all have there now and what names they are calling him. A voluptuous thought, is it not? All last year I was wondering how such a nasty seventy-year-old man, gouty and arthritic, still had so much vigor for debauchery—and now here is the answer to this riddle. These widows and orphans—why, the very thought of them alone must have inflamed him! I knew about it a long time ago, I alone knew it—the Charpentier woman had told me about it, and as soon as I found out I immediately, in Holy Week, put some friendly pressure on him: 'Hand over twenty-five thousand, or else tomorrow they will audit you.' Well, imagine, he had only about thirteen thousand on hand at the moment, so, it seems, he chose a most appropriate time to die. *Grand-père, grand-père,* can you hear me?"

"*Cher* Klinevich, I quite agree with you and you needn't have . . . gone into such details. In life there is so much suffering, torment, and so little reward. . . . I wanted at last to find peace and as far as I can see, here I hope to get all I can, too . . . ."

"I wager he has already sniffed out Catiche Berestov!"

"Who? What Catiche?" the old man's voice quavered lasciviously.

"Aha, what Catiche! Well, here, to the left, five paces from me and ten from you. This is her fifth day here, and if you knew, *grand-père,* what a little bitch she is. From a good family, well bred, and —a monster, a monster to the nth degree! Over there I did not show her to anyone, I alone knew . . . . Catiche, let's hear from you!"

— Хи-хи-хи! — откли́кнулся надтре́снутый звук
деви́чьего голоска́, но в нём послы́шалось не́что вро́-
де уко́ла иго́лки. — Хи-хи-хи!

— И блон-ди-ночка? — обры́висто в три зву́ка
пролепета́л grand-père.

— Хи-хи-хи!

— Мне... мне давно́ уже́, — залепета́л, задыха́ясь,
ста́рец, — нра́вилась мечта́ о блонди́ночке... лет пят-
на́дцати... и и́менно при тако́й обстано́вочке...

— Ах, чудо́вище! — воскли́кнула Авдо́тья Иг-
на́тьевна.

— Дово́льно! — пореши́л Клине́вич, — я ви́жу,
что материа́л превосхо́дный. Мы здесь неме́дленно
устро́имся к лу́чшему. Гла́вное, чтобы ве́село про-
вести́ остально́е вре́мя; но како́е вре́мя? Эй, вы, чи-
но́вник како́й-то, Лебезя́тников, что́ ли, я слы́шал,
что вас так зва́ли!

— Лебезя́тников, надво́рный сове́тник, Семён Ев-
се́ич, к ва́шим услу́гам и о́чень-о́чень-о́чень рад.

— Наплева́ть, что вы ра́ды, а то́лько вы, ка́жет-
ся, здесь всё зна́ете. Скажи́те, во-пе́рвых (я ещё со
вчера́шнего дня удивля́юсь), каки́м э́то о́бразом мы
здесь говори́м? Ведь мы у́мерли, а ме́жду тем го-
вори́м; как бу́дто и дви́жемся, а ме́жду тем и не
говори́м и не дви́жемся? Что за фо́кусы?

— Это, е́сли б вы пожела́ли, баро́н, мог бы вам
лу́чше меня́ Плато́н Никола́евич объясни́ть.

— Како́й тако́й Плато́н Никола́евич? Не мя́млите,
к де́лу.

— Плато́н Никола́евич, наш доморо́щенный зде́ш-
ний фило́соф, есте́ственник и маги́стр. Он не́сколько
филосо́фских кни́жек пусти́л, но вот три ме́сяца и
совсе́м засыпа́ет, так что уже́ здесь его́ невозмо́жно
тепе́рь раскача́ть. Раз в неде́лю бормо́чет по не́-
скольку слов, не иду́щих к де́лу.

— К де́лу, к де́лу!..

— Он объясня́ет всё э́то са́мым просты́м фа́ктом,
и́менно тем, что наверху́, когда́ ещё мы жи́ли, то
счита́ли оши́бочно та́мошнюю смерть за смерть.

"He-he-he!" responded a cracked girlish voice in which could be heard, however, something like the prick of a needle. "He-he-he!"

"And a little blonde?" babbled *grand-père* in a three-note staccato.

"He-he-he!"

"I . . . I have long," the old man babbled, panting, "cherished the dream of a little blonde . . . about fifteen years old . . . and precisely in such surroundings . . ."

"Oh you monster!" exclaimed Avdotya Ignatyevna.

"Enough!" decided Klinevich, "I can see that the material is first-rate. We shall immediately settle down here in the best possible way. The main thing is to enjoy ourselves for the rest of the time. But how much time? Hey you, some kind of civil servant, Lebezyatnikov or something, I heard them call you that!"

"Lebezyatnikov, Court Councillor, Semyon Evseich, at your service, and very, very, very pleased."

"I don't give a damn that you are pleased, but you seem to know everything here. Tell me first (I have been wondering about it since yesterday) how is it that we can talk here? After all, we are dead, and yet we talk; we seem to move, too; and yet we neither talk nor move? What sort of tricks are these?"

"If you wish, Baron, Platon Nikolayevich could explain it to you better than I."

"What Platon Nikolayevich is that? Don't bumble, get to the point."

"Platon Nikolayevich, our local homespun philosopher, naturalist and Master of Sciences. He put out several philosophical books, but it is three months now and he is almost asleep, so that it is impossible now to shake him up here. Once a week he mutters a few words, not to the point."

"Get to the point, to the point."

"He explains all this by a very simple fact, namely that upstairs, while we were still alive, we erroneously took the death we died there for death. Here the body once

Тело здесь ещё раз как будто оживает, остатки
жизни сосредоточиваются, но только в сознании.
Это — не умею вам выразить — продолжается
жизнь как бы по инерции. Всё сосредоточено, по
мнению его, где-то в сознании и продолжается ещё
месяца два или три... иногда даже полгода... Есть,
например, здесь один такой, который почти совсем
разложился, но раз недель в шесть он всё ещё
вдруг пробормочет одно словцо, конечно, бессмыс-
ленное, про какой-то бобок: «Бобок, бобок», — но
и в нём, значит, жизнь всё ещё теплится незаметною
искрой...

— Довольно глупо. Ну, а как же вот я не имею
обоняния, а слышу вонь!

— Это... хе-хе... Ну, уж тут наш философ пустился в туман. Он именно про обоняние заметил,
что тут вонь слышится, так сказать, нравственная
— хе-хе! вонь будто бы души, чтобы в два-три этих
месяца успеть спохватиться... и что это, так сказать,
последнее милосердие... Только мне кажется, барон,
всё это уже мистический бред, весьма извинитель-
ный в его положении...

— Довольно, и далее, я уверен, всё вздор. Главное, два или три месяца жизни и, в конце концов —
бобок. Я предлагаю всем провести эти два месяца
как можно приятнее и для того всем устроиться на
иных основаниях. Господа! я предлагаю ничего не
стыдиться!

— Ах, давайте, давайте ничего не стыдиться! —
послышались многие голоса, и, странно, послышались даже совсем новые голоса, значит, тем временем, вновь проснувшихся. С особенною готовностью
прогремел басом своё согласие совсем уже очнув-
шийся инженер. Девочка Катишь радостно захихи-
кала.

— Ах, как я хочу ничего не стыдиться! — с восторгом воскликнула Авдотья Игнатьевна.

— Слышите, уж коли Авдотья Игнатьевна хочет
ничего не стыдиться...

again seems to come alive, the remnants of life become concentrated, but only in our consciousness. This is—I don't know how to express it to you—life continuing as if by inertia. Everything is concentrated, in his opinion, somewhere in our consciousness and goes on for another two or three months . . . sometimes even half a year. There is here, for instance, someone who has almost completely decomposed, but once in about six weeks he'll still suddenly mutter a little word, meaningless of course, about some kind of *bobok*: 'Bobok, bobok,' but this means that in him, too, life still flickers like an imperceptible spark."

"Rather stupid. Well, how is it then that I have no sense of smell and yet can smell stench?"

"This—he-he. . . . Well, here our philosopher has strayed into a fog. On this very subject of sense of smell he remarked that the stench we smell here is, so to speak, moral—he-he! stench of the soul, as it were, so that during these two or three months there is still time to reconsider . . . and that this, so to speak, is the final mercy. But I think, Baron, that all this is just mystical raving, quite pardonable in his position . . ."

"Enough, and I am sure all the rest is nonsense. The main thing is: two or three months of life and in the end—*bobok*. I suggest we all spend these two months as enjoyably as possible, and that to this purpose we all arrange our life on different principles. Ladies and gentlemen, I suggest that we be ashamed of nothing!"

"Oh, let us, let us be ashamed of nothing!" many voices were heard exclaiming, and strangely enough, among them some entirely new voices of those who must have awakened in the meantime. The engineer, who had by now completely come to, roared his consent in a bass voice with particular readiness. The girl Catiche giggled with glee.

"Oh, how I long to be ashamed of nothing!" exclaimed Avdotya Ignatyevna rapturously.

"Do you hear, if even Avdotya Ignatyevna longs to be ashamed of nothing . . ."

— Нет-нет-нет, Клиневич, я стыдилась, я всё-таки там стыдилась, а здесь я ужасно, ужасно хочу ничего не стыдиться...

— Я понимаю, Клиневич, пробасил инженер, что вы предлагаете устроить здешнюю, так сказать, жизнь, на новых и уже разумных началах.

— Ну, это мне наплевать! На этот счёт подождём Кудеярова, вчера принесли. Проснётся и вам всё объяснит. Это такое лицо, такое великанское лицо! Завтра, кажется, притащут ещё одного естественника, одного офицера наверно и, если не ошибаюсь, дня через три-четыре одного фельетониста, и, кажется, вместе с редактором. Впрочем, чёрт с ними, но только нас соберётся своя кучка, и у нас всё само собою устроится. Но пока я хочу, чтоб не лгать. Я только этого и хочу, потому что это главное. На земле жить и не лгать невозможно, ибо жизнь и ложь синонимы; ну а здесь мы для смеху будем не лгать. Чёрт возьми, ведь значит же что-нибудь могила! Мы все будем вслух рассказывать наши истории и уже ничего не стыдиться. Я прежде всех про себя расскажу. Я, знаете, из плотоядных. Всё это там вверху было связано гнилыми верёвками. Долой верёвки и проживём эти два месяца в самой бесстыдной правде! Заголимся и обнажимся!

— Обнажимся, обнажимся! — закричали во все голоса.

— Я ужасно, ужасно хочу обнажиться! — взвизгивала Авдотья Игнатьевна.

— Ах... ах... Ах, я вижу, что здесь будет весело; я не хочу к Эку!

— Нет, я бы пожил, нет, знаете, я бы пожил!

— Хи-хи-хи! — хихикала Катиш.

— Главное, что никто не может нам запретить и хоть Первоедов, я вижу, и сердится, а рукой он меня всё-таки не достанет. Grand-père, вы согласны?

— Я совершенно, совершенно согласен и с вели-

"No, no, no, Klinevich, I was ashamed, up there I still felt ashamed, but here I terribly, terribly long to be ashamed of nothing!"

"As I understand, Klinevich," rumbled the engineer, "you suggest arranging our life here, so to speak, on new and rational principles."

"Well, I don't give a damn about that. On this matter we'll wait for Kudeyarov, he was brought yesterday. He'll wake up and will explain everything to you. He is such a personality, such a gigantic personality! Tomorrow I think they'll haul in another naturalist, one officer for sure, and if I am not mistaken, in three or four days a columnist, and, I believe, with his editor. However, to hell with them! But we'll have a group of our own and everything will arrange itself. But for the time being I want no lying. That's all I want, because that's the chief thing. It's impossible to live on earth and not lie because living and lying are synonymous. But here, just for laughs, let's have no lying. Devil take it, after all, the grave does mean something! We'll all be telling our own stories aloud and no longer be ashamed of anything. First of all, I'll tell about myself. I'm one of the predatory sort, you know. Up there, all this was bound up by rotten cords. Down with the cords, and let us live these two months in the most shameless truth! Let's strip and bare ourselves!"

"Let's bare, let's bare ourselves!" everybody shouted at the top of his voice.

"I terribly, terribly long to bare myself!" squealed Avdotya Ignatyevna.

"Oh . . . oh . . . Oh, I can see it's going to be fun here. I don't want to go to Eck."

"Yes, I could do with a bit of living; yes, you know, I could!"

"He-he," giggled Catiche.

"The main thing is that no one can forbid us, and although Pervoyedov, I see, is angry, he still won't be able to lay a hand on me. *Grand-père,* do you agree?"

"I agree completely, completely, and with the greatчайшим моим удовольствием, но с тем, что Катишь начнёт первая свою би-о-графию.

— Протестую! протестую изо всех сил, — с твёрдостию произнёс генерал Первоедов.

— Ваше превосходительство! — в торопливом волнении и понизив голос лепетал и убеждал негодяй Лебезятников, — ваше превосходительство, ведь это нам даже выгоднее, если мы согласимся. Тут, знаете, эта девочка... и, наконец, все эти разные штучки...

— Положим, девочка, но...

— Выгоднее, ваше превосходительство, ей Богу бы выгоднее! Ну, хоть для примерчика, ну, хоть попробуем...

— Даже и в могиле не дадут успокоиться!

— Во-первых, генерал, вы в могиле в преферанс играете, а во-вторых, нам на вас на-пле-вать, — проскандировал Клиневич.

— Милостивый государь, прошу однако не забываться.

— Что? Да ведь вы меня не достанете, а я вас могу отсюда дразнить, как Юлькину болонку. И, во-первых, господа, какой он здесь генерал? Это там он был генерал, а здесь пшик![45]

— Нет не пшик... я и здесь...

— Здесь вы сгниёте в гробу, и от вас останется шесть медных пуговиц.

— Браво, Клиневич, ха-ха-ха! — заревели голоса.

— Я служил государю моему... я имею шпагу...

— Шпагой вашей мышей колоть, и к тому же вы её никогда не вынимали.

— Всё равно-с; я составлял часть целого.

— Мало ли какие[46] есть части целого.

— Браво, Клиневич, браво, ха-ха-ха!

— Я не понимаю, что такое шпага, — провозгласил инженер.

— Мы от пруссаков убежим как мыши, растреплют в пух! — прокричал отдалённый и неизвестный est of pleasure, provided Catiche will be the first to begin her bi-o-graphy."

"I protest! I protest with all my might," firmly announced General Pervoyedov.

"Your excellency!" urged the scoundrel Lebezyatnikov, his voice lowered, babbling away in haste and agitation, "your excellency, it's even more to our advantage if we agree. You know, there is that girl here . . . and in short, all these various little things . . ."

"The girl, granted, but . . ."

"More to our advantage, your excellency, I swear it is! Why, just by way of a little example, let's at least try . . . ."

"They won't leave you in peace even in the grave!"

"First of all, General, you play preference in the grave, and secondly we don't *give a damn* about you," drawled Klinevich.

"My dear sir, I ask you not to forget yourself."

"What? You can't reach me but from here I can tease you like Yulka's lapdog. But first of all, ladies and gentlemen, what sort of general can he be here? It was up there he was a general, but here—pooh-pooh!"

"No pooh-poohing! Even here I am . . ."

"Here you will rot away in your coffin, and all that will be left of you is six brass buttons."

"Bravo, Klinevich! Ha-ha-ha!" roared the voices.

"I served my sovereign . . . I have a sword . . ."

"Your sword is good for sticking mice, and besides, you never took it out of its scabbard."

"That makes no difference, I was a part of the whole."

"There are all sorts of parts in a whole."

"Bravo, Klinevich, bravo! Ha-ha-ha!"

"I don't understand what the sword stands for," spoke up the engineer.

"We'll flee from the Prussians like mice, we'll be torn to shreds!" shouted a distant voice, unfamiliar to me and

мне го́лос, но буква́льно захлёбывавшийся от во-
сто́рга.

— Шпа́га, су́дарь, есть честь! — кри́кнул бы́ло
генера́л, но то́лько я его́ и слы́шал. Подня́лся до́лгий
и нейстовый рёв, бунт и гам, и лишь слы́шались не-
терпели́вые до исте́рики взви́зги Авдо́тьи Игна́тьев-
ны:

— Да поскоре́й же, поскоре́й! Ах, когда́ же мы
начнём ничего́ не стыди́ться!

— Ох-хо-хо! войстину душа́ по мыта́рствам хо́-
дит! — разда́лся-бы́ло го́лос простолюди́на, и...

И тут я вдруг чихну́л. Произошло́ внеза́пно и не-
наме́ренно, но эффе́кт вы́шел порази́тельный: всё
смо́лкло то́чно на кла́дбище, исче́зло как сон. На-
ста́ла йстинно-моги́льная тишина́. Не ду́маю, чтобы
они́ меня́ устыди́лись: реши́лись же ничего́ не сты-
ди́ться! Я прожда́л мину́т с пять и — ни сло́ва, ни
зву́ка. Нельзя́ то́же предположи́ть, чтобы испуга́-
лись доно́са в поли́цию; йбо что мо́жет тут сде́лать
поли́ция? Заключа́ю нево́льно, что всё-таки у них
должна́ быть кака́я-то та́йна, неизве́стная сме́ртно-
му, и кото́рую они́ тща́тельно скрыва́ют от вся́кого
сме́ртного.

«Ну, поду́мал, ми́ленькие, я ещё вас навещу́», и
с сим сло́вом оста́вил кла́дбище.

———

Нет, э́того я не могу́ допусти́ть; нет, войстину
нет! Бобо́к меня́ не смуща́ет (вот он бобо́к-то и
оказа́лся!).

Развра́т в тако́м ме́сте, развра́т после́дних упова́-
ний, развра́т дря́блых и гнию́щих тру́пов и — да́же
не щадя́ после́дних мгнове́ний созна́ния! — им даны́,
пода́рены э́ти мгнове́ния и... А гла́вное, гла́вное в
тако́м ме́сте! Нет, э́того я не могу́ допусти́ть...

literally choking with delight.

"The sword, sir, stands for honor!" the general attempted to shout, but I alone heard him. There arose a prolonged and wild uproar, riot and hubbub, and only Avdotya Ignatyevna's squeals, impatient to the point of hysterics, were audible:

"Well, hurry, hurry! Oh, when shall we begin to be ashamed of nothing?"

"Oh-ho-ho! In truth, my soul goes through torments," was heard the voice of the shopkeeper, and . . .

And here I suddenly sneezed. This was sudden and unintentional, but the effect was remarkable: all was hushed as though in a graveyard, vanished like a dream. A truly sepulchral stillness set in. I don't think they felt ashamed of me: after all, they had decided to be ashamed of nothing. I waited five minutes or so—and not a word, not a sound. It is not to be supposed, either, that they were afraid of being reported to the police, for what can the police do in a case like this? I conclude willy-nilly that they must, after all, have some secret, unknown to mortals and which they carefully conceal from any mortal.

"Well, my dears," I thought, "I shall visit you again," and with these words left the cemetery.

———

No, I cannot tolerate this; no, in truth I can't. *Bobok* does not disturb me (so that's what this *bobok* turned out to be!).

Debauchery in such a place, debauchery of last hopes, debauchery of flabby and rotting corpses, not even sparing the last moments of consciousness!—these moments are given to them, bestowed on them, and . . . And worst of all, worst of all—in such a place! No, this I cannot tolerate. . . .

Побываю в других разрядах, послушаю везде. То-то и есть, что надо послушать везде, а не с одного лишь краю, чтобы составить понятие. Авось, наткнусь и на утешительное.

А к тем непременно вернусь. Обещали свои биографии и разные анекдотцы. Тьфу! Но пойду, непременно пойду; дело совести!

Снесу в «Гражданин»;[47] там одного редактора портрет тоже выставили. Авось напечатает.

I'll visit other categories, I shall listen everywhere. The whole point is that one should listen everywhere and not just at one end. Maybe I'll even come across something reassuring.

But I'll revisit those without fail. They promised their biographies and all sorts of funny little stories. Ugh! But I'll go, I'll go without fail; it's a matter of conscience!

I shall take this to the *Citizen*. The portrait of one of their editors was also exhibited there. Maybe he'll print it.

LEO TOLSTOY
(1828-1910)

Like Dostoevsky, Count Lev Nikolaevich Tolstoy re-
quires no conventional introduction. In his case, too, however, the choice of a relatively little-known story ought
to be explained. With Tolstoy, the compiler of an anthology is also faced with a difficulty. True, Tolstoy wrote
a great many stories, many more than Dostoevsky, and
they vary greatly in length. But the question arises:
Should one choose something from the early Tolstoy, or
one of his late stories? In deciding in favor of a late story
we were guided above all by the consideration that those
late stories, stories for the people, represent a distinctive
new development in Russian literature. In a remarkable
critical essay on Tolstoy, written in 1890, Konstantin
Leontyev (1831-91), who had no sympathy with Tolstoy's religious and ethical teaching—in fact, was strongly opposed to it—voiced his esthetic preference for the
stories written by Tolstoy in the 1880s. These stories
were a reaction against the predominant brand of Russian realism, with its proneness to "psychologize," its
stress on the seamy side of life, and its attention to small,
trivial details of everyday life (this last tendency Leontyev was inclined to blame on the influence of Gogol).
Tolstoy's new manner was dictated by his iconoclastic
views on art and his urge to produce "religious art."
Leontyev did not agree with Tolstoy's rejection of the
esthetic approach to art any more than he did with his
rejection of the official Church or with his doctrine of
nonresistance. But he welcomed Tolstoy's new manner
for his own esthetic reasons and anticipated Tolstoy's
pamphlet on art; he was, in fact, willing to hail any form
of art that went against the grain of "superfluous detail"
realism of the "Russian school," as he called it. Tolstoy's
"baring" of the narrative, his stripping it of all the para-

phernalia and embellishments of realism (Leontyev called
them "flyspecks of realism"), appealed to Leontyev's
esthetic sense. Leontyev was one of the few perspica-
cious men at the time who saw that the fact that Tolstoy
had come to look upon himself as a "preacher" did not
impair his artistic power.

In choosing "The Three Hermits" we wanted to avoid
stories, however excellent, that had been often antholog-
ized—such as "Where Love Is, God Is," or "God Sees
the Truth, But Waits."

Tolstoy wrote "The Three Hermits" in 1885, and the
story was published in the weekly *Niva* in 1886. The sub-
title "From the Folk-Tales Current on the Volga," which
figures in some editions, was not given by Tolstoy. In
any case, the mention of Archangel and the Solovetsk
Islands in the story points rather to the northern origin
of this version of the legend. At the core of the legend
lies a well-known subject, a variant of which can be
found in St. Augustine. St. Augustine's version of the
legend became known in Russia in the sixteenth century.
It is unlikely, however, that Tolstoy used as his source
any of the bookish versions; the legend probably came
to him in an oral retelling.

ТРИ СТАРЦА

Л. Н. Толстого

> А моля́сь, не говори́те ли́шнего,
> как язы́чники: и́бо они́ ду́мают, что
> в многосло́вии своём бу́дут услы́-
> шаны. Не уподобля́йтесь им: и́бо
> зна́ет Оте́ц ваш, в чём вы име́ете
> нужду́, пре́жде ва́шего проше́ния у
> Него́.
>
> *(Матф.* VI. 7, 8).

Плыл на корабле́ архиере́й[1] из Арха́нгельска-го́ро-
да в Солове́цкие.[2] На том же корабле́ плы́ли
богомо́льцы к уго́дникам.[3] Ве́тер был попу́тный,
пого́да я́сная, не кача́ло.[4] Богомо́льцы — кото́рые
лежа́ли, кото́рые заку́сывали, кото́рые сиде́ли ку́ч-
ками — бесе́довали друг с дру́жкой. Вы́шел и архи-
ере́й на па́лубу, стал ходи́ть взад и вперёд по мосту́.
Подошёл архиере́й к но́су, ви́дит, собрала́сь ку́чка
наро́ду. Мужичо́к пока́зывает что́-то руко́й в мо́ре
и говори́т, а наро́д слу́шает. Останови́лся архиере́й,
посмотре́л, куда́ пока́зывал мужичо́к: ничего́ не
ви́дно, то́лько мо́ре на со́лнце блести́т. Подошёл
побли́же архиере́й, стал прислу́шиваться. Увида́л
архиере́я мужичо́к, снял ша́пку и замолча́л. Увида́л
и наро́д архиере́я, то́же сня́ли ша́пки, почте́нье сде́-
лали.

— Не стесня́йтесь, бра́тцы, — сказа́л архиере́й.
— Я то́же послу́шать подошёл, что́ ты, до́брый
челове́к, расска́зываешь.

— Да вот про ста́рцев[5] нам рыбачо́к расска́зы-
вал, — сказа́л оди́н купе́ц посмеле́е.

— Что́ про ста́рцев? — спроси́л архиере́й, подошёл к бо́рту и присе́л на я́щик. — Расскажи́ и мне,
я послу́шаю. Что ты пока́зывал?

166

THE THREE HERMITS
Leo Tolstoy

> But when ye pray, use not vain repetitions,
> as the heathen do: for they think that they
> shall be heard for their much speaking. Be
> not ye therefore like unto them: for your
> Father knoweth what things ye have need
> of, before ye ask Him.
>
> *Matt.* vi. 7, 8.

A Bishop was sailing from the city of Arkhangelsk to the Solovetsky Islands. On the same vessel there were pilgrims sailing to visit the holy shrines. The wind was favorable, the weather fair, the sea smooth. The pilgrims —some were lying down, some having a bite to eat, some sitting in groups—were talking to each other. The Bishop, too, came out on deck, began to pace the bridge. He approached the bow, saw a group of people gathered together. A peasant was pointing out something in the sea and speaking, and the people were listening. The Bishop stopped, looked where the peasant was pointing: there was nothing to be seen, only the sea gleaming in the sun. The Bishop came closer, began to listen. The peasant saw the Bishop, took off his cap and fell silent. The people also saw the Bishop, also took off their caps, paid their respects.

"Don't mind me, friends," said the Bishop. "I have also come to hear what you, good man, are telling them."

"This fisherman was telling us about the hermits," said one merchant who was bolder than the others.

"What about the hermits?" asked the Bishop, came up to the rail and sat down on a box. "Tell me, too, I'll listen. What were you pointing at?"

— Да вот островóк маячит, — сказáл мужичóк и показáл вперёд в прáвую стóрону. — На э́том сáмом островкé и стáрцы живýт, спасáются.

— Где же островóк? — спросил архиерéй.

— Вот по рукé-то моéй извóльте смотрéть. Вон óблачко, так полевéе егó вниз, как полóска виднéется.

Смотрéл, смотрéл архиерéй, рябит водá на сóлнце и не видáть емý ничегó без привы́чки.

— Не вижу, — говорит. — Так какие же тут стáрцы на óстрове живýт?

— Бóжьи лю́ди, — отвéтил крестья́нин. — Давнó уж я слыхáл про них, да не доводилось видеть, а вот запрóшлым лéтом сам видел.

И стал опя́ть расскáзывать рыбáк, как éздил он за ры́бой и как прибило егó к óстрову к э́тому, и сам не знал, где он. Поутрý пошёл ходить и набрёл на земля́ночку, и увидáл у земля́ночки одногó стáрца, а потóм вы́шли и ещё два; покормили и обсушили егó и помогли лóдку починить.

— Какие же они из себя́? — спросил архиерéй.

— Один мáхонький, сгóрбленный, совсéм дрéвний, в ря́ске стáренькой, дóлжно, годóв бóльше ста, седина в бородé уж зеленéть стáла, а сам всё улыбáется и свéтлый, как áнгел небéсный. Другóй рóстом повы́ше, тóже стар, в кафтáне рвáном, бородá широ́кая, седáя с желтизнóй, а человéк сильный: лóдку мою́ переверну́л как ушáт, не успéл я и подсобить емý, — тóже рáдостный. А трéтий высóкий, бородá длинная до колéн и бéлая как лунь,[в] а сам сýмрачный, брóви на глазá вися́т, и нагóй весь, тóлько рогóжкой опоя́сан.

— Что ж они говорили с тобóй?

— Всё бóльше мóлча дéлали, и друг с дрýжкой мáло говоря́т. А взгля́нет один, а другóй уж понимáет. Стал я высóкого спрáшивать, давнó ли они живýт тут. Нахмýрился он, чтó-то заговорил, рас-

"Why, that little island you can just make out," said the peasant and pointed forward to starboard. "On that very island the hermits live, seek salvation."

"But where is the island?" asked the Bishop.

"Here, please look in line with my hand. See that cloud? Just a bit to the left of it, below, showing like a thin streak."

The Bishop looked and looked, the water rippled in the sun, and, for want of practice, he could see nothing.

"I cannot see it," he said. "So, what kind of hermits live on that island?"

"Godly men," answered the peasant. "I had heard of them long ago, but never chanced to see them, and then the summer before last I saw them myself."

And the fisherman began to recount once more how he had gone out fishing, and how he had run aground on that island and didn't know himself where he was. In the morning he wandered off and came upon an earth hut and saw a hermit by the earth hut, and then two more came out; they fed and dried him and helped him repair his boat.

"And what do they look like?" asked the Bishop.

"One of them tiny, bent, quite ancient, in an old little cassock, must be more than a hundred years old, the grey hairs in his beard turning green already; but he keeps smiling and is bright as an angel from Heaven. Another a little taller, also old, in a torn coat, his beard broad, yellowish white, but he is a powerful man: he turned my boat over like a tub, I didn't have a chance to lend him a hand—also joyous. And the third is tall, his beard long, down to his knees—and white as a blue kite, himself gloomy, eyebrows hanging over his eyes, and all naked, only girded with a piece of sacking."

"What did they talk about with you?" asked the Bishop.

"They did everything mostly silently, and they don't talk much to one another. But one looks up and the other understands him. I began to ask the tall one whether they had been living there long. He frowned, began to сердился точно, да древний маленький сейчас его за руку взял, улыбнулся, — и затих большой. Только сказал древний «помилуй нас», и улыбнулся.

Пока говорил крестьянин, корабль ещё ближе подошёл к островам.

— Вот теперь вовсе видно стало, — сказал купец. — Вот извольте посмотреть, ваше преосвященство,[7] — сказал он, показывая.

Архиерей стал смотреть. И точно увидал чёрную полоску — островок. Посмотрел, посмотрел архиерей и пошёл прочь от носу к корме, подошёл к кормчему.

— Какой это островок, — говорит, — тут виднеется?

— А так, безыменный. Их много тут.

— Что, правда, говорят, тут старцы спасаются?

— Говорят, ваше преосвященство, да не знаю, правда ли. Рыбаки, — говорят, — видали. Да тоже, бывает, и зря болтают.

— Я желаю пристать к острову, — повидать старцев, — сказал архиерей. — Как это сделать?

— Кораблём подойти нельзя, — сказал кормчий. — На лодке можно, да надо старшого[8] спросить.

Вызвали старшого.

— Хотелось бы мне посмотреть этих старцев, — сказал архиерей. — Нельзя ли свезти меня?

Стал старшой отговаривать. — Можно-то можно, да много времени проведём и, осмелюсь доложить вашему преосвященству, не стоит смотреть на них. Слыхал я от людей, что совсем глупые старики эти живут, ничего не понимают и ничего говорить не могут, как рыбы какие морские.

— Я желаю, — сказал архиерей. — Я заплачу за труды, свезите меня.

Нечего делать, распорядились корабельщики, переладили паруса. Повернул кормчий корабль, поплы-say something, seemed to get angry; but the little ancient one at once took him by the hand, smiled, and the big one fell silent. The ancient one just said: 'Have mercy on us,' and smiled."

While the peasant spoke the vessel drew still nearer to the island.

"Now you can really see it," said the merchant. "Be so good as to look, your lordship," he said, pointing.

The Bishop looked. And indeed he saw a black streak —the little island. After looking for a while the Bishop went away from the bow to the stern and approached the helmsman.

"What is this little island, showing there?"

"It's nameless. There are many of them here."

"Is it true what they say, that some hermits seek salvation there?"

"So they say, your lordship, but I don't know if it's true. Some fishermen, they say, have seen them. It may be just idle talk."

"I should like to land on that island, to see the hermits," said the Bishop. "How can this be done?"

"The ship cannot come near," said the helmsman. "You can come near in a boat though, but the Captain must be asked."

They called the Captain.

"I should like to have a look at those hermits," said the Bishop. "Can't you row me over?"

The Captain tried to talk him out of it. "It could be done, but we would waste a lot of time, and if I may mention it to your lordship, they are not worth looking at. I have heard from people that these are foolish old men who live there, they understand nothing and can say nothing, like some kind of fish of the sea."

"I want to," said the Bishop. "I'll pay for the trouble, take me there."

There was nothing to be done; the shipmen gave orders, sails were trimmed. The helmsman turned the ship, ли к острову. Вынесли архиерею стул на нос. Сел он и смотрит. И народ весь собрался к носу, все на островок глядят. И у кого глаза повострее,[9] уж видят камни на острове и землянку показывают. А один уж и трёх старцев разглядел. Вынес старшой трубу,[10] посмотрел в неё, подал архиерею. «Точно — говорит, — вот на берегу, поправей камня большого, три человека стоят».

Посмотрел архиерей в трубу, навёл, куда надо; точно, стоят трое: один высокий, другой пониже, а третий вовсе маленький; стоят на берегу, за руки держатся.

Подошёл старшой к архиерею. — Здесь, ваше преосвященство, остановиться кораблю надо. Если уж угодно, так отсюда на лодке вы извольте съездить, а мы тут на якорях постоим.

Сейчас распустили тросс, кинули якорь, спустили парус — дёрнуло, зашаталось судно. Спустили лодку, соскочили гребцы, и стал спускаться архиерей по лесенке. Спустился архиерей, сел на лавочку в лодке, ударили гребцы в вёсла, поплыли к острову. Подплыли как камень кинуть; видят — стоят три старца: высокий — нагой, рогожкой опоясан, пониже — в кафтане рваном и древненький сгорбленный — в ряске старенькой; стоят все трое, за руки держатся.

Причалили гребцы к берегу, зацепились багром. Вышел архиерей.

Поклонились ему старцы, благословил он их, поклонились они ему ещё ниже. И начал им говорить архиерей:

— Слышал я, — говорит, — что вы здесь, старцы Божии, спасаетесь, за людей Христу-Богу молитесь, а я здесь, по милости Божьей, недостойный раб Христов, Его паству пасти призван; так хотел they sailed toward the island. A chair was brought to the bow for the Bishop. He sat down and watched. And all the people gathered at the bow, all looking at the little island. And those with keener eyes could already see the rocks on the island and point out the earth hut. And one man had already made out the three hermits. The Captain brought out a spyglass, looked through it, handed it to the Bishop. "True enough," he said, "there on the shore, a bit to the right of the large rock, there are three men standing.".

The Bishop looked through the glass, trained it in the right direction; true enough, there were three of them standing there: one tall, another a little shorter, and the third quite small; they were standing on the shore, holding hands."

The Captain went up to the Bishop. "Here, your lordship, the ship must stop. If you so wish, you can go on in a boat, while we stand here at anchor."

At once they let out the cable, cast anchor, furled the sail—the ship jerked, shook. A boat was lowered, the oarsmen jumped down, and the Bishop began to descend the ladder. The Bishop descended, sat down on the seat in the boat, the oarsmen pulled at the oars and rowed to the island. They rowed up within a stone's throw; they saw: there stood the three hermits—the tall one, naked, girded with a piece of sacking; the shorter one in a torn coat; and the ancient little bent one, in a little old cassock: they stood, all three of them, holding each other by the hand.

The oarsmen put to the shore, held fast with a boathook. The Bishop got out.

The hermits bowed to him, he blessed them, they bowed to him even lower. And the Bishop spoke to them:

"I have heard," he says, "that you, godly men, seek salvation here, praying for people to Christ the Lord, while I, Christ's unworthy servant, am here by God's grace, called и вас, рабо́в Бо́жиих, повида́ть и вам, е́сли могу́, поуче́ние дать.

Молча́т ста́рцы, улыба́ются, друг на дру́жку погля́дывают.

— Скажи́те мне, как вы спаса́етесь и как Бо́гу слу́жите, — сказа́л архиере́й.

Воздохну́л сре́дний ста́рец и посмотре́л на ста́ршего, на дре́внего; нахму́рился высо́кий ста́рец и посмотре́л на ста́ршего, на дре́внего. И улыбну́лся ста́рший, дре́вний ста́рец и сказа́л: Не уме́ем мы, раб Бо́жий, служи́ть Бо́гу, то́лько себе́ слу́жим, себя́ ко́рмим.

— Как же вы Бо́гу мо́литесь? — спроси́л архиере́й.

И дре́вний ста́рец сказа́л: Мо́лимся мы так: тро́е Вас, тро́е нас, поми́луй нас!

И как то́лько сказа́л э́то дре́вний ста́рец, по́дняли все три ста́рца глаза́ к не́бу и все тро́е сказа́ли: «Тро́е Вас, тро́е нас, поми́луй нас!»

Усмехну́лся архиере́й и сказа́л:

— Это вы про Святу́ю Тро́ицу слы́шали, да не так вы мо́литесь. Полюби́л я вас, ста́рцы Бо́жии, ви́жу, что хоти́те вы угоди́ть Бо́гу, да не зна́ете, как служи́ть Ему́. Не так на́до моли́ться, а слу́шайте меня́, я научу́. Не от себя́ бу́ду учи́ть вас, а из Бо́жьего писа́ния научу́ тому́, как Бог повеле́л всем лю́дям моли́ться Ему́.

И на́чал архиере́й толкова́ть ста́рцам, как Бог откры́л Себя́ лю́дям: растолкова́л им про Бо́га Отца́, Бо́га Сы́на и Бо́га Ду́ха Свято́го и сказа́л:

— Бог Сын сошёл на зе́млю люде́й спасти́ и так научи́л всех моли́ться. Слу́шайте и повторя́йте за мной.

И стал архиере́й говори́ть: «Отче наш». И повтори́л оди́н ста́рец: «Отче наш», повтори́л и друго́й: «Отче наш», повтори́л и тре́тий: «Отче наш». — «Иже еси́ на небесе́х».[11] Повтори́ли и ста́рцы: «Иже upon to tend His flock, and so I wanted to see you, servants of God, and give you instruction if I can."

The hermits are silent, smile, glance at one another.

"Tell me how you seek salvation and how you serve God," said the Bishop.

The second hermit sighed and looked at the oldest, the ancient one; the tall hermit frowned and looked at the oldest, the ancient one. And the oldest, the ancient hermit, smiled and said: "We don't know, servant of God, how to serve God; we only serve ourselves, feed ourselves."

"How then do you pray to God?" asked the Bishop.

And the ancient hermit said: "We pray thus: three of You, three of us, have mercy on us."

And as soon as the ancient hermit had said this all three hermits raised their eyes to heaven and all three of them said: "Three of You, three of us, have mercy on us."

With an amused smile the Bishop said:

"You must have heard about the Holy Trinity, but you pray in the wrong way. I have come to love you, godly hermits, I can see that you want to please God, but do not know how to serve Him. That's not the way to pray, but listen to me, and I'll teach you. I'll teach you not in some way of my own, but I'll teach you according to the Lord's scripture, the way God commanded all men to pray to Him."

And the Bishop began to expound to the hermits how God had revealed Himself to men; he explained to them about God the Father, God the Son, and God the Holy Ghost, and said:

"God the Son came down on earth to save men and taught them all to pray thus. Listen and repeat after me."

And the Bishop began to recite: "Our Father." And one hermit repeated: "Our Father," the second repeated, too: "Our Father," and the third, too, repeated: "Our Father." —"Which art in Heaven." The hermits, too, repeated:

еси́ на небесе́х». Да запута́лся в слова́х сре́дний
ста́рец, не так сказа́л; не вы́говорил и высо́кий, на-
го́й ста́рец: ему́ усы́ рот заросли́ — не мог чи́сто
вы́говорить; невня́тно проша́мкал и дре́вний беззу́-
бый ста́рец.

Повтори́л ещё раз архиере́й, повтори́ли ещё раз
ста́рцы. И присе́л на ка́мушек архиере́й, и ста́ли
о́коло него́ ста́рцы, и смотре́ли ему́ в рот, и твер-
ди́ли за ним, пока́ он говори́л им. И весь день до
ве́чера протруди́лся с ни́ми архиере́й; и де́сять, и
два́дцать, и сто раз повторя́л одно́ сло́во, и ста́рцы
тверди́ли за ним. И пу́тались они́, и поправля́л он
их, и заставля́л повторя́ть снача́ла.

И не оста́вил архиере́й ста́рцев, пока́ не научи́л
их всей моли́тве Госпо́дней. Прочли́ они́ её за ним и
прочли́ са́ми. Пре́жде всех по́нял сре́дний ста́рец и
сам повтори́л её всю. И веле́л ему́ архиере́й ещё и
ещё раз сказа́ть её, и ещё повтори́ть, и други́е про-
чли́ всю моли́тву.

Уж смерка́ться ста́ло, и ме́сяц из мо́ря всходи́ть
стал, когда́ подня́лся архиере́й е́хать на кора́бль.
Прости́лся архиере́й с ста́рцами, поклони́лись они́
ему́ все в но́ги. По́днял он их и облобыза́л ка́ждого,
веле́л им моли́ться, как он научи́л их, и сел в ло́дку
и поплы́л к кораблю́.

И плыл к кора́блю архиере́й, и всё слы́шал, как
ста́рцы в три го́лоса гро́мко тверди́ли моли́тву
Госпо́дню. Ста́ли подплыва́ть к кораблю́, не слы́ш-
но уж ста́ло го́лоса ста́рцев, но то́лько ви́дно бы́ло
при ме́сяце: стоя́т на берегу́, на том же ме́сте, три
ста́рца — оди́н поме́ньше всех посереди́не, а высо́-
кий с пра́вой, а сре́дний с ле́вой стороны́. Подъе́хал
архиере́й к кораблю́, взошёл на па́лубу, вы́нули
я́корь, по́дняли паруса́, наду́ло их ве́тром, сдви́нуло
кора́бль, и поплы́ли да́льше. Прошёл архиере́й на
корму́ и сел там, и всё смотре́л на острово́к. Снача́-
ла видны́ бы́ли ста́рцы, пото́м скры́лись из ви́да,

"Which art in Heaven." But the second hermit mixed up the words and said them wrong; and the tall, naked hermit could not pronounce them: his mouth was overgrown with whiskers, he could not pronounce clearly; and the ancient, toothless hermit mumbled indistinctly.

The Bishop repeated once again, and once again the hermits repeated. And down on a little rock sat the Bishop, and the hermits stood near him and stared at his mouth and repeated after him that which he was saying to them. And all day until evening the Bishop labored with them; and ten and twenty and a hundred times he would repeat a single word, and the hermits would repeat it after him. They would get mixed up, and he would correct them and make them repeat it all over again.

And the Bishop did not leave the hermits until he had taught them the whole of the Lord's Prayer. They recited it after him and they recited it by themselves. The first to understand it was the middle hermit and he repeated it all by himself. And the Bishop bade him say it again and again, and repeat again, and the others recited the entire prayer.

It had already begun to grow dark and the young moon was rising out of the sea when the Bishop rose to return to the ship. The Bishop took leave of the hermits, they all bowed to the ground before him. He raised them and embraced each one, bade them pray as he had taught them and got into the boat and went back to the ship.

And as he was going back to the ship the Bishop still heard the hermits loudly reciting in chorus the Lord's Prayer. They were approaching the ship, the hermits' voices were no longer heard, but one could see in the moonlight: standing on the shore, on the same spot, were the three hermits—the smallest one in the middle, and the tall one on the right, and the middle one on the left. The Bishop came up to the ship, climbed on deck, the anchor was weighed, the sails were unfurled, the wind filled them, set the ship in motion, and they sailed on. The Bishop went to the stern and sat down there and kept looking at the little island. At first the hermits could be seen, then

виднѐлся тóлько островóк, потóм и островóк скры́л-
ся, однó мóре игрáло на мéсячном свѐте.

Улеглѝсь богомóльцы спать, и затѝхло всё на пá-
лубе. Но не хотѐлось спать архиерéю, сидѐл он одѝн
на кормѐ, глядѐл на мóре тудá, где скры́лся островóк, и дýмал о дóбрых стáрцах. Дýмал о том, как
рáдовались онѝ томý, что научѝлись молѝтве, и
благодарѝл Бóга за то, что привёл Он егó помóчь
Бóжьим стáрцам, научѝть их слóву Бóжию.

Сидѝт так архиерéй, дýмает, глядѝт в мóре, в ту
стóрону, где островóк скры́лся. И рябѝт у негó в
глазáх — то тут, то там свет по волнáм заигрáет.
Вдруг вѝдит, блестѝт и белѐется чтó-то в столбѐ
мéсячном: птѝца ли, чáйка йли парусóк на лóдке
белѐется. Пригляделся архиерéй. «Лóдка, — дýмает, — на пáрусе за нáми бежѝт. Да скóро уж óчень
нас догоняѐт. То далекó, далекó бы́ло, а вот уж и
вóвсе виднѐется блѝзко. И лóдка не лóдка, на пáрус
непохóже. А бежѝт чтó-то за нáми и нас догоняѐт».
И не мóжет разобрáть архиерéй, что такóе: лóдка
не лóдка, птѝца не птѝца, ры́ба не ры́ба.[12] На чело-
вéка похóже, да великó óчень, да нельзя́ человѐку
середь[13] мóря быть. Поднялся архиерéй, подошёл к
кóрмчему:

— Поглядѝ, — говорѝт, — что э́то?

— Что э́то, брáтец? Что э́то? — спрáшивает
архиерéй, а уж сам вѝдит — бегýт по мóрю стáрцы,
белѐют и блестя́т их седы́е бóроды, и, как к стоя́-
чему, к кораблю́ приближáются.

Оглянýлся кóрмчий, ужаснýлся, брóсил руль и
закричáл грóмким гóлосом:

— Гóсподи! Стáрцы за нáми пó морю, как пó
суху, бегýт!

Услыхáл нарóд, поднялся, брóсились все к кормѐ.
Все вѝдят: бегýт стáрцы, рукá с рукóй дéржатся —
крáйние рукáми мáшут, остановѝться веля́т. Все

they disappeared from view, only the little island could be seen, then the island disappeared, too; only the sea shimmered in the moonlight.

The pilgrims lay themselves down to sleep and all grew quiet on deck. But the Bishop did not feel like sleeping, he sat alone on the stern, gazed toward the place where the island had gone out of sight, and thought about the good hermits. He thought of how they had rejoiced in having learned the prayer and he thanked God for giving him the chance to help those godly hermits, to teach them the word of God.

The Bishop is sitting thus, thinking, gazing at the sea in the direction of the vanished island. And his sight is blurred—now here, now there the moonlight shimmers over the waves. Suddenly he sees something gleaming white in the path of the moon: is it a bird, a gull, or a little sail of a boat showing white? The Bishop peers closer. "A sailing boat," he thinks, "speeding after us. But how fast it is catching up with us. Just now it was far, far away and lo, it is appearing quite near. And the boat is no boat and it doesn't look like a sail. But something is speeding after us and catching up with us." And the Bishop cannot make out what it is: neither a boat, nor a bird, nor a fish! It looks like a man but is too big; and then a man couldn't be in the middle of the sea.—The Bishop rose, went up to the helmsman:

"Look," he said, "what is that?"

"What is that, my friend? What is it?" the Bishop keeps asking; but he can now see for himself—over the sea speed the hermits, their gray beards gleaming white, approaching the vessel as though it were standing still.

The helmsman looked round, was terror-striken, let go of the helm and shouted in a loud voice:

"O Lord! the hermits are running after us over the sea as over dry land!"

The people heard him, rose, rushed to the stern. They all see: the hermits are speeding, hand in hand, the ones on the outside waving their arms, bidding the ship stop. All три по водé, как пó-суху, бегýт и ног не передвигáют.

Не успéли сýдна остановить, как поравнялись стáрцы с кораблём, подошли под сáмый борт, подняли гóловы и заговорили в один гóлос:

— Забыли, раб Бóжий, забыли твоё учéнье! Покá твердили — пóмнили, перестáли на час твердить, однó слóво выскочило — забыли, всё рассыпалось. Ничегó не пóмним, научи опять.

Перекрестился архиерéй, перегнýлся к стáрцам и сказáл:

— Дохóдна до Бóга и вáша молитва, стáрцы Бóжии! Не мне вас учить. Молитесь за нас грéшных!

И поклонился архиерéй в нóги стáрцам. И остановились стáрцы, повернýлись и пошли назáд по мóрю. И до утрá видно былó сиянье с той стороны, кудá ушли стáрцы.

three speed over the water as over dry land, without moving their feet.

The vessel had been barely stopped when the hermits drew even with it, came right up alongside, raised their heads and spoke in unison:

"We have forgotten, servant of God, we have forgotten your teaching! As long as we kept reciting it we remembered it, we stopped reciting for an hour, one word escaped us, and we forgot—everything fell apart. We don't remember anything, teach us again."

The Bishop crossed himself, leaned over the side to the hermits and said:

"Your prayer, too, reaches God, godly hermits. It is not for me to teach you. Pray for us sinners!"

And the Bishop bowed to the ground before the hermits. And the hermits stopped, turned and went back over the sea. And until morning a radiance shone in the direction in which the hermits had disappeared.

NIKOLAY LESKOV
(1831-1895)

Nikolay Semyonovich Leskov was born in the Province
of Oryol. His father was a civil servant, his grandfather
a priest, while his mother came from a gentry family. He
lost his parents when he was sixteen and had to earn his
livelihood before completing his education. He was employed as a clerk in various provincial government offices, including the military drafting office, and later as
a traveling agent to an Englishman, a Mr. Scott, who
was the chief steward of the estates of a rich aristocratic
landowner. In this latter capacity especially, Leskov ac-
quired an excellent firsthand knowledge of Russian life
and its problems. As D. S. Mirsky says, "This is why
his view of Russian life is so unconventional and so free
from that attitude of condescending and sentimental pity
for the peasant, which is typical of the liberal and edu-
cated serf-owner."

The compilation of reports for Mr. Scott trained Leskov
for his future writing profession. He entered literature
rather late and through the door of journalism, as a
provincial correspondent of some Petersburg newspapers
(his first story was not published until 1863). Some of
his articles, largely because of a misunderstanding, provoked the ire of the radical press. This was further intensified by his two political novels, *No Way Out* (1864)
and *At Daggers Drawn* (1870-71), which portray certain aspects of the revolutionary movement in Russia.
Although Leskov had no intention to blacken the revolu-
tionaries, and in the first of those two novels the Socialists
are portrayed quite sympathetically, he was placed under
boycott by the progressive and radical opinion and all
progressive journals were closed to him.

Nevertheless, Leskov managed to win popularity with
the readers, but since he was ostracized by some of the

most influential critics of the time (Pisarev and others) his impartial recognition as a major writer was delayed. Today Leskov's reputation is based not on his political novels, but on *Cathedral Folk,* a charmingly humorous chronicle of life of provincial clergy, in which there is some wonderful character-drawing, and even more on his stories which display a first-rate gift of storytelling, and a verve and vigor which have no equal in Russian literature. To quote again from Mirsky, "As a story-teller [Leskov] is easily first among modern Russian writers. His stories are mere anecdotes, told with enormous zest and ability, and even in his longer works his favorite way of characterizing his characters is by a series of anecdotes. This was quite contrary to the traditions of 'serious' Russian fiction and induced the critics to regard Leskov as a mere jester." It was this superlative gift as a storyteller, as well as his colorful and ingenious handling of all the rich resources of the Russian language, that endeared Leskov to so many post-revolutionary Russian writers, made him into a powerful factor of literary influence in the 1920s, and induced Gorky to advise young Soviet writers to learn the craft of writing from Leskov. The reader of this volume will see for himself what an impossible job it is to translate some of Leskov's linguistic pranks and gambols into another language.

In the last decade or so of his life Leskov, who never really was a reactionary or even a thorough conservative, grew to be much more critical both of the Russian government and of the official Church. His stories about the Russian clergy, written in the early 1880s, have a satirical flavor and are quite different in tone from the humorous and mellow picture in *Cathedral Folk*—although there, too, the main character, Father Tuberozov, is shown in conflict with his superiors. Toward the end of his life Leskov even became an enthusiastic Tolstoyan.

ШТОПАЛЬЩИК
Н. С. Лескова

ГЛАВА ПЕРВАЯ

Преглупое это пожелание сулить каждому в новом году новое счастие, а ведь иногда что-то подобное приходит. Позвольте мне рассказать вам на эту тему небольшое событьице, имеющее совсем святочный характер.

В одну из очень давних моих побывок в Москве я задержался там долее, чем думал, и мне надоело жить в гостинице. Псаломщик одной из придворных церквей[1] услышал, как я жаловался на претерпеваемые неудобства приятелю моему, той церкви священнику, и говорит:

— Вот бы им, батюшка, к куму моему,[2] — у него нынче комната свободная на улицу.

— К какому куму? — спрашивает священник.

— К Василию Конычу.[3]

— Ах, это «метр тальер Лепутан»![4]

— Так точно-с.

— Что же — это действительно очень хорошо.

И священник мне пояснил, что он и людей этих знает, и комната отличная, а псаломщик добавил ещё про одну выгоду:

— Если, — говорит, — что прорвётся или низки в брюках обобьются — всё опять у вас будет исправно, так что глазом не заметить.

Я всякие дальнейшие осведомления почёл излишними и даже комнаты не пошёл смотреть, а дал псаломщику ключ от моего номера с доверительною надписью на карточке и поручил ему рассчитаться

THE CLOTHESMENDER
Nikolay Leskov

CHAPTER ONE

What a silly custom it is to wish everyone new happiness in the new year, yet sometimes something of the sort does come true. On this subject allow me to tell you of a little episode having a perfectly Yuletide character.

During one of my stays in Moscow in times long gone by, I was held up longer than I had expected and got fed up with living in a hotel. The psalmodist of one of the Court churches heard me complain to a friend of mine, a priest of that church, about the discomforts I had to put up with and said:

"Why shouldn't the gentleman stay with my gossip, father? Just now he has a room free, facing the street."

"What gossip?" asks the priest.

"Vasily Konych."

"Ah, that's the *maître tailleur* Lepoutant!"

"Just so."

"Well, that is really a very good idea."

And the priest explained to me that he knew those people and that the room was excellent, while the psalmodist mentioned one additional advantage:

"If," he says, "something gets torn, or the bottoms of your trousers get frayed, everything will be put right, and invisible to the eye."

I thought all further inquiries superfluous and did not even go to see the room, but gave the psalmodist the key to my hotel room with a note of authorization on my card, and entrusted him with the settling of my hotel bill, colв гости́нице, взять отту́да мои́ ве́щи и перевезти́ всё к его́ куму́. Пото́м я проси́л его́ зайти́ за мно́ю сюда́ и проводи́ть меня́ на моё но́вое жили́ще.

ГЛАВА ВТОРАЯ

Псало́мщик о́чень ско́ро обде́лал моё поруче́ние и с небольши́м че́рез час зашёл за мно́ю к свяще́ннику.

— Пойдёмте, — говори́т, — всё уже́ ва́ше там разложи́ли и расста́вили, и око́шечки вам откры́ли, и две́рку в сад на балко́нчик отвори́ли, и да́же са́ми с ку́мом там же, на балко́нчике, чайку́ вы́пили. Хорошо́ там, — расска́зывает, — цветки́ вокру́г, в крыжо́внике пта́шки гнездя́тся, и в кле́тке под окно́м солове́й сви́щет. Лу́чше как на да́че,[5] потому́ — зе́лено, а меж тем всё дома́шнее в поря́дке, и е́сли кака́я пу́говица ослабе́ла и́ли низки́ оби́лись, — сейча́с испра́вят.

Псало́мщик был па́рень аккура́тный и большо́й франт, а потому́ он о́чень напира́л на э́ту сто́рону вы́годности мое́й но́вой кварти́ры.

Да и свяще́нник его́ подде́рживал.

— Да, — говори́т, — tailleur Lepoutant тако́й арти́ст по э́той ча́сти, что друго́го ни в Москве́, ни в Петербу́рге не найдёте.

— Специали́ст, — серьёзно подсказа́л, подава́я мне пальто́, псало́мщик.

Кто́ э́то Lepoutant — я не разобра́л, да прито́м э́то до меня́ и не каса́лось.

ГЛАВА ТРЕТЬЯ

Мы пошли́ пешко́м.

Псало́мщик уверя́л, что изво́зчика брать не сто́ит, потому́ что э́то бу́дто бы «два шага́ промина́жи».[6]

lecting my things from there and taking them all to his gossip. Then I asked him to call for me where I was and conduct me to my new quarters.

CHAPTER TWO

The psalmodist managed to carry out my commission very quickly, and within a little more than an hour called for me at the priest's.

"Let's go," says he, "all your possessions are already unpacked and set out there, and we've unshuttered the windows for you and opened the door on the little balcony to the garden, and my gossip and I even had some tea on that same balcony. It's nice there," he goes on, "flowers all around, birds nesting in the gooseberries and a nightingale trilling away in a cage under the window. Better than in the country, because it's green, and yet all household affairs are in order, and if some button of yours gets loose or your trouser bottoms get frayed, it'll be fixed up in no time."

The psalmodist was a tidy fellow and a great dandy and therefore kept stressing this particular advantage of my new quarters.

The priest supported him, too.

"Yes," says he, "*tailleur* Lepoutant is an artist in that line the like of whom you won't find, whether in Moscow or in Petersburg."

"An expert," gravely chimed in the psalmodist as he helped me into my coat.

Who was this *Lepoutant*—I couldn't make out; moreover, it didn't concern me.

CHAPTER THREE

We set off on foot.

The psalmodist assured me that it wasn't worth taking a cab since it was supposedly just "two steps of *promenade*."

На са́мом де́ле э́то одна́ко, оказа́лось о́коло получа́су ходьбы́, но псало́мщику хоте́лось сде́лать «промина́жу», мо́жет быть, не без у́мысла, чтобы показа́ть бы́вшую у него́ в рука́х тро́сточку с лило́вой шёлковой ки́стью.

Ме́стность, где находи́лся дом Лепута́на, была́ за Москво́й-реко́ю к Яу́зе,[7] где́-то на бережку́. Тепе́рь я уже́ не припо́мню, в како́м э́то прихо́де и как переу́лок называ́ется. Впро́чем, э́то, со́бственно, не́ был и переу́лок, а скоре́е како́й-то непрое́зжий заку́лочек, вро́де стари́нного пого́ста. Стоя́ла це́рковка, а вокру́г неё уго́льничком объе́зд,[8] и вот в э́том-то объе́зде шесть и́ли семь до́миков, все о́чень небольши́е, се́ренькие, деревя́нные, оди́н на ка́менном полуэта́же. Этот был всех показне́е и всех бо́льше, и на нём во весь фронто́н была́ приби́та больша́я желе́зная вы́веска, на кото́рой по чёрному по́лю золоты́ми бу́квами кру́пно и чётко вы́ведено:

«Maitr taileur Lepoutant».[9]

Очеви́дно, здесь и бы́ло моё жильё, но мне стра́нно показа́лось: заче́м же мой хозя́ин, по и́мени Васи́лий Ко́ныч, называ́ется «Maitr taileur Lepoutant»? Когда́ его́ называ́л таки́м о́бразом свяще́нник, я ду́мал, что э́то не бо́лее как шу́тка, и не при́дал э́тому никако́го значе́ния, но тепе́рь, ви́дя вы́веску, я до́лжен был перемени́ть своё заключе́ние. Очеви́дно, что де́ло шло всерьёз, и потому́ я спроси́л моего́ провожа́того:

— Васи́лий Ко́ныч — ру́сский и́ли францу́з?

Псало́мщик да́же удиви́лся и как бу́дто не сра́зу по́нял вопро́с, а пото́м отвеча́л:

— Что вы э́то? Как мо́жно францу́з, — чи́стый ру́сский! Он и пла́тье де́лает на ры́нок то́лько са́мое ру́сское: поддёвки[10] и тому́ подо́бное, но бо́льше он по всей Москве́ знамени́т почи́нкою: страсть[11] ско́лько ста́рого пла́тья че́рез его́ ру́ки на ры́нке за но́вое идёт.

In actual fact, however, it turned out to be about half an hour's walk, but the psalmodist seemed to want a "promenage," perhaps not without an intention of displaying the cane with a purple silk tassel which he had in his hand.

The district where Lepoutant's house was located was beyond the Moskva river, toward the Yauza, somewhere on its banks. I no longer remember in what parish it was nor what the street was called. Strictly speaking, it wasn't a street but rather a sort of dead-end alley, something like an old churchyard. A little church stood there, and at a right angle to it, there was a close and in it six or seven little cottages, all very small, gray, wooden, one of them on a stone semi-basement. This one was more showy and bigger than all the others, and along the whole length of its façade was fixed a large iron signboard on which, in big and clear letters of gold on a black background, was inscribed:

"Maitr taileur Lepoutant."

Apparently, my new quarters were here, but it appeared strange to me: why did my landlord, whose name was Vasily Konych, call himself *'maitr taileur Lepoutant'*? When the priest called him that, I thought it was no more than a joke and did not attach any importance to it, but now, seeing the sign, I had to change my mind. Apparently this was in all earnest, and I therefore asked my guide:

"Is Vasily Konych a Russian or a Frenchman?"

The psalmodist even looked surprised and seemed not to have understood my question at once. But then he answered:

"What are you saying? Why should he be a Frenchman? He's as Russian as they come. Even the clothes he makes for sale are all Russian: *poddyovkas* and suchlike. But he is most famous all over Moscow for his mending: ever so much old clothing that passes through his hands is sold for new."

— Но всё-таки, — любопы́тствую я, — он, ве́рно, от францу́зов происхо́дит?

Псало́мщик опя́ть удиви́лся.

— Нет, — говори́т, — заче́м же от францу́зов? Он са́мой пра́вильной зде́шней приро́ды, ру́сской, и дете́й у меня́ воспринима́ет, а ведь мы, духо́вного зва́ния, все чи́слимся правосла́вные. Да и почему́ вы так воображае́те, что он прибли́жен к францу́зской на́ции?

— У него́ на вы́веске напи́сана францу́зская фами́лия.

— Ах, э́то — говори́т, — соверше́нные пустяки́ — одна́ лафе́рма.[12] Да и то на гла́вной вы́веске по-францу́зски, а вот у са́мых воро́т, ви́дите, есть друга́я, ру́сская вы́веска, э́та верне́е.

Смотрю́, и то́чно, у воро́т есть друга́я вы́веска, на кото́рой нарисо́ваны армя́к[13] и поддёвка и два чёрные жиле́та с сере́бряными пу́говицами, сия́ющими, как звёзды во мра́ке, а внизу́ по́дпись:

«Де́лают кусту́мы[14] ру́сского и духо́вного пла́тья, со специа́льностью во́рса, вы́верта и почи́нки».

Под э́тою второ́ю вы́вескою фами́лия производи́теля «кусту́мов, вы́верта и почи́нки» не обозна́чена, а стоя́ли то́лько два инициа́ла «В. Л.».

ГЛАВА ЧЕТВЕРТАЯ

Помеще́ние и хозя́ин оказа́лись в действи́тельности вы́ше всех сде́ланных им похва́л и описа́ний, та́к что я сра́зу же почу́вствовал себя́ здесь как до́ма и ско́ро полюби́л моего́ до́брого хозя́ина Васи́лья Ко́ныча. Ско́ро мы с ним ста́ли сходи́ться пить чай, на́чали благобесе́довать о разнообра́зных предме́тах. Таки́м о́бразом, раз, си́дя за ча́ем на балко́нчике, мы завели́ ре́чи на ца́рственные те́мы Когеле́та[15] о суете́ всего́, что есть под со́лнцем, и о на́шей неуста́нной скло́нности рабо́тать вся́кой суете́.[16] Тут и договори́лись до Лепута́на.

"But all the same," I persisted in my curiosity, "he must be of French descent?"

Again the psalmodist was surprised.

"No," said he, "why French? He is of the regular local breed, Russian that is, and godfather to my children, and after all we of the clerical calling, we all belong to the Orthodox Church. And why should you really imagine that he has any connection with the French nation?"

"The name on his signboard is French."

"Oh, that," says he, "that's nothing at all, that's sheer formality. And anyhow, the main sign is in French, but right here, by the gate, you see, there is another sign, in Russian, that's the correct one."

I look and indeed by the gate there is another sign on which are painted an *armyak* and a *poddyovka* and two black waistcoats with silver buttons shining like stars in darkness, and, underneath, the inscription:

> "GARMENTS OF RUSSIAN AND CLERICAL DRESS MADE. SPECIALIZING IN NAP, TURNING OUT AND REPAIRS."

Under this second sign the name of the maker of "garments, turning out and repairs" was not indicated; there were only the two initials "V. L."

CHAPTER FOUR

Accommodation and landlord turned out indeed to be above all praise and description bestowed upon them, so that I immediately felt at home there and soon grew fond of my good host, Vasily Konych. Before long we took to joining one another for tea and conversing peaceably on diverse subjects. Thus, one day, sitting at tea on the little balcony, we began discoursing on the royal themes of the Koheleth about the vanity of all things under the sun and about our inherent propensity to succumb to all vanity. That is how we came upon the subject of Lepoutant.

Не помню, как именно это случилось, но только дошло до того, что Василий Коныч пожелал рассказать мне странную историю: как и по какой причине он явился «под французским заглавием».

Это имеет маленькое отношение к общественным нравам и к литературе, хотя писано на вывеске.

Коныч начал просто, но очень интересно.

— Моя фамилия, сударь, — сказал он, — вовсе не Лепутан, а иначе, — а под французское заглавие меня поместила сама *судьба*.

ГЛАВА ПЯТАЯ

— Я природный, коренной москвич, из беднейшего звания. Дедушка наш у Рогожской заставы[17] стелечки для древлестепенных староверов[18] продавал. Отличный был старичок, как святой, — весь сёденький, будто подлинялый зайчик, а всё до самой смерти своими трудами питался: купит, бывало, войлочек, нарежет его на кусочки по подошовке, смёчет парочками на нитку и ходит «по христианам», а сам поёт ласково: «Стелечки, стелечки, кому надо стелечки?» Так, бывало, по всей Москве ходит и на один грош у него всего товару, а кормится. Отец мой был портной по древнему фасону. Для самых законных староверов рабские кафташки[19] шил с тремя сборочками и меня к своему мастерству выучил. Но у меня с детства особенное дарование было — штопать. Крою не фасонисто, но штопать у меня первая охота. Так я к этому приспособился, что, бывало, где угодно на самом видном месте подштопаю и очень трудно заметить.

Старики отцу говорили:

— Это мальцу от Бога талан[20] дан, а где талан, там и счастье будет.

Так и вышло; но до всякого счастья надо, знаете, покорное терпение, и мне тоже даны были два немалые испытания: во-первых, родители мои померли, оставив меня в очень молодых годах, а во-вто-

I do not remember how it actually happened but it so came about that Vasily Konych signified his desire to tell me the odd story of how and why he had assumed a "French title."

This has some relation to social mores and to literature, even though it is written on a sign.

Konych began in a simple but very interesting fashion:

"My family name, sir," said he, "is not Lepoutant at all but something else, and it is *fate* itself which endowed me with a French title.

CHAPTER FIVE

I am a native, true-blue Muscovite, of the poorest class. Our grandfather used to sell insoles outside the Rogozhsky Gate to venerable Old Believers. An excellent old man he was, saintlike—all grayish, like a faded little rabbit; but until his very death he lived by his own labor. He would buy a bit of felt, cut it into pieces for soles, tack them into pairs with a bit of thread and go "among the Christians," chanting affectionately: "Little insoles, little insoles, who needs little insoles?" Thus he would make the round of Moscow, and though he had but a pennysworth of merchandise, he made a living. My father was a tailor in the old style. He made old-fashioned coats with three pleats for the most faithful Old Believers, and he taught me his craft. But from childhood on I had a special gift for darning. My cutting is not stylish, but darning is my first love. I've got such a knack for it that I could darn over the most conspicuous place and it would be very hard to notice.

The old men said to my father:

"This youngster has a Godsent talent, and where there is talent there will be good fortune."

And so it came about; but to attain good fortune, you know, you have to show humble patience, and I was also sent two major trials: first, my parents died, leaving me when I was still young in years, and secondly, the place рых, квартирка, где я жил, сгорела ночью на самое Рождество, когда я был в Божьем храме у заутрени, — и там погорело всё моё заведение, — и утюг, и колодка, и чужие вещи, которые были взяты для штопки. Очутился я тогда в большом злострадании, но отсюда же и начался первый шаг к моему счастию.

ГЛАВА ШЕСТАЯ

Один давалец, у которого при моём разорении сгорела у меня крытая шуба, пришёл и говорит:

— Потеря моя большая, и к самому празднику неприятно остаться без шубы, но я вижу, что взять с тебя нечего, а надо ещё тебе помочь. Если ты путный парень, так я тебя на хороший путь выведу, с тем однако, что ты мне со временем долг отдашь.

Я отвечаю:

— Если бы только Бог позволил, то с большим моим удовольствием — отдать долг почитаю за первую обязанность.

Он велел мне одеться и привёл в гостиницу напротив главнокомандующего дома к подбуфетчику, и сказывает ему при мне:

— Вот, — говорит, — тот самый подмастерье, который, я вам говорил, что для вашей коммерции может быть очень способный.

Коммерция их была такая, чтобы разутюживать приезжающим всякое платье, которое приедет в чемоданах замявшись,[21] и всякую починку делать, где какая потребуется.

Подбуфетчик дал мне на пробу одну штуку сделать, увидал, что исполняю хорошо, и приказал оставаться.

— Теперь, — говорит, — Христов праздник и господ много наехало, и все пьют-гуляют, а впереди ещё Новый год и Крещенье[22] — безобразия будет ещё больше, — оставайся.

where I lived burned down the night before Christmas while I was in church at matins, and with it all my equipment was burnt—my iron, and my tailor's dummy, and the customers' clothes I had taken in to darn. I found myself at the time in great distress, but it was from that that I took my first step toward my good fortune.

CHAPTER SIX

One customer whose fur-lined coat burned in my disaster came to me and said: "My loss is great, and it's awkward to be left without a coat just before the holidays, yet I can see that there's no claim to make against you but rather you must be helped. If you're a sensible lad, I'll put you on the right path provided you will eventually repay me."

I answered:

"If only God pleases, with the greatest of pleasure. I'll deem it my first duty to repay my debt."

He told me to dress and took me to the hotel opposite the Governor-General's house, to the assistant barman, and said to him in my presence: "Here," he says, "is that same apprentice who, I told you, could be very useful in your line of trade."

Their trade consisted in pressing all kinds of clothing as it would come wrinkled from the suitcases, and doing all kinds of necessary repairs for the newly arrived guests.

The assistant barman gave me one piece to do by way of trial, saw that I could do a good job, and told me to stay.

"Now," he says, "it is Christ's feast, and a great many gentlemen have come and are drinking and making merry, and there are still the New Year and the Twelfth Night to come, there will be still more goings-on, so you stay here. . . ."

Я отвечаю:

— Согласен.

А тот, что меня привёл, говорит:

— Ну, смотри, действуй, — здесь нажить можно. А только его (то есть подбуфетчика) слушай, как пастыря. Бог пристанет и пастыря приставит.[23]

Отвели мне в заднем коридоре маленький уголочек при окошечке, и пошёл я действовать. Очень много, — пожалуй и не счесть, сколько я господ перечинил, и грех жаловаться, сам хорошо починился, потому что работы было ужасно как много и плату давали хорошую. Люди простой масти там не останавливались, а приезжали одни козыри,[24] которые любили, чтобы постоять с главнокомандующим на одном местоположении из окон в окна.

Особенно хорошо платили за штуковки да за штопку при тех случаях, если повреждение вдруг неожиданно окажется в таком платье, которое сейчас надеть надо. Иной раз, бывало, даже совестно, — дырка вся в гривенник, а зачинить её незаметно — дают золотой.

Меньше червонца дырочку подштопать никогда не плачивали. Но, разумеется, требовалось уже и искусство настоящее, чтобы, как воды капля с другою слита и нельзя их различить, так чтобы и штука была вштукована.

Из денег мне, из каждой платы, давали третью часть, а первую брал подбуфетчик, другую — услужающие, которые в номерах господам чемоданы с приезда разбирают и платье чистят. В них всё главное дело, потому что они вещи и помнут, и потрут, и дырочку клюнут, и потому им две доли, а остальное мне. Но только и этого было на мою долю так достаточно, что я из коридорного угла ушёл и себе на том же дворе поспокойнее комнатку занял, а через год подбуфетчикова сестра из деревни приехала, я на ней и женился. Теперешняя моя супруга, как её видите, — она и есть, дожила до старости с почтением, и, может быть, на её долю всё Бог и дал.

I answer:

"I am willing."

And the one who brought me says: "Well, mind you, get going—here one can make a good pile. But just listen to him (that is, the assistant barman) as to a shepherd. God will provide a shelter and give you a shepherd."

I was given a little corner by the window in the back passage and I got going. A great many were the gentlemen—I daresay I couldn't even count them—whom I fixed up, but it would be a sin to complain, I got myself pretty well fixed up, too, for there was an awful lot of work to do and the pay was good. Ordinary men did not stop there, only the big shots who liked the idea of staying in the same location as the Governor-General, window to window with him.

The pay for patching and darning was particularly good when the damage was unexpectedly discovered in clothes which had to be worn right away. Sometimes I felt even ashamed—the hole was the size of a dime, but mend it invisibly—you get a gold piece.

Less than ten rubles was never paid for darning a tiny hole. But naturally real skill was demanded, so that the piece would be pieced in as two drops of water run together and you can't tell them apart.

Of the money that was paid each time, I was given one third; one third was taken by the assistant barman, and the other by the room servants who unpack the gentlemen's suitcases and brush their clothes. It is they really who matter most because it is they who crumple the things and scuff them, and pick a little hole, and that's why they got two parts and the rest went to me. But even so my share was more than enough, so that I moved from my corner in the passage and rented a quieter room in the same yard, and a year later the sister of the assistant barman came from her village and I married her. My present spouse, as you see her—that's her, she has reached old age with honor, and it was for her sake perhaps that God gave

А женился просто таким способом, что подбуфетчик сказал: «Она сирота, и ты должен её осчастливить, а потом через неё тебе большое счастье будет». И она тоже говорила: «Я, — говорит, — счастливая, — тебе за меня Бог даст»; и вдруг словно через это в самом деле случилась удивительная неожиданность.

ГЛАВА СЕДЬМАЯ

Пришло опять Рождество, и опять канун на Новый год. Сижу я вечером у себя — что-то штопаю, и уже думаю работу кончить да спать ложиться, как прибегает лакей из номеров и говорит:

— Беги скорей, в первом номере страшный Козырь остановимшись,[25] — почитай всех перебил, и кого ударит — червонцем дарит, — сейчас он тебя к себе требует.

— Что ему от меня нужно? — спрашиваю.

— На бал, — говорит, — он стал одеваться и в самую последнюю минуту во фраке на видном месте прожжённую дырку осмотрел, человека, который чистил, избил и три червонца дал. Беги как можно скорее, такой сердитый, что на всех зверей сразу похож.

Я только головой покачал, потому что знал, как они проезжающих вещи нарочно портят, чтобы профит с работы иметь, но, однако, оделся и пошёл смотреть Козыря, который один сразу на всех зверей похож.

Плата непременно предвиделась большая, потому что первый номер во всякой гостинице считается «козырный» и не роскошный человек там не останавливается; а в нашей гостинице цена за первый номер полагалась в сутки, по-нынешнему, пятнадцать рублей, а по-тогдашнему счёту на ассигнации[26] пятьдесят два с полтиною, и кто тут стоял, звали его Козырем.

us all this. And as for marrying, it was simply like this: the assistant barman said: "She's an orphan and you must make her happy, and then through her you will have good luck." And she also said: "I bring luck," says she, "God will reward you on my behalf," and suddenly, as if because of this, an astonishing surprise really happened.

CHAPTER SEVEN

Christmas came again, and again New Year's Eve. I am sitting in the evening in my room, darning something or other, and already thinking of stopping work and going to bed when one of the room servants runs in and said:

"Run quickly, a terrible Big Shot is staying in Room One. I reckon he's beaten everybody and whomever he strikes he tips ten rubles. Now he's demanding you."

"What does he want from me?" I ask.

"He started dressing to go to a ball," says he, "and at the very last moment noticed a hole burnt in his tailcoat in a conspicuous place. He gave a thrashing and three gold pieces to the man who had brushed it. Run as quickly as you can, he's so furious he looks like all the wild beasts put together."

I just shook my head, for I knew how they purposely ruined the clothes of their hotel guests, to derive profit from the mending; nevertheless I dressed and went to see the Big Shot who resembled all the wild beasts put together.

The pay certainly would be high because Room One in any hotel is considered to be a room for Big Shots, and none but luxury trade stops there; and in our hotel the price for Room One per day was what is now fifteen rubles and in those days was figured in paper money, amounting to fifty-two fifty, and whoever stopped there was known as the Big Shot.

Этот, к кото́рому меня́ тепе́рь привели́, на вид был ужа́сно како́й стра́шный — ро́стом огро́мнейший и с лица́ смугл и дик и действи́тельно на всех звере́й похо́ж.

— Ты, — спра́шивает он меня́ злобным го́лосом, — мо́жешь так хорошо́ ды́рку зашто́пать, чтобы заме́тить нельзя́?

Отвеча́ю:

— Зави́сит от того́, в какой ве́щи. Если вещь ворси́стая, так мо́жно о́чень хорошо́ сде́лать, а е́сли блестя́щий атла́с и́ли шёлковая мове́-мате́рия,[27] с те́ми не беру́сь.

— Сам, — говори́т, — ты мове́, а мне какой-то подле́ц вчера́, вероя́тно, сза́ди меня́ сиде́вши, цига́ркою фрак прожёг. Вот осмотри́ его́ и скажи́.

Я осмотре́л и говорю́:

— Это хорошо́ мо́жно сде́лать.

— А в ско́лько вре́мени?

— Да че́рез час, — отвеча́ю, — бу́дет гото́во.

— Де́лай, — говори́т, — и е́сли хорошо́ сде́лаешь, полу́чишь де́нег полу́шку, а е́сли нехорошо́, то голово́й об каду́шку.[28] Поди́ расспроси́, как я зде́шних молодцо́в изби́л, и знай, что тебя́ я в сто раз больне́е изобью́.

ГЛАВА ВОСЬМАЯ

Пошёл я чини́ть, а сам не о́чень и рад, потому́ что не всегда́ мо́жно быть уве́ренным, как сде́лаешь: попро́ховее сукнецо́ лу́чше сли́пнет, а кото́рое жёстче, — тру́дно его́ подворси́ть так, чтобы не́ было заме́тно.

Сде́лал я, одна́ко, хорошо́, но сам не понёс, потому́ что обраще́ние его́ мне о́чень не нра́вилось. Рабо́та э́такая капри́зная, что как хорошо́ ни сде́лай, а всё кто охо́ч[29] придра́ться — легко́ мо́жно неприя́тность получи́ть.

The one to whom I was brought now was really fearful to look upon—of enormous stature, swarthy-faced and wild, and truly looking like all the wild beasts.

"You," he asks me in a fierce voice, "can you mend a hole so well that it can't be noticed?"

I answer:

"Depends on what kind of thing it is. If the stuff is napped then it can be done very well, but if it's shiny satin or silky *mauvais*-stuff, then I won't undertake it."

"*Mauvais* yourself," says he, "but some bastard, who was probably sitting behind me yesterday, burnt a hole in my tailcoat with his cigarette: Here, look it over and tell me."

I looked it over and said:

"This can be done well."

"And how long will it take?"

"Well, in an hour's time," I answer, "it will be ready."

"Do it," says he, "and if you do it well, you'll get a pot of money, and if you don't you'll get a knock on the head. Go and ask the lads here how I thrashed them, and you can be sure that I'll thrash you a hundred times worse."

CHAPTER EIGHT

I went off to do the repair; none too pleased about it, however, because you can't always be sure of how it will come off: a more loosely woven bit of cloth will blend in better, but the one with the harder finish, it is difficult to work in the nap inconspicuously.

I did a good job, however, but I didn't take it back myself, for I didn't at all like the way he treated me. It's tricky work, and no matter how well you may do it, if the customer is set on finding fault, it can easily lead to unpleasantness.

Послал я фрак с женою к её брату и наказал, чтобы отдала, а сама скорее домой ворочалась, и как она прибежала назад, так поскорее заперлись изнутри на крюк и легли спать.

Утром я встал и повёл день свой порядком: сижу за работою и жду, какое мне от козырного барина придут сказывать жалование — денег полушку или головой об кадушку.

И вдруг, так часу во втором является лакей и говорит:

— Барин из первого номера тебя к себе требует.

Я говорю:

— Ни за что не пойду.

— Через что такое?[30]

— А так — не пойду, да и только; пусть лучше работа моя даром пропадает, но я видеть его не желаю.

А лакей стал говорить:

— Напрасно ты только страшишься: он тобою очень доволен остался и в твоём фраке на бале Новый год встречал, и никто на нём дырки не заметил. А теперь у него собрались к завтраку гости его с Новым годом поздравлять и хорошо выпили и, ставши о твоей работе разговаривать, об заклад пошли: кто дырку найдёт, да никто не нашёл. Теперь они на радости, к этому случаю присыпавшись,[31] за твоё русское искусство пьют и самого тебя видеть желают. Иди скорей — через это тебя в Новый год новое счастье ждёт.

И жена тоже на том настаивает — иди да иди:

— Моё сердце, — говорит, — чувствует, что с этого наше новое счастье начинается.

Я их послушался и пошёл.

ГЛАВА ДЕВЯТАЯ

Господ в первом номере я встретил человек десять, и все много выпивши, и как я пришёл, то и мне сейчас подают покал[32] с вином и говорят:

I sent my wife with the tailcoat to her brother and told her to hand it over to him and hurry home, and as soon as she came running back we put the door on the hook and went to bed.

In the morning I got up and began the day in my usual way. There I sit at my work waiting to see what sort of reward from the Big Shot gentleman they will come to announce to me—a pot of money or a knock on the head.

And suddenly, soon after one o'clock or so, the room servant comes and says:

"The gentleman from Room One demands you."

I say: "I won't go for anything."

"Why so?"

"Just so; I won't go, and that's flat. Rather let my work be wasted, but I have no wish to see him."

But the servant began to insist:

"You've no call to be scared: he is very pleased and saw the New Year in at the ball in your tailcoat and nobody noticed the hole in it. And now he has guests for lunch who have come to wish him a Happy New Year. They've had a few drinks under their belt, and, getting to talk of your work, they had a wager—which of them will find the hole, but not one of them did. Now, for sheer joy, using this as an excuse, they are toasting your Russian skill and wish to see you in person. Go quickly, this will bring you new luck in the new year."

My wife also insisted. "Do go," she said, "my heart tells me that this will be the beginning of our new fortune."

I obeyed them and went.

CHAPTER NINE

I found about ten gentlemen in Room One and all of them had had a lot in the way of drinks, and as soon as I came in they handed me right off a glass of wine, and

— Пей с на́ми вме́сте за твоё ру́сское иску́сство, в кото́ром ты на́шу на́цию просла́вить мо́жешь.

И ра́зное тако́е под вино́м говоря́т, чего́ де́ло совсе́м и не сто́ит.

Я, разуме́ется, благодарю́ и кла́няюсь, и два пока́ла вы́пил за Росси́ю и за их здоро́вье, а бо́лее, говорю́, не могу́ сла́дкого вина́ пить че́рез то, что я к нему́ не привы́чен, да и тако́й компа́нии не заслу́живаю.

А стра́шный ба́рин из пе́рвого но́мера отвеча́ет:

— Ты, бра́тец, осёл, и дура́к, и скоти́на, — ты сам себе́ цены́ не зна́ешь, ско́лько ты по свои́м дарова́ниям заслу́живаешь. Ты мне помо́г под Но́вый год весь предло́г жи́зни[33] испра́вить, че́рез то, что я вче́ра на балу́ люби́мой неве́сте ва́жного ро́да в любви́ откры́лся и согла́сие получи́л, в э́тот мясое́д[34] и сва́дьба моя́ бу́дет.

— Жела́ю, — говорю́, — вам и бу́дущей супру́ге ва́шей приня́ть зако́н[35] в по́лном сча́стии.

— А ты за э́то вы́пей.

Я не мог отказа́ться и вы́пил, но да́льше прошу́ отпусти́ть.

— Хорошо́, — говори́т, — то́лько скажи́ мне, где ты живёшь и как тебя́ звать по и́мени, о́тчеству и прозва́нию: я хочу́ твои́м благоде́телем быть.

Я отвеча́ю:

— Звать меня́ Васи́лий, по отцу́ Ко́нонов сын, а прозва́нием Лапу́тин, и мастерство́ моё тут же ря́дом, тут и ма́ленькая вы́веска есть, обозна́чено: «Лапу́тин».

Расска́зываю э́то и не замеча́ю, что все го́сти при мои́х слова́х чего́-то по́рскнули и со сме́ху покати́лись; а ба́рин, кото́рому я фрак чини́л, ни с того́ ни с сего́ хлясь[36] меня́ в у́хо, а пото́м хлясь в друго́е, так что я на нога́х не устоя́л. А он подтолкну́л меня́ вы́ступком[37] к две́ри да за поро́г и вы́бросил.

Ничего́ я поня́ть не мог, и дай Бог скоре́е но́ги.[38]

Прихожу́, а жена́ спра́шивает:

said: "Drink with us to your Russian skill through which you can bring glory to our nation."

And in their cups they said all sorts of things like that which the whole business was not worth at all.

Naturally, I thank them and bow, and drank two glasses of wine to Russia and to their health, but I could not, I said, drink any more of sweet wine, not being used to it and, besides, unworthy of such company.

To which the terrible gentleman from Room One replies:

"You, my friend, are an ass and a fool and a brute— you don't know your own worth nor how much you deserve through your talent. You helped me on New Year's Eve to set straight the whole course of my life, because yesterday at the ball I disclosed my love to my beloved betrothed of high birth and received her consent, and when the fast is over I'll have a wedding."

"I wish you and your future spouse," I say, "to enter into wedlock with full happiness."

"Have a drink to it then."

I could not refuse and drank, but asked to be excused from any more.

"All right," says he, "only tell me where you live and what is your name, patronymic, and surname. I want to be your benefactor."

I reply: "My name is Vasily, son of Konon, and by surname Laputin. And my workshop is right here, next door, there is a small sign there, too, saying 'Laputin'."

There I stood telling all this and not noticing that at my words all the guests snorted and burst into gales of laughter, and the gentleman whose tailcoat I had repaired up and landed me one on the ear, and then one on the other ear, so that I could not keep on my feet. Then he shooed me to the door and threw me out over the threshold.

I couldn't understand a thing and made off as fast as my legs would carry me.

I come home and my wife asks me:

— Говори скорее, Васенька: как моё счастье тебе послужило?

Я говорю:

— Ты меня, Машенька, во всех частях подробно не расспрашивай, но только если по этому началу в таком же роде дальше пойдёт, то лучше бы для твоего счастья не жить. Избил меня, ангел мой, этот барин.

Жена встревожилась, — что, как и за какую провинность? — а я, разумеется, и сказать не могу, потому что сам ничего не знаю.

Но пока мы этот разговор ведём, вдруг у нас в сеничках что-то застучало, зашумело, загремело, и входит мой из первого номера благодетель.

Мы оба встали с мест и на него смотрим, а он, раскрасневшись от внутренних чувств или ещё вина подбавивши, и держит в одной руке дворницкий топор на долгом топорище, а в другой поколотую в щепы дощечку, на которой была моя плохая вывесочка с обозначением моего бедного рукомесла[39] и фамилии: «Старьё чинит и выворачивает Лапутин».

ГЛАВА ДЕСЯТАЯ

Вошёл барин с этими поколотыми досточками[40] и прямо кинул их в печку, а мне говорит: «Одевайся, сейчас вместе со мною в коляске поедем, — я счастье жизни твоей устрою. Иначе и тебя, и жену, и всё, что у вас есть, как эти доски поколю».

Я думаю: чем с таким дебоширом спорить, лучше его скорее из дома увести, чтобы жене какой обиды не сделал.

Торопливо оделся, — говорю жене: «Перекрести меня, Машенька!» — и поехали. Прикатили в Бронную, где жил известный покупной сводчик[41] Прохор Иваныч, и барин сейчас спросил у него:

— Какие есть в продажу дома и в какой местности, на цену от двадцати пяти до тридцати тысяч или немножко более. — Разумеется, по-тогдашне-

"Tell me quickly, Vasenka, how has my luck served you?"

I say: "Don't you, Mashenka, ask me for all particulars, but if this is only the first taste and there is more of the same to come, then I'd rather not live by your luck. He beat me up, my angel, he did, this gentleman."

My wife was worried. What, how and what for? But I naturally could not tell her because I didn't know myself.

But while we were having this conversation, suddenly there was clatter, noise, crashing, and in comes my benefactor from Room One.

We both got up from our places and stared at him while he, flushed with innermost feelings or from having had more wine, was holding in one hand the janitor's long-handled ax and in the other, chopped up into splinters, the little board on which I had my wretched little sign, indicating my poor craft and surname: OLD CLOTHES MENDED AND TURNED OUT. LAPUTIN.

CHAPTER TEN

In walked the gentleman with those splintered little boards and flung them straight away into the stove, and said to me: "Get dressed, you're coming with me in my carriage, I'll make your life's fortune. Or else I'll chop up you and your wife and everything you have, just as I did those boards."

I thought that rather than argue with such a rowdy I'd better get him out of the house as soon as possible lest he do some harm to my wife.

I dressed hastily, said to my wife, "Make the sign of the cross over me, Mashenka," and off we went. We drove to Bronnaya where the well-known real estate agent Prokhor Ivanych lived, and the gentleman asked him straight away:

"What houses are there for sale and in what location, priced from twenty-five to thirty thousand or a little more?" Naturally in paper money as was used then. "But I need

му, на ассигна́ции. — То́лько мне тако́й дом тре́-
буется, — объясня́ет, — что́бы его́ сию́ мину́ту
взять и перейти́ туда́ мо́жно.

Сво́дчик вы́нул из комо́да китра́дь,[42] вздел очки́,
посмотре́л в оди́н лист, в друго́й, и говори́т:

— Есть дом на все виды́ вам подходя́щий, но
то́лько приба́вить немно́жко придётся.

— Могу́ приба́вить.

— Так на́до дать до тридцати́ пяти́ ты́сяч.

— Я согла́сен.

— Тогда́, — говори́т, — всё де́ло в час ко́нчим,
и за́втра въе́хать в него́ мо́жно, потому́ что в э́том
до́ме дья́кон на крести́нах кури́ной ко́стью подави́л-
ся и по́мер, и че́рез то там тепе́рь никто́ не живёт.

Вот э́то и есть тот са́мый до́мик, где мы с ва́ми
тепе́рь сиди́м. Говори́ли, бу́дто здесь поко́йный дья́-
кон ноча́ми хо́дит и да́вится, но то́лько всё э́то со-
верше́нные пустяки́, и никто́ его́ тут при нас ни
ра́зу не ви́дывал. Мы с жено́ю на друго́й же день
сюда́ перее́хали, потому́ что ба́рин нам э́тот дом по
да́рственной[43] перевёл; а на тре́тий день он прихо́-
дит с рабо́чими, кото́рых бо́льше как шесть и́ли
семь челове́к, и с ни́ми ле́стница и вот э́та са́мая
вы́веска, что я бу́дто францу́зский портно́й.

Пришли́ и приколоти́ли и наза́д ушли́, а ба́рин
мне наказа́л:

— Одно́, — говори́т, — тебе́ моё приказа́ние:
вы́веску э́ту никогда́ не сметь переменя́ть и на э́то
назва́ние отзыва́ться. — И вдруг вскри́кнул:

— Лепута́н!

Я откли́каюсь:

— Чего́ изво́лите?

— Молоде́ц, — говори́т. — Вот тебе́ ещё ты́сячу
рубле́й на ло́жки и пло́шки, но смотри́, Лепута́н —
за́поведи мой соблюди́, и тогда́ сам соблюдён бу́де-
ши,[44] а е́жели что... да, спаси́ тебя́ Го́споди, ста́нешь
в своём пре́жнем и́мени утвержда́ться, и я узна́ю...
то во пе́рвое предисло́вие я всего́ тебя́ изобью́, а
во-вторы́х, по зако́ну «дар дари́телю возвраща́ет-

such a house," he explains, "that can be taken over and moved into this very moment."

The agent took a ledger out of his cupboard, put on his spectacles, looked at one page and at another, and said:

"There is a house suitable to you in every way but you'll have to add a bit."

"I can do it."

"You'll have to go up to thirty-five thousand."

"I am willing."

"Then," says he, "we'll complete the deal in an hour and it will be possible to move in tomorrow because in this house a deacon choked on a chicken bone at a christening and died, and that's why nobody lives there now."

And that's this very same little house where you and I are sitting now. There was some talk about the late deacon walking about at night and choking, but all this is absolute nonsense and nobody has seen him here in our time. My wife and I moved in here the very next day because the gentleman transferred the title-deed to this house to us as a gift; and the day after that he comes with some workmen, more than six or seven of them, and with them a ladder and this very signboard that makes me out a French tailor.

They came and nailed it on and went away, and the gentleman instructed me:

"I have just one order for you," he says, "don't you ever dare change this signboard, and always answer to this name." And all of a sudden he exclaimed:

"Lepoutant!"

I respond: "Yes, sir."

"Good lad," says he, "here is another 1000 rubles for spoons and saucers, but mind you, Lepoutant, follow my commandments with care and you'll be taken care of, but if anything . . . and if, God forbid, you start asserting your former name and I find out . . . then, to begin with, I'll give you a sound hiding, and secondly, according to the law 'the gift reverts to the giver.' But if you are loyal to my ся». А если в моём жела́нии пребу́дешь, то объясни́, что тебе́ ещё на́до, и всё от меня́ полу́чишь.

Я его благодарю́ и говорю́, что никаки́х жела́ниев[45] не име́ю и не приду́маю, окромя́[46] одного́ — если его ми́лость бу́дет сказа́ть мне: что всё э́то зна́чит и за что я дом получи́л?

Но э́того он не сказа́л.

— Это, — говори́т, — тебе́ совсе́м не на́до, но то́лько по́мни, что с э́тих пор ты называ́ешься — «Лепута́н», и так в мое́й да́рственной именова́н. Храни́ э́то и́мя: тебе́ э́то бу́дет вы́годно.

ГЛАВА ОДИННАДЦАТАЯ

Оста́лись мы в своём до́ме хозя́йствовать, и пошло́ у нас всё о́чень благополу́чно, и счита́ли мы так, что всё э́то же́ниным сча́стьем, потому́ что настоя́щего объясне́ния до́лгое вре́мя ни от кого́ получи́ть не мо́гли, но оди́н раз пробежа́ли тут ми́мо нас два господи́на и вдруг останови́лись и вхо́дят.

Жена́ спра́шивает:

— Что прика́жете?

Они отвеча́ют:

— Нам ну́жно самого́ мусье́[47] Лепута́на.

Я выхожу́, а они́ перегляну́лись, о́ба враз засмея́лись и заговори́ли со мно́ю по-францу́зски.

Я извиня́юсь, что по-францу́зски не понима́ю.

— А давно́ ли, — спра́шивают, — вы ста́ли под э́той вы́веской?

Я им сказа́л, ско́лько лет.

— Ну так и есть. Мы вас, — говоря́т, — по́мним и ви́дели: вы одному́ господи́ну под Но́вый год удиви́тельно фрак к ба́лу заштопа́ли и пото́м от него́ при нас неприя́тность в гости́нице перенесли́.

— Соверше́нно ве́рно, — говорю́, — был тако́й слу́чай, но то́лько я э́тому господи́ну благода́рен и че́рез него́ жить пошёл, но не зна́ю ни его и́мени, ни прозва́ния, потому́ всё э́то от меня́ скры́то.

wish, then just say what else you want and you'll get everything from me."

I thank him and say that I have no wishes and can think of nothing except for one thing—if he can be so good to tell me what is the meaning of all this and why did I receive the house.

But that he wouldn't tell me.

"That," says he, "you don't need to know at all; just remember that from now on you are called Lepoutant and are thus named in my gift deed. Keep this name; you will gain thereby."

CHAPTER ELEVEN

We set up housekeeping in our own home, and everything went very well, and we believed that all this was due to my wife's good luck, because for a long time we could not come upon the true explanation from anybody; but one day two gentlemen hurried past our house, and suddenly stopped and came in.

The wife asks them:

"Can I help you?"

They replied:

"We need Monsieur Lepoutant himself."

I come out, and they exchanged glances, both of them laughed at the same time and began talking to me in French.

I apologize, saying I do not understand French.

"Have you hung out this sign for a long time?"

I told them how many years it was.

"Well, that's it. We remember you," they say, "and saw how you did a marvelous job mending a gentleman's tailcoat for a ball on New Year's Eve, and later suffered unpleasantness at his hands in our presence in the hotel."

"That's quite right," I say, "there was such an occasion, but I am grateful to that gentleman, and it is through him that my life began; but I don't know his name or surname, for all this has been kept from me."

Они мне сказали его имя, а фамилия его, прибавили, — Лапутин.

— Как Лапутин?

— Да, разумеется, — говорят, — Лапутин. А вы разве не знали, через что он вам всё это благодетельство оказал? Через то, чтобы его фамилии на вывеске не было.

— Представьте, — говорю, — а мы о сю пору[48] ничего этого понять не могли; благодеянием пользовались, а словно как в потёмках.

— Но, однако, — продолжают мои гости, — ему от этого ничего не помоглося,[49] — вчера с ним новая история вышла.

И рассказали мне такую новость, что стало мне моего прежнего однофамильца очень жалко.

ГЛАВА ДВЕНАДЦАТАЯ

Жена Лапутина, которой они сделали[50] предложение в заштопанном фраке, была ещё щекотистее мужа и обожала важность. Сами они оба были не Бог весть[51] какой породы, а только отцы их по откупам[52] разбогатели, но искали знакомства с одними знатными. А в ту пору у нас в Москве был главнокомандующим граф Закревский,[53] который сам тоже, говорят, был из поляцких шляхтецов,[54] и его настоящие господа, как князь Сергей Михайлович Голицын,[55] не высоко числили; но прочие обольщались быть в его доме приняты. Моего прежнего однофамильца супруга тоже этой чести жаждали. Однако, Бог их знает почему, им это долго не выходило, но, наконец, нашёл господин Лапутин сделать графу какую-то приятность, и тот ему сказал:

— Заезжай, братец, ко мне, я велю тебя принять, скажи мне, чтобы я не забыл: как твоя фамилия?

Тот отвечал, что его фамилия — Лапутин.

— Лапутин? — заговорил граф, — Лапутин... Постой, постой, сделай милость, Лапутин... Я что-

They told me his name, and his surname, they added, was Laputin.

"What do you mean, Laputin?"

"Yes, of course," they say, "Laputin. Didn't you really know why he showered on you all those benefactions? So that his name should not appear on your signboard."

"Fancy that," I say, "and we couldn't understand it at all to this very day; we enjoyed the benefaction but in the dark as it were."

"However," continue my visitors, "it didn't do him any good. Yesterday he got involved in a new mixup."

And they told me a bit of news that made me feel very sorry for my erstwhile namesake.

CHAPTER TWELVE

Laputin's wife, to whom he proposed in his darned tail-coat, was even more snobbish than her husband, and adored pomp. Neither of them was particularly high-born, it was just that their fathers had grown rich through government contracts; but they sought the acquaintance of the nobility only. And at that time our governor-general in Moscow was Count Zakrevsky, who himself, they say, was also from the Polish gentry, and real gentlemen like Prince Sergey Mikhailovich Golitsyn did not rate him high, but all the rest were flattered to be received in his house. The spouse of the man who used to have the same name as mine also thirsted for this honor. Yet, goodness knows why, this eluded them for a long time, but at last Mr. Laputin found the opportunity of pleasing the Count, and the latter said to him:

"Come and see me, my dear fellow, I'll leave orders to have you admitted. Tell me, lest I forget, what is your name?"

The other answered that his name was Laputin.

"Laputin?" asked the Count. "Laputin. . . Wait a moment, wait a moment, if you please. Laputin. . . I seem то пóмню, Лапýтин... Это чья́-то фами́лия.

— Тóчно так, — говори́т, — вáше сия́тельство,[56] э́то моя́ фами́лия.

— Да, да, брáтец, действи́тельно э́то твоя́ фами́лия, тóлько я чтó-то пóмню... как бýдто был ещё ктó-то Лапýтин. Мóжет быть, э́то твой отéц был Лапýтин?

Бáрин отвечáет, что его́ отéц был Лапýтин.

— Тó-то я пóмню, пóмню... Лапýтин. Очень мóжет быть, что э́то твой отéц. У меня́ óчень хорóшая пáмять: приезжáй, Лапýтин, зáвтра же приезжáй; я тебя́ велю́ приня́ть, Лапýтин.

Тот от рáдости себя́ не пóмнит и на другóй день éдет.

ГЛАВА ТРИНАДЦАТАЯ

Но граф Закрéвский пáмять свою́ хотя́ и хвали́л, однáко на э́тот раз оплошáл и ничегó не сказáл, чтóбы приня́ть господи́на Лапýтина.

Тот разлетéлся.

— Такóй-то, — говори́т, — и желáю ви́деть грáфа.

А швейцáр его́ не пущáет:[57]

— Никогó, — говори́т, — не вéлено принимáть.

Бáрин так-сяк его́ убеждáть, — что «я, — говори́т, — не сам, а по грáфскому зóву приéхал», — швейцáр ко всемý пребывáет[58] нечувстви́телен.

— Мне, — говори́т, — никогó не вéлено принимáть, а éсли вы по дéлу, то иди́те в канцеля́рию.

— Не по дéлу я, — обижáется бáрин, — а по ли́чному знакóмству; граф навéрно тебé сказáл мою́ фами́лию — Лапýтин, а ты, вéрно, напýтал.

— Никакóй фами́лии мне вчерá граф не говори́л.

— Этого не мóжет быть; ты прóсто позабы́л, фами́лию — Лапýтин.

— Никогдá я ничегó не позабывáю, а э́той фами́лии я дáже и не могý позабы́ть, потомý что я сам Лапýтин.

Бáрин так и вскипéл.

to remember something. This is someone's name."

"That's right, your excellency," he says, "that's my name."

"Yes, yes, my dear fellow, it is indeed your name, but I remember something—there seems to have been another Laputin. Perhaps it's your father who was Laputin?"

The gentleman replied that indeed his father had been Laputin.

"That's why I remember it, I do. Laputin. It's quite possible that it was your father. I have a very good memory; come, Laputin, come tomorrow. I'll leave orders for you to be admitted, Laputin."

The latter was beside himself with joy and the very next day went there.

CHAPTER THIRTEEN

But Count Zakrevsky, even though he had boasted of his memory, nevertheless had slipped up on this occasion and said nothing about admitting Mr. Laputin.

The latter came flying.

"I'm So-and-So," says he, "and I wish to see the Count."

But the doorman would not let him in.

"There are no orders," he says, "to admit anyone."

The gentleman tries to argue with him this way and that. "I haven't come on my own," he says, "but at the invitation of the Count." The doorman remains adamant.

"I have no orders to admit anyone," he says. "And if you've come on business go to the office."

"I have not come on business," the gentleman says, "but through personal acquaintance. The Count must have given you my name—Laputin, and you must have mixed it up."

"The Count didn't give me any name yesterday."

"That can't be. You've simply forgotten the name— Laputin."

"I never forget anything, and as for this name I am not likely to forget it because I am Laputin myself."

The gentleman simply boiled over.

— Как, — говори́т, — ты сам Лапу́тин! Кто тебя́
научи́л так назва́ться?

А швейца́р ему́ отвеча́ет:

— Никто́ меня́ не научи́л, а э́то на́ша приро́да, и
в Москве́ Лапу́тиных обши́рное мно́жество, но то́ль-
ко остальны́е незначи́тельны, а в настоя́щие лю́ди
оди́н я вы́шел.

А в э́то вре́мя, пока́ они́ спо́рили, граф с ле́стницы
схо́дит и говори́т:

— Действи́тельно, э́то я его́ и по́мню, он и есть
Лапу́тин, и он у меня́ то́же мерза́вец. А ты в друго́й
раз приди́, мне тепе́рь не́когда. До свида́ния.

Ну, разуме́ется, по́сле э́того уже́ како́е свида́-
ние?[59]

ГЛАВА ЧЕТЫРНАДЦАТАЯ

Рассказа́л мне э́то maître tailleur Lepoutant с со-
жали́тельною скро́мностью и приба́вил в ви́де фина́-
ла, что на друго́й же день ему́ довело́сь, и́дучи с ра-
бо́тою по бульва́ру, встре́тить самого́ анекдоти́че-
ского Лапу́тина, кото́рого Васи́лий Ко́ныч име́л
основа́ние счита́ть свои́м благоде́телем.

— Сиди́т, — говори́т, — на ла́вочке о́чень гру́-
стный. Я хоте́л проюркну́ть ми́мо, но он лишь за-
ме́тил и говори́т:

— Здра́вствуй, monsieur Lepoutant! Как живёшь-
мо́жешь?[60]

— По Бо́жьей и по ва́шей ми́лости о́чень хорошо́.
Вы как, ба́тюшка, изво́лите себя́ чу́вствовать?

— Как нельзя́ ху́же; со мно́ю прескве́рная исто́-
рия случи́лась.

— Слы́шал, — говорю́, — су́дарь, и пора́довался,
что вы его́ по кра́йней ме́ре не тро́нули.

— Тро́нуть его́, — отвеча́ет, — невозмо́жно, по-
тому́ что он не свобо́дного трудолю́бия,[61] а при гра́-
фе в мерза́вцах слу́жит; но я хочу́ знать: кто его́
подкупи́л, что́бы мне э́ту по́длость сде́лать?

"What do you mean," says he, "you're Laputin yourself! Who put you onto calling yourself that?!"

And the doorman replies:

"No one put me on to it, but that's our stock, and there is any number of Laputins in Moscow, only the others are of no account and I'm the only one who has come up in the world."

And at that moment, while they were arguing, the Count comes down the stairs and says:

"That's right, he is the one I had in mind, he is that very Laputin, and in my house he's a scoundrel, too. And you come some other time, I am busy now. Good day."

Well, naturally, how can you pay a call after this?

CHAPTER FOURTEEN

Maître tailleur Lepoutant told me this story with an air of compassionate modesty, adding by way of finale that the very next day, as he walked along the boulevard with his work, he happened to run into anecdotic Laputin himself, whom Vasily Konych had reason to regard as his benefactor.

"He is sitting on a bench," he said, "very sad. I wanted to slip past, but the moment he noticed me he said:

'Good morning, Monsieur Lepoutant. How's life treating you?'

'Very well, by the grace of God and with your help. And you, sir, how are you?'

'Couldn't be worse. A most wretched thing happened to me.'

'I have heard about it, sir,' I say, 'and was glad that at least you didn't lay hands on him.'

'I couldn't lay hands on him because he is not a man of free profession but the Count's knave; but what I want to know is: Who bribed him to play this filthy trick on me?'"

А Ко́ныч, по свое́й простоте́, стал ба́рина утеша́ть.

— Не ищи́те, — говори́т, — су́дарь, подуче́ния.
Лапу́тиных, то́чно, мно́го есть, и есть ме́жду них
лю́ди о́чень че́стные, как, наприме́р, мой поко́йный
де́душка, — он по всей Москве́ сте́лечки продава́л...

А он меня́ вдруг с э́того сло́ва враз че́рез всю
спи́ну па́лкою... Я и убежа́л, и с тех пор его́ не ви-
да́л, а то́лько слы́шал, что они́ с супру́гой за грани́-
цу во Фра́нцию уе́хали, и он там разори́лся и у́мер,
а она́ над ним па́мятник поста́вила, да, говоря́т, по
слу́чаю, с тако́ю на́дписью, как у меня́ на вы́веске:
«Лепута́н». Так и вы́шли мы опя́ть однофами́льцы.

ГЛАВА ПЯТНАДЦАТАЯ

Васи́лий Ко́ныч зако́нчил, а я его́ спроси́л: почему́
он тепе́рь не хо́чет перемени́ть вы́вески и вы́ставить
опя́ть свою́ зако́нную, ру́сскую фами́лию?

— Да заче́м, — говори́т, — су́дарь, вороши́ть то,
с чего́ но́вое сча́стье ста́ло, — че́рез э́то мо́жно
вред всей окре́стности сде́лать.

— Окре́стности-то како́й же вред?

— А как же-с, — моя́ францу́зская вы́веска, хо-
тя́, поло́жим, все зна́ют, что одна́ лафе́рма, одна́ко
че́рез неё на́ша ме́стность друго́й эфе́кт получи́ла, и
дома́ у всех сосе́дей совсе́м друго́й про́тив пре́жне-
го профи́т име́ют.

Так Ко́ныч и оста́лся францу́зом для по́льзы обы-
ва́телей своего́ замоскворе́цкого[62] закоу́лка, а его́
зна́тный однофами́лец без вся́кой по́льзы сгнил под
псевдони́мом у Пер-Лаше́за.[63]

And Konych, in his simplicity, began to comfort the gentleman.

"Don't look, sir," he says, "for instigation. There really are many Laputins and among them some very honest folk, as for example my late grandfather; he used to sell insoles all over Moscow. . . ."

"And at those words he suddenly let me have it across the back with his stick. I ran away, and since then I haven't seen him, but have heard that he and his spouse went abroad, to France, and there he got ruined and died, and she erected a monument to him and they say that the inscription happened to be the same as that on my sign: 'Lepoutant.' Thus we became namesakes once more."

CHAPTER FIFTEEN

Vasily Konych concluded and I asked him why he wouldn't now change his sign and display his lawful Russian name.

"Well, sir," he says, "why should I stir up that which brought me new fortune—this way I can harm the whole neighborhood."

"But what harm will it do the neighborhood?"

"Well, you see, my French sign, even though, I suppose, everybody knows that it is mere formality, yet because of it our neighborhood has got a different stamp, and the houses of all my neighbors have now a different value from what they had before."

Thus Konych has remained a Frenchman for the good of the residents of his little side-lane beyond the Moscow River while his aristocratic namesake has rotted away at Père-Lachaise, under a pseudonym, without doing any good.

ANTON CHEKHOV
(1860-1904)

Anton Pavlovich Chekhov was born in Taganrog, on the Sea of Azov, the son of a small tradesman and the grandson of a serf who had managed to buy freedom for himself and his family.

After studying medicine at the University of Moscow, and receiving his medical degree, Chekhov set up a general practice, but soon gave it up and devoted himself entirely to literature which had helped him earn his living while a student. For many years Chekhov contributed short stories and sketches to lowbrow comic magazines and to daily newspapers. This taught him to prune his stories of everything superfluous.

In 1885 one of Chekhov's newspaper stories attracted the attention of the veteran writer Dmitry Grigorovich who, forty years earlier, had played, with Nekrasov and Belinsky, the role of literary godfather to Dostoevsky when the latter wrote his *Poor Folk*. Grigorovich introduced Chekhov to Alexey Suvorin, the editor of the most influential Russian daily, *Novoye Vremya* (*New Times*), and thus began their long personal and literary association which set Chekhov on the road to success.

In addition to many volumes of short stories, the last of which was written in 1902, Chekhov also wrote, between 1888 and 1903, five major plays and several one-acters. He contributed as much to the renovation of the Russian theater as he did to the Russian short story, although many of the admirers of Chekhov's stories (among them Tolstoy and Bunin) did not think much of his plays.

As a short-story writer Chekhov is rated today as one of the greatest in world literature. The influence of Maupassant, of whom he was a great admirer, has been asserted by some and disputed by others. There is no doubt, however, that Chekhov himself influenced short-story writing, not only in Russia, but in many countries. His impact on literature was especially significant in England —in the stories of Katherine Mansfield and A. E. Coppard for example.

Chekhov initiated in Russian literature, the period during which the short story became the dominant genre in prose fiction. Remaining essentially within the realist tradition, he renovated it by developing his own brand of realistic impressionism. This original quality of Chekhov's writing was well realized by Tolstoy who said:

> Chekhov as an artist cannot even be compared with previous Russian writers — with Turgenev, Dostoevsky, or myself. Chekhov has his own peculiar manner, like the impressionists. You look and it is as though the man were indiscriminately dubbing on whatever paints came to his hand, and these brush strokes seem to be quite unrelated to each other. But you move some distance away, you take a look, and you get, on the whole, an integrated impression.

"Sleepy" is a very good example of Chekhov's impressionist technique. It belongs to his middle period when he was still contributing short stories to the *Petersburg Gazette*. It was written in January 1888. Chekhov himself described it, in a letter to his friend, the poet Pleschcheyev, as "a rather poor little story," which, he said, he had "scribbled" in less than half-a-day. Yet it is an excellent example of Chekhov's craftsmanship, of his unerring touch, of his utmost economy in the use of artistic means.

Chekhov was only forty-four when he died of tuberculosis in Badenweiler, Germany. He had contracted the disease more than twenty years earlier, and it had bothered him ever since. His widow, the famous actress Olga Knipper whom he met before the production of *The Seagull* by the Moscow Art Theatre and who was to create some of the most famous parts in his plays, survived him by fifty-five years.

СПАТЬ ХОЧЕТСЯ
А. П. Чехова

Ночь. Нянька Варька,[1] девочка лет тринадцати, качает колыбель, в которой лежит ребёнок, и чуть слышно мурлычет:

> Баю-баюшки-баю,
> А я песенку спою...[2]

Перед образом горит зелёная лампадка; через всю комнату от угла до угла тянется верёвка, на которой висят пелёнки и большие чёрные панталоны. От лампадки ложится на потолок большое зелёное пятно, а пелёнки и панталоны бросают длинные тени на печку, колыбель, на Варьку... Когда лампадка начинает мигать, пятно и тени оживают и приходят в движение, как от ветра. Душно. Пахнет щами и сапожным товаром.

Ребёнок плачет. Он давно уже осип и изнемог от плача, но всё ещё кричит, и неизвестно, когда он уймётся. А Варьке хочется спать. Глаза её слипаются,[3] голову тянет вниз, шея болит. Она не может шевельнуть ни веками, ни губами, и ей кажется, что лицо её высохло и одеревенело, что голова стала маленькой, как булавочная головка.

— Баю-баюшки-баю, — мурлычет она, — тебе кашки наварю...[4]

В печке кричит сверчок. В соседней комнате, за дверью, похрапывают хозяин и подмастерье Афанасий... Колыбель жалобно скрипит, сама Варька мурлычет — и всё это сливается в ночную, убаюкивающую музыку, которую так сладко слушать, когда ложишься в постель. Теперь же эта музыка

SLEEPY
Anton Chekhov

I t is night. Nanny Varka, a girl of about thirteen, is rocking a cradle with a baby in it, and barely audibly purring:

> Rockable, baby,
> I'll lullaby you . . .

In front of the icon a green light is burning; across the entire room, from corner to corner, stretches a line on which hang diapers and a pair of roomy black trousers. The icon light throws a large green patch onto the ceiling, and the diapers and trousers cast long shadows onto the stove, onto the cradle, onto Varka. . . . When the icon light begins to flicker, the patch and the shadows come to life and are set in motion as though by a wind. It is stuffy. There is a smell of cabbage-soup and cobbler's ware.

The baby is crying. It has long since grown hoarse and exhausted from crying, but it still shrills and nobody knows when it will quiet down. And Varka is sleepy. She can hardly keep her eyes open, her head is weighed down, her neck aches. She cannot move either her eyelids or her lips, and her face seems to her to have become dry and wooden, her head grown small, like the head of a pin.

"Rockabye, baby," she purrs, "I'll make you some stew. . . ."

In the stove a cricket shrills. In the next room, behind the door, the master and the apprentice Afanasy are snoring. . . . The cradle creaks plaintively, Varka herself purrs —and all this merges into the nocturnal, lulling music, so sweet to hear as you go to bed. But now this music only irritates and oppresses, because it makes you drowsy, and

то́лько раздража́ет и гнетёт, потому́ что она́ вгоня́-
ет в дремо́ту, а спать нельзя́; е́сли Ва́рька, не дай
Бог,[5] уснёт, то хозя́ева прибью́т её.

Лампа́дка мига́ет. Зелёное пятно́ и те́ни прихо́дят
в движе́ние, ле́зут в полуоткры́тые, неподви́жные
глаза́ Ва́рьки и в её наполови́ну усну́вшем мозгу́
скла́дываются в тума́нные грёзы. Она́ ви́дит тёмные
облака́, кото́рые гоня́ются друг за дру́гом по не́бу
и крича́т, как ребёнок. Но вот поду́л ве́тер, пропа́ли
облака́, и Ва́рька ви́дит широ́кое шоссе́, покры́тое
жи́дкою гря́зью: по шоссе́ тя́нутся обо́зы, плету́тся
лю́ди с кото́мками на спи́нах, но́сятся взад и вперёд
каки́е-то те́ни; по о́бе сто́роны сквозь холо́дный, су-
ро́вый тума́н видны́ леса́. Вдруг лю́ди с кото́мками и
теня́ми па́дают на зе́млю в жи́дкую грязь. «Заче́м
э́то?» — спра́шивает Ва́рька. «Спать, спать!» отве-
ча́ют ей. И они́ засыпа́ют кре́пко, спят сла́дко, а на
телегра́фных про́волоках сидя́т воро́ны и соро́ки,
крича́т, как ребёнок, и стара́ются разбуди́ть их.

— Ба́ю-ба́юшки-баю́, а я пе́сенку спою́... — мур-
лы́чет Ва́рька и уже́ ви́дит себя́ в тёмной, ду́шной
избе́.[6]

На полу́ воро́чается её поко́йный оте́ц Ефи́м Сте-
па́нов. Она́ не ви́дит его́, но слы́шит, как он ката́ет-
ся от бо́ли по полу́ и сто́нет. У него́, как он говори́т,
«разыгра́лась гры́жа». Боль так сильна́, что он не
мо́жет вы́говорить ни одного́ сло́ва и то́лько втя́-
гивает в себя́ во́здух и отбива́ет зуба́ми бараба́нную
дробь:

— Бу-бу-бу-бу...

Мать Пелаге́я побежа́ла в уса́дьбу к господа́м
сказа́ть, что Ефи́м помира́ет. Она́ давно́ уже́ ушла́,
и пора́ бы ей верну́ться. Ва́рька лежи́т на печи́, не
спит и прислу́шивается к отцо́вскому «бу-бу-бу». Но
вот слы́шно, кто́-то подъе́хал к избе́. Это господа́
присла́ли молодо́го до́ктора, кото́рый прие́хал к ним
из го́рода в го́сти. До́ктор вхо́дит в избу́; его́ не
ви́дно в потёмках, но слы́шно как он ка́шляет и
щёлкает две́рью.

you must not sleep: should Varka, God forbid, fall asleep, her employers will beat her.

The icon light flickers. The green patch and the shadows are set in motion, they force their way into Varka's half-open, staring eyes and form into hazy dreams in her half-dormant brain. She sees dark clouds which chase each other across the sky and shrill like the baby. But now the wind blows, the clouds disappear and Varka sees a wide highway covered with watery mud; wagon trains stretch out along the highway, people with bundles on their backs drag themselves along, some sort of shadows flit back and forth; on both sides, through the cold, raw fog, forests can be seen. Suddenly, the people with their bundles and the shadows fall on the ground, into the watery mud. "Why is this?" asks Varka. "To sleep, to sleep!" they answer her. And they fall asleep soundly, they sleep sweetly, while crows and magpies sit on the telegraph wires, shrilling like the baby, and trying to wake them.

"Rockabye, baby, I'll lullaby you," Varka purrs and sees herself now in a dark, stuffy cabin.

On the floor, her late father Efim Stepanych is turning from one side to the other. She cannot see him, but she hears how he rolls on the floor with pain and moans. His "hernia is acting up," as he puts it. The pain is so bad that he cannot utter a word and merely sucks in air and his teeth beat a rapid tattoo:

"Boo-boo-boo-boo. . . ."

Her mother Pelageya has run off to the manor house to tell the gentry that Efim is dying. She left a long while ago and it's time for her to be back. Varka is lying on the stove, awake, and listens to her father's "boo-boo-boo." But now someone is heard driving up to the cabin. The gentry have sent the young doctor who has been visiting them from town. The doctor comes into the cabin, he cannot see in the dark, but one can hear him cough and rattle the door.

— Засветите огонь, — говорит он.

— Бу-бу-бу... — отвечает Ефим.

Пелагея бросается к печке и начинает искать черепок со спичками. Проходит минута в молчании. Доктор, порывшись в карманах, зажигает свою спичку.

— Сейчас, батюшка, сейчас, — говорит Пелагея, бросается вон из избы и, немного погодя, возвращается с огарком.

Щёки у Ефима розовые, глаза блестят и взгляд как-то особенно остр, точно Ефим видит насквозь и избу, и доктора.

— Ну, что? Что ты это вздумал? — говорит доктор, нагибаясь к нему. — Эге! Давно ли это у тебя?

— Чего-с? Помирать, ваше благородие, пришло время... Не быть мне в живых...

— Полно вздор говорить... Вылечим!

— Это как вам угодно, ваше благородие,[7] благодарим покорно, а только мы понимаем... Коли смерть пришла, что уж тут.

Доктор с четверть часа возится с Ефимом; потом поднимается и говорит:

— Я ничего не могу поделать... Тебе нужно в больницу ехать, там тебе операцию сделают. Сейчас же поезжай... Непременно поезжай! Немножко поздно, в больнице все уже спят, но это ничего, я тебе записочку дам. Слышишь?

— Батюшка, да на чём же он поедет? — говорит Пелагея. — У нас нет лошади.

— Ничего, я попрошу господ, они дадут лошадь.

Доктор уходит, свеча тухнет, и опять слышится «бу-бу-бу»... Спустя полчаса к избе кто-то подъезжает. Это господа прислали телёжку, чтобы ехать в больницу. Ефим собирается и едет.

Но вот наступает хорошее, ясное утро. Пелагеи нет дома: она пошла в больницу узнать, что делается с Ефимом. Где-то плачет ребёнок, и Варька слышит, как кто-то её голосом поёт:

Баю-баюшки-баю, а я песенку спою...

"Strike a light," he says.

"Boo-boo-boo," answers Efim.

Pelageya rushes to the stove and begins looking for the crock with matches. A minute goes by in silence. The doctor, after fumbling in his pockets, lights a match of his own.

"Just a moment, sir, just a moment," says Pelageya, dashes out of the cabin and returns a little later with a candle end.

Efim's cheeks are pink, his eyes shine, and have a particularly keen look as though he can see right through both the cabin and the doctor.

"Well, what is it? What do you think you're doing?" says the doctor, bending over him. "Aha! Have you had this long?"

"What, sir? Time has come for me to die, your honor. . . I am not for this life. . . ."

"Stop talking nonsense. . . . We'll have you well!"

"That's as you please, your honor, we thank you kindly, but we understand. . . . When death comes, what's the use. . . ."

For about a quarter of an hour the doctor fusses over Efim; then he rises and says:

"There is nothing I can do. . . . You must go to the hospital, they'll operate on you there. Go right away. . . . Go without fail! It's a bit late, they're all asleep at the hospital, but that doesn't matter, I'll give you a note. Do you hear me?"

"O, sir, how will he go?" says Pelageya. "We don't have a horse."

"Never mind, I'll ask the gentry, they'll send a horse."

The doctor leaves, the candle goes out, and again one can hear the "boo-boo-boo." Half an hour later, someone drives up to the cabin. It is a cart sent by the gentry to take Efim to the hospital. He gets ready and leaves. . . .

Then comes morning—fine, clear. Pelageya is not home: she has gone to the hospital to find out how things are with Efim. Somewhere a baby cries, and Varka hears someone sing in her own voice:

"Rockabye, baby, I'll lullaby you. . ."

Возвращается Пелагея; она крестится и шепчет:

— Ночью вправили ему, а к утру Богу душу отдал... Царство небесное, вечный покой.... Сказывают, поздно захватили... Надо бы раньше...

Варька идёт в лес и плачет там, но вдруг кто-то бьёт её по затылку с такой силой, что она стукается лбом о берёзу. Она поднимает глаза и видит перед собой хозяина-сапожника.

— Ты что же это, паршивая? — говорит он. — Дитё[8] плачет, а ты спишь?

Он больно треплет её за ухо, а она встряхивает головой, качает колыбель и мурлычет свою песню. Зелёное пятно и тени от панталон и пелёнок колеблются, мигают ей и скоро опять овладевают её мозгом. Опять она видит шоссе, покрытое жидкою грязью. Люди с котомками на спинах и тени разлеглись и крепко спят. Глядя на них, Варьке страстно хочется спать: она легла бы с наслаждением, но мать Пелагея идёт рядом и торопит ее. Обе они спешат в город нанима́ться.

— Подайте милостынки Христа-ради! — просит мать у встречных. — Явите божескую милость, господа милосердные![9]

— Подай сюда ребёнка! — отвечает ей чей-то знакомый голос. — Подай сюда ребёнка! — повторяет тот же голос, но уже сердито и резко. — Спишь, подлая?

Варька вскакивает и, оглядевшись, понимает, в чём дело: нет ни шоссе, ни Пелагеи, ни встречных, а стоит посреди комнаты одна только хозяйка, которая пришла покормить своего ребёнка. Пока толстая, плечистая хозяйка кормит и унимает ребёнка, Варька стоит, глядит на неё и ждёт, когда она кончит. А за окнами уже синеет воздух, тени и зелёное пятно на потолке заметно бледнеют. Скоро утро.

Pelageya comes back; she makes the sign of the cross and whispers:

"In the night they straightened it out, but by the morning he went to meet his Maker. . . . May the Kingdom of Heaven and everlasting peace be his. . . . They say they caught it too late. . . . Should've been sooner. . . ."

Varka goes into the woods and cries there, but suddenly someone hits her on the back of the head with such force that she bangs her forehead against a birch tree. She raises her eyes and sees her master, the cobbler, standing before her.

"What d'you think you're doing, you mangy brat?" he says. "The baby is crying and you're asleep."

He jerks her painfully by the ear and she gives her head a shake, rocks the cradle, and purrs her song. The green patch and the shadows from the trousers and the diapers waver, wink at her, and soon again take possession of her brain. Again she sees the highway covered with watery mud. The people with bundles on their backs and the shadows have stretched out and are sound asleep. Looking at them, Varka feels a passionate longing for sleep; what a joy it would be for her to lie down, but her mother Pelageya is walking beside her and urging her on. They are both hurrying to town to look for work.

"Give alms for the love of Christ!" her mother begs the passers-by. "Be merciful, kind people."

"Give me the baby!" someone's familiar voice answers her. "Give me the baby!" repeats the same voice, but this time angrily and sharply. "Asleep, are you, you wretch?!"

Varka jumps up and, looking around, realizes what is going on: there is no highway, no Pelageya, no passers-by, but it is just her mistress, standing in the middle of the room, who has come to feed her baby. While the fat, broad-shouldered woman feeds and soothes the baby, Varka stands watching her and waiting for her to finish. The air outside the windows is already turning blue, the shadows and the green patch on the ceiling grow noticeably paler. It will soon be morning.

— Возьми! — говорит хозяйка, застёгивая на груди сорочку. — Плачет. Должно, сглазили.

Варька берёт ребёнка, кладёт его в колыбель и опять начинает качать. Зелёное пятно и тени мало-помалу исчезают, и уж некому лезть в её голову и туманить мозг. А спать хочется по-прежнему, ужасно хочется! Варька кладёт голову на край колыбели и качается всем туловищем, чтобы пересилить сон, но глаза всё-таки слипаются и голова тяжела.

— Варька, затопи печку! — раздаётся за дверью голос хозяина.

Значит, уже пора вставать и приниматься за работу. Варька оставляет колыбель и бежит в сарай за дровами. Она рада. Когда бегаешь и ходишь, спать уже не так хочется, как в сидячем положении. Она приносит дрова, топит печь и чувствует, как расправляется её одеревеневшее лицо и как проясняются мысли.

— Варька, поставь самовар! — кричит хозяйка.

Варька колет лучину, но едва успевает зажечь их и сунуть в самовар, как слышится новый приказ:

— Варька, почисть хозяину калоши!

Она садится на пол, чистит калоши и думает, что хорошо бы сунуть голову в большую, глубокую калошу и подремать в ней немножко... И вдруг калоша растёт, пухнет, наполняет собою всю комнату. Варька роняет щётку, но тотчас же встряхивает головой, пучит глаза и старается глядеть так, чтобы предметы не росли и не двигались в её глазах.

— Варька, помой снаружи лестницу, а то от заказчиков совестно!

Варька моет лестницу, убирает комнаты, потом топит другую печь и бежит в лавочку. Работы много, нет ни одной минуты свободной.

Но ничто так не тяжело, как стоять на одном месте перед кухонным столом и чистить картошку. Голову тянет к столу, картошка рябит в глазах,

"Take it," says the mistress, fastening the shift on her breast. "It's crying. Must have been given the evil eye."

Varka takes the baby, puts it in the cradle and again starts rocking. The green patch and the shadows gradually disappear, and there is now no one to get into her head and befuddle her brain. But she still has the same longing for sleep, a terrible longing. Varka lays her head on the edge of the cradle and rocks with her whole body to overcome sleepiness, but she still can hardly keep her eyes open and her head is heavy.

"Varka, light the stove!" the mistress's voice is heard behind the door.

This means that it is already time to get up and set about work. Varka leaves the cradle and runs to the shed for firewood. She is glad. When you run or walk you are not so sleepy as when you are sitting down. She brings the firewood, lights the stove and feels her stiffened face relax and her mind clear.

"Varka, put on the samovar!" shouts the mistress.

Varka splits some kindling into spills, but she barely has time to light them and shove them into the samovar when a new order rings out.

"Varka, clean the master's overshoes!"

She sits down on the floor, cleans the overshoes and thinks how nice it would be to put her head into a large, deep overshoe and have a little nap in it. . . . And suddenly the overshoe grows, swells, fills up the whole room. Varka lets the brush fall, but immediately gives her head a shake, bulges her eyes and tries to focus them, so that the things do not grow and do not move before her eyes.

"Varka, scrub the front steps, it's shameful for the customers!"

Varka scrubs the steps, tidies the rooms, then lights the other stove and runs to the store. There is a lot of work, not one free moment.

But nothing is so hard as standing still in front of the kitchen table and peeling potatoes. Her head sags down to the table, the potatoes swim before her eyes, her hands

нож ва́лится из рук, а во́зле хо́дит то́лстая, серди́-
тая хозя́йка с засу́ченными рукава́ми и говори́т так
гро́мко, что звени́т в уша́х. Мучи́тельно та́кже при-
слу́живать за обе́дом, стира́ть, шить. Быва́ют мину́-
ты, когда́ хо́чется, ни на что не гля́дя, повали́ться
на́ пол и спать.

День прохо́дит. Гля́дя, как темне́ют о́кна, Ва́рька
сжима́ет себе́ деревене́ющие виски́ и улыба́ется,
сама́ не зна́я чего́ ра́ди. Вече́рняя мгла ласка́ет её
слипа́ющиеся глаза́ и обеща́ет ей ско́рый, кре́пкий
сон. Ве́чером к хозя́евам прихо́дят го́сти.

— Ва́рька, ставь самова́р! — кричи́т хозя́йка.

Самова́р у хозя́ев ма́ленький, и пре́жде чем го́сти
напива́ются ча́ю, прихо́дится подогрева́ть его́ раз
пять. По́сле ча́ю Ва́рька стои́т це́лый час на одно́м
ме́сте, гляди́т на госте́й и ждёт приказа́ний.

— Ва́рька, сбе́гай купи́ три буты́лки пи́ва!

Она́ срыва́ется с ме́ста и стара́ется бежа́ть бы-
стре́е, что́бы прогна́ть сон.

— Ва́рька, сбе́гай за во́дкой! Ва́рька, где што́-
пор? Ва́рька, почи́сть селёдку!

Но вот, наконе́ц, го́сти ушли́; огни́ ту́шатся, хо-
зя́ева ложа́тся спать.

— Ва́рька, покача́й ребёнка! — раздаётся по-
сле́дний прика́з.

В пе́чке кричи́т сверчо́к; зелёное пятно́ на потол-
ке́ и те́ни от пантало́н и пелёнок опя́ть ле́зут в по-
луоткры́тые глаза́ Ва́рьки, мига́ют и тума́нят ей
го́лову.

— Ба́ю-ба́юшки-ба́ю, — мурлы́чет она́, — а я
пе́сенку спою́...

А ребёнок кричи́т и изнемога́ет от кри́ка. Ва́рька
ви́дит опя́ть гря́зное шоссе́, люде́й с кото́мками,
Пелаге́ю, отца́ Ефи́ма. Она́ всё понима́ет, всех узнаёт, но сквозь полусо́н не мо́жет то́лько ника́к по-
ня́ть той си́лы, кото́рая ско́вывает её по рука́м и
по нога́м, да́вит её и меша́ет ей жить. Она́ огля́ды-
вается, и́щет э́ту си́лу, что́бы изба́виться от неё, но
не нахо́дит. Наконе́ц, изму́чившись, она́ напряга́ет

can hardly hold the knife, and besides her the fat, cross-tempered mistress walks about with her sleeves rolled up and talks so loudly that Varka's ears ring. It's agony also to serve at table, to wash, to sew. There are moments when, come what may, she feels like flopping on the floor and sleeping.

The day passes. Watching the windows grow dark, Varka presses her stiffening temples and smiles, not knowing why herself. The evening dusk caresses her sticky eyes and promises her speedy, sound sleep. In the evening the master and mistress have company.

"Varka, put on the samovar!" shouts the mistress.

Their samovar is small, and before the guests have their fill of tea it has to be reheated at least five times. After tea Varka stands for a whole hour in one place, watching the guests and awaiting orders.

"Varka, run and buy three bottles of beer!"

She dashes off and tries to run faster to drive away sleepiness.

"Varka, run for some vodka! . . . Varka, where's the corkscrew? Varka, clean the herring!"

But then, at last, the guests are gone; the lights are put out, the master and mistress go to bed.

"Varka, rock the baby!" the last order rings out.

In the stove the cricket shrills. The green patch on the ceiling and the shadows from the trousers and the diapers again force their way into Varka's half-open eyes, flicker, and befuddle her brain.

"Rockabye, baby," she purrs, "I'll lullaby you. . . ."

And the baby shrills and is exhausted with shrilling. Varka again sees the muddy highway, the people with bundles, Pelageya, her father Efim. She understands everything, recognizes everyone, but through her doze she just cannot understand this force which shackles her hand and foot, weighs down on her, and interferes with her life. She turns round, looks for that force in order to rid herself of it, but cannot find it. At last, exhausted, she strains все свои силы и зрение, глядит вверх на мигающее зелёное пятно и, прислушавшись к крику, находит врага, мешающего ей жить.

Этот враг — ребёнок.

Она смеётся. Ей удивительно: как это раньше она не могла понять такого пустяка? Зелёное пятно, тени и сверчок тоже, кажется, смеются и удивляются.

Ложное представление овладевает Варькой. Она встаёт с табурета и, широко улыбаясь, не мигая глазами, прохаживается по комнате. Ей приятно и щекотно от мысли, что она сейчас избавится от ребёнка, сковывающего её по рукам и ногам... Убить ребёнка, а потом спать, спать, спать...

Смеясь, подмигивая и грозя зелёному пятну пальцами, Варька подкрадывается к колыбели и наклоняется к ребёнку. Задушив его, она быстро ложится на пол, смеётся от радости, что ей можно спать, и через минуту спит уже крепко, как мёртвая...

all her strength and vision, looks up at the flickering green patch and, listening intently to the shrilling, finds the enemy that interferes with her life.

That enemy is the baby.

She laughs. She is surprised. How is it that until now she had failed to understand such a simple thing? The green patch, the shadows and the cricket, too, seem to laugh and be surprised.

The false notion takes hold of Varka. She gets up from her stool and, smiling a wide smile, without blinking her eyes, walks about the room. She is pleasantly tickled by the thought that presently she will be rid of the baby which shackles her, hand and foot. . . . To kill the baby and then sleep, sleep, sleep. . . .

Laughing, winking at the green patch, and shaking her fingers at it, Varka steals up to the cradle and bends over the baby. Having strangled it, she quickly lies down on the floor, laughing with joy now that she can sleep, and a minute later is already sleeping as soundly as if she were dead. . . .

FEODOR SOLOGUB

(1863-1927)

Feodor Kuzmich Teternikov, who adopted the pen-
name Sologub, was born in St. Petersburg, the son of an
artisan. His father died when he was quite young, and
his mother was obliged to work as a domestic servant.
Her employers helped with the education of the boy, and
after graduating from a Teachers' College he commenced
the career of a schoolteacher. After many years in a
provincial town he was transferred to St. Petersburg and
ended up as superintendent of elementary schools. He
retired in 1907, after the publication of his best-known
novel, *The Petty Demon,* which had a great success. The
main character in that novel, in which the action is set
in a small provincial town, is the schoolteacher Peredonov
who has been described as the most memorable character
creation in modern Russian literature: he is an embodi-
ment of sullen evil, of pointless cruelty, and of crass
vulgarity—a combination of some Gogolian and Dostoevskian traits. The whole atmosphere of the town and its
everyday life, which symbolizes the cruelty and vulgarity
of all life, is conveyed in terms of the grotesque. Parallel
to the story of Peredonov, and reflecting Sologub's dual-
istic, Manichean conception of the world, runs the story
of the two adolescents, Sasha and Lyudmila, and of their
strange loves, innocent and yet impure, tainted by the
evil breath of life.

Sologub also wrote several other novels. In the first of
them, *Bad Dreams* (1896), the atmosphere is somewhat
similar to that of *The Petty Demon;* its main protagonist
is also a schoolteacher, and there is much in it that is
autobiographical. Somewhat different is the most ambi-
tious and original of his novels, *The Legend in the Making*
(1908-12), which begins with the famous words: "I take

a slice of life, crude and poor, and create out of it a delightful legend, for I am a poet . . ."

Sologub was also an exquisite poet, one of the pillars of Russian Symbolism, combining classical limpidity and purity of form with highly modern, "decadent," often morbid, contents. He also wrote a great number of stories which have been described as a link between his poetry and his novels. They reflect the same Manichean philosophy, the same belief in the existence of two worlds—a world of Good in which reign Unity, Calm, and Beauty, and a world of Evil in which one finds Diversity, Lust, and Vulgarity (*poshlost'*). In the poetic universe of Sologub the sun, the source of life on the earth, is also the source of evil, and is often presented as the Evil Dragon. We are captives in this world of evil in which we are doomed to live forever vainly trying to escape from it.

"In Bondage" is one of Sologub's many symbolic stories about children—he called one of his volumes of stories "Children of the Earth." His children are weird, unchildlike, and things that they do, and that happen to them, are also unchildlike. The motif of death—often assuming the form of suicide—runs through many of these stories. Sologub's children seem to symbolize innocence which is already tainted by the surrounding evil world, at the heart of which lies a tiny seed of corruption that may grow and grow. Like his verse, Sologub's prose style is beautifully clear and balanced.

Sologub, whom the abortive revolution of 1905 had inspired to some poetry of revolt and some caustic political fables, rejected emphatically the Bolshevik Revolution of 1917. After the end of the Civil War, throughout which he remained in Petrograd, he and his wife, a well-known translator, sought permission to go abroad. Before this was granted, his wife, in a fit of despair, threw herself into the Neva. Her body was recovered only a year later. After that Sologub withdrew into himself and lived the life of a recluse. A few of his poems appeared in print between 1922 and 1927, but many others remain unpublished. Some are known to have been vehemently anti-Soviet.

В ПЛЕНУ

Ф. К. Сологу́ба

I

Па́ка сиде́л в высо́кой бесе́дке у забо́ра свое́й да́чи и смотре́л в по́ле. Случи́лось, что он оста́лся оди́н. А случа́лось э́то не ча́сто. У Па́ки была́ гуверна́нтка, был студе́нт, кото́рый учи́л его́ кое-чему́ первонача́льному, да и Па́кина ма́ма, хотя́ и не пребыва́ла в его́ де́тской неотлу́чно, — у неё же ведь бы́ло так мно́го э́тих несно́сных, све́тских обя́занностей, отноше́ний, — но всё же о́чень забо́тилась о Па́ке, — был бы Па́ка ве́сел, мил, любе́зен, не подходи́л к опа́сностям и к чужи́м нехоро́шим мальчи́шкам, зна́лся то́лько с детьми́ семе́й из их кру́га. И потому́ Па́ка почти́ постоя́нно был под надзо́ром. Уже́ и привы́к к э́тому, и не де́лал попы́ток освободи́ться. Да ещё он был так мал: ему́ шёл то́лько восьмо́й год.[1]

Иногда́ у́тром и́ли днём, когда́ ещё ма́ма спала́, и́ли уже́ не́ было её до́ма, гуверна́нтка и студе́нт находи́ли вдруг каки́е-то неотло́жные те́мы для разгово́ра наедине́. Вот в таки́е-то мину́ты Па́ка и остава́лся оди́н. Был тако́й ти́хий и послу́шный, что совсе́м не опаса́лись оставля́ть его́ одного́: никуда́ же не уйдёт, и уже́ наве́рное ничего́ не до́лжного не сде́лает. Ся́дет и займётся чем-нибудь. Очень удо́бный ма́льчик.

Па́ка, не развлека́емый свои́ми наста́вниками, стал заду́мываться и сра́внивать. Бес сравне́ния — бес о́чень ме́лкий, но оди́н из са́мых опа́сных. Не вя́жется к си́льным, — там ему́ не бу́дет поживы, —

IN BONDAGE
Feodor Sologub

I

Paka sat in the tall summerhouse by the fence of their villa and gazed into the fields. He happened to have been left alone. And this did not happen often. Paka had a governess; a tutor who taught him some elementary things; and Paka's mamma, too, although she did not spend all her time in the nursery—she had so many of those bothersome social obligations, relations—nevertheless took great care that Paka should be gay, pleasant, amiable, did not go near danger or strange bad little boys, but associated only with children from families of their own circle. And therefore Paka was almost constantly under supervision. Already he was used to it and made no attempt to set himself free. And then, he was still so small: he was in his eighth year only.

Sometimes in the morning or afternoon, while his mamma was still asleep, or had already gone out, the governess and the tutor suddenly found some urgent subjects for conversation in private. It was on such occasions that Paka was left alone. He was so quiet and obedient that they were not in the least afraid of leaving him alone: he would never wander away and certainly never do anything he was not supposed to do. Just sat and busied himself with something. A very convenient boy.

Paka, not distracted by his mentors, began to think and to compare. The demon of comparison is a very petty demon but one of the most dangerous. He does not attach himself to the strong—there is not much to be gained from а маленьких любит соблазнять. И соблазны его для маленьких и слабых неотразимы.

Сегодня, в знойный летний день, Пака почувствовал новую для него досаду. Новые желания томили его. Знал, что эти желания неисполнимы. Чувствовал себя несчастным и обиженным.

Хотелось уйти из этого чинного дома в широкое вольное поле, и там играть с ребятишками. Быть на реке, войти в воду.

Вон там, внизу, у речки какие-то мальчики, — ловят рыбу, кричат что-то радостное. Право, лучше им живётся, чем Паке. И почему доля его столь отлична от доли этих вольных и весёлых детей? Неужели милая мама хочет, чтобы он здесь тосковал и печалился? Не может этого быть.

Горячее солнце обдавало его зноем, и туманило мысли. Странные мечты роились в Пакиной голове...

Милая мама далеко, далеко, в иной стране. Пака в плену. Он принц, лишённый наследства. Злой волшебник отнял его корону, воцарился в его королевстве, а Паку заточил под надзор чародейки. И злая фея приняла образ его милой мамочки.

Странно, как Пака раньше не догадался и не понял, что это не мама, а злая фея. Разве такая была его милая мама прежде, в счастливые годы, когда жили они в замке гордых предков?

Далеко, далеко!

Грустные Пакины глаза тоскливо смотрели на дорогу.

Мимо проходили мальчики. Их было трое. Те самые, что были сейчас на речке. Один был в белой блузе, другие два в синих матросках и в коротких панталонах. За плечьми[2] у них виднелись теперь луки и колчаны с стрелами.

Счастливые мальчики! — подумал Пака. — Сильные, смелые. Ноги у них босые, загорелые. Должно быть, они простые мальчики. Но, всё-таки, счастливые. Уж лучше быть простым мальчиком на воле, чем принцем в плену.

them; but he likes to seduce the little ones. And his seductions are, for the little and weak ones, irresistible.

Today, on this blazing summer day, Paka experienced an annoyance new to him. New longings tormented him. He knew that these longings could not come true. He felt unhappy and injured.

He wanted to go away from this prim house into the wide, free fields, and play there with other children. To be by the river, to go into the water.

There, below, by the river, some boys are fishing, shouting something joyous. Really, their life is better than Paka's. And why should his lot be so different from the lot of these carefree, gay children? Can his dear mamma really want him to pine away here and be sad? That cannot be.

The hot sun scorched him, and misted over his thoughts. Strange dreams swarmed in Paka's head. . . .

His dear mamma is far, far away, in another land. Paka is in bondage. He is a prince, deprived of his inheritance. An evil magician seized his crown, came to rule in his kingdom and imprisoned Paka under the guard of a sorceress. And this wicked fairy took the shape of his darling mamma.

Strange that Paka had not guessed and understood earlier that this was not his mamma but a wicked fairy. Was his mamma like that before, in those happy years when they lived in the castle of their proud forebears?

Far, far away!

Paka's sad eyes looked longingly at the road.

Some boys were walking past. There were three of them. Those very boys who had just been by the river. One was wearing a white smock, the two others, blue sailor blouses and shorts. Over their shoulders could be seen bows and quivers with arrows.

"Lucky boys!" thought Paka. "Strong, bold. Their legs are bare, sunburned. They must be common boys. But all the same, lucky. It's better to be a common boy and free than a prince in bondage."

Но вот Пáка увидел у стáршего на фурáжке гимназический значóк,[3] и удивился.

Мáльчики подходили близко. Пáка рóбко сказáл им:

— Здрáвствуйте.

Мáльчики пóдняли на негó глазá и рассмеялись чему́-то. Стáрший из них, котóрый был со значкóм и в бéлой блýзе, сказáл:

— Здрáвствуй, комáр, как поживáешь?

Пáка улыбнýлся легóнечко, и сказáл:

— Я не комáр.

— А кто же ты? — спросил гимназист.

— Я — плéнный принц, — довéрчиво признáлся Пáка.

Мальчугáны с удивлéнием устáвились на Пáку.

— Зачéм вы так вооружены́? — спросил Пáка.

— Мы — вóльные охóтники, — с гóрдостью сказáл вторóй из мáльчиков.

— Краснокóжие? — спросил Пáка.

— А ты откýда это узнáл? — с удивлéнием спросил сáмый мáленький из босы́х мальчугáнов.

Пáка улыбнýлся.

— Да уж так, — сказáл он. — У вас и отéц — краснокóжий?

— Нет, у нас отéц — капитáн, — отвéтил стáрший.

— Плохие же вы краснокóжие. А как вас зовýт? — продолжáл спрáшивать Пáка с любéзностью благовоспитанного мáльчика, привы́кшего поддéрживать разговóр.

— Я — Лёвка, — сказáл гимназист, — а это мой брáтья Антóшка и Лёшка.[4]

— А я — Пáка, — сказáл плéнник, и протянýл брáтьям вниз рýку, мáленькую и бéленькую.

Они пожáли егó рýку и опять засмеялись.

— Вы что же всё смеётесь? — спросил Пáка.

— А то рáзве плáкать? — отвéтил вопрóсом Антóшка.

But here Paka saw a school badge on the eldest boy's cap, and was surprised.

The boys came near. Paka timidly said to them:

"Hello!"

The boys raised their eyes at him and laughed at something. The oldest of them, the one with the school badge and in the white smock, said:

"Hello, mosquito, how are you?"

Paka smiled ever so lightly and said:

"I am not a mosquito."

"Who are you then?" asked the schoolboy.

"I am a captive prince," trustfully admitted Paka.

The boys stared at Paka in astonishment.

"Why are you armed like that?" asked Paka.

"We are free hunters," proudly said the second of the boys.

"Redskins?" asked Paka.

"How did you know?" asked the smallest of the barefoot boys with surprise.

Paka smiled.

"Just so," he said. "Your father is also a redskin?"

"No, our father is a captain," answered the eldest.

"What kind of redskins are you then? And what are your names?" continued Paka with the amiability of a well-bred boy used to keeping a conversation going.

"I am Lyovka," said the schoolboy, "and these are my brothers Antoshka and Lyoshka."

"And I am Paka," said the captive, and reached his hand, small and white, down to the brothers.

They shook his hand and again laughed.

"Why do you laugh all the time?" asked Paka.

"Why, must we cry?" Antoshka asked back.

— А что э́то зна́чит — Па́ка? что за и́мя? — спроси́л ма́ленький Лёшка.

— Я — принц, — повтори́л Па́ка, — е́сли бы я был просто́й ма́льчик, то меня́ зва́ли бы Па́влом.[5]

— Вот оно́ что! — протяну́л Лёшка.

Ма́льчики замолча́ли и гляде́ли друг на дру́га. Па́ка рассма́тривал их с любопы́тством и за́вистью.

Лёвка — ма́льчик лет двена́дцати, рыжева́тый, ко́ротко остри́женный, с весёлыми и до́брыми глаза́ми и мя́гкими губа́ми. Лицо́ кое-где́ в весну́шках. Нос широкова́тый и слегка́ вздёрнутый. Ми́лый ма́лый. Анто́шка лет десяти́ и Лёшка лет девяти́ повторя́ли ста́ршего бра́та дово́льно бли́зко, то́лько бы́ли ещё понежне́е и подобре́е на вид. Анто́шка, улыба́ясь, лего́нечко щу́рился и смотре́л о́чень внима́тельно на собесе́дника. У Лёшки глаза́ бы́ли широко́ откры́тые, с привы́чным выраже́нием удивле́ния и любопы́тства. Все они́ стара́лись каза́ться молодца́ми, и для того́ ле́том постоя́нно ходи́ли босы́е, устро́или в лесу́ нору́, и там вари́ли и пекли́ себе́ пи́щу.

Па́ка вздохну́л лего́нечко, и тихо́нько сказа́л:

— Счастли́вые вы. Хо́дите на свобо́де. А я-то сижу́ в плену́.

— Как же ты в плен попа́л? — спроси́л Лёшка, любопы́тными и широ́кими глаза́ми гля́дя на Па́ку.

— Да уж и сам не зна́ю, — отвеча́л Па́ка. — Мы ра́ньше с ма́мочкой жи́ли в за́мке. Бы́ло о́чень ве́село. Но зла́я фе́я, на́ша да́льняя ро́дственница, рассерди́лась на ма́мочку за то, что ма́мочка не пригласи́ла её на мой крести́ны, — и вот одна́жды но́чью унесла́ меня́ на ковре́-самолёте, когда́ я спал, и пото́м сама́ оберну́лась ма́мочкой. Но она́ не ма́мочка. А я в плену́.

— Ишь ты, кака́я зла́я ве́дьма, — сказа́л Анто́шка. — Она́ тебя́ бьёт?

Па́ка покрасне́л.

— О, нет, — сказа́л он, — как мо́жно! И она́ не ве́дьма, а зла́я фе́я. Но то́лько она́ о́чень воспи-

"But what does it mean—Paka? What kind of a name is it?" asked little Lyoshka.

"I am a prince," repeated Paka. "If I were a common boy I'd be called Pavel."

"That's how it is," drawled Lyoshka.

They fell silent and looked at one another. Paka examined them with curiosity and envy.

Lyovka was a boy of twelve or so, with close-cropped reddish hair, gay, kind eyes, and soft lips. His face was freckled here and there. His nose broadish and slightly upturned. A nice fellow. Antoshka, about ten, and Lyoshka, about nine, were rather close replicas of their elder brother, but looked even more gentle and kind. Antoshka, smiling, his eyes screwed up just a little, looked very attentively at Paka. Lyoshka's eyes were wide open, with an habitual expression of surprise and curiosity. They all tried to look like fine lads; and to this end they went barefoot throughout summer, fixed up a lair in the forest, and there cooked and roasted food for themselves.

Paka sighed ever so lightly and said softly:

"You're lucky. You go about free. And I live in bondage."

"How did you fall into bondage?" asked Lyoshka, inquisitive, wide open eyes staring at Paka.

"Well, I don't myself know," replied Paka. "Mamma and I used to live in a castle. It was very jolly. But a wicked fairy, a distant relative of ours, got cross with Mamma because Mamma hadn't invited her to my christening—and one night whisked me away on a magic carpet while I was asleep, and then pretended she was my mamma. But she is not my mamma. And I am in bondage."

"Phew, what an evil witch!" said Antoshka. "Does she beat you?"

Paka blushed.

"Oh no," he said. "How could she! And she is not a witch but a wicked fairy. But she is a very well-bred fairy,

танная фея и никогда не забывается. Нет, меня
не бьют, — как можно! — повторил Пака, вздра-
гивая худенькими плечиками при мысли о том, что
его могли бы побить. — Но только меня стерегут,
mademoiselle[6] и студент.

— Аргусы?[7] — спросил Лёвка.

— Да, аргусы, — повторил Пака. — Два аргуса,
— повторил он ещё раз, улыбаясь, потому что ему
понравилось это слово, и он мог теперь объединить
им и mademoiselle и студента.

— И не пускают никогда в поле? — спросил
Лёшка, и с горестным сочувствием смотрел на Паку.

— Нет, одного не пускают, — сказал Пака.

— А ты бы сам вырвался, да и махни-драла,[8] —
посоветовал Антошка.

— Нет, — сказал Пака, — нельзя мне махни-драла, — аргусы сейчас увидят и воротят.

— Плохо твоё дело, — молвил Лёвка. — Да мы
тебя освободим.

— О! — с недоверием и восторгом воскликнул
Пака, складывая молитвенно руки.

— Ей Богу, освободим, — повторил Антошка.

— А пока прощай, нам некогда, — сказал Лёвка.

И мальчики простились с Пакой, и ушли, — побежали, быстро-быстро, по узкой дорожке, — скры-
лись за кустами. Пака смотрел за ними, и неясные
надежды волновали его, и мечты о далёкой мамочке, которая ищет Паку и не может найти, и плачет
неутешно, потому что нет с нею милого Пакочки.

II

Братья, уходя, говорили о Паке.

— Посмотреть бы на эту злую фею, — сказал
Лёшка, — какая она такая.

— Фея! Просто ведьма, — поправил Антошка.

— Конечно, ведьма, — подтвердил и Лёвка.

— Как же его освободить? — спросил Лёшка.

and never forgets herself. No, they don't beat me—how could they!" repeated Paka, his skinny little shoulders wriggling at the very thought that they could beat him. "But they keep watch on me, mademoiselle and the tutor."

"Arguses?" asked Lyovka.

"Yes, Arguses," repeated Paka. "Two Arguses," he repeated once more, smiling because he liked the word and he could now use it to couple mademoiselle and the tutor.

"And they never let you out into the fields?" asked Lyoshka, looking at Paka with commiseration.

"No, not alone," said Paka.

"You should tear loose and beat it," advised Antoshka.

"No," said Paka. "I may not beat it; the Arguses will see right away and bring me back."

"Tough deal," remarked Lyovka. "But we'll set you free."

"Oh!" with incredulity and delight exclaimed Paka, folding his hands beseechingly.

"Honestly, we'll set you free," repeated Antoshka.

"And in the meantime good-bye, we have no time," said Lyovka.

And the boys said good-bye to Paka and went away. They ran quickly, quickly down the narrow path, disappeared behind the bushes. Paka stared after them, and vague hopes agitated him, and dreams of his far-away mamma who was looking for Paka and could not find him and was weeping inconsolably because her darling Pakochka was not with her.

II

The brothers, on the way, talked about Paka.

"I'd like to take a look at that wicked fairy," said Lyoshka. "See what she's like."

"Fairy! Just a witch," corrected Antoshka.

"Of course she is a witch," confirmed Lyovka.

"How can we set him free?" asked Lyoshka.

Ма́ленькому любопы́тному Лёшке весь мир представля́лся с вопроси́тельной стороны́.[9] Лёшка обо всём любопы́тствовал, ко всем пристава́л с вопро́сами, и вся́кому отве́ту простоду́шно ве́рил. Анто́шка люби́л фантази́ровать и сочиня́ть бо́лее и́ли ме́нее сме́лые прое́кты. А Лёвка, как ста́рший, одобря́л и́ли отверга́л э́ти предположе́ния, и бра́тья беспрекосло́вно подчиня́лись его́ реше́ниям.

Анто́шка сказа́л:

— Про́тив ве́дьмы сло́во на́до знать.

— А како́е сло́во? — бы́стро спроси́л Лёшка.

Ма́льчики призаду́мались, и не́сколько мину́т шага́ли мо́лча. Вдруг Анто́шка кри́кнул:

— А я зна́ю.

— Ну? — спроси́л Лёвка, и недове́рчиво гля́нул на Анто́шку.

Анто́шка, слегка́ смуща́ясь под уста́вленными на него́ взо́рами обо́их бра́тьев, сказа́л:

— Я ду́маю, мужики́ э́то сло́во зна́ют. У них в деревня́х мно́го колдуно́в. И они́ все, дереве́нские мужики́ и ба́бы, друг на дру́га ча́сто се́рдятся, по́ртят оди́н друго́го, а чтобы их сами́х по́рча не брала́, так они́ о́чень ча́сто таки́е слова́ непоня́тные говоря́т, — про мать вспо́мнит, и тако́е сло́во произнесёт.[10]

Лёвка поду́мал немно́го, и сказа́л:

— Пожа́луй, что и так. Это у них крыла́тые слова́.

III

На друго́е у́тро три ма́льчика, возя́сь у ре́чки, всё посма́тривали на забо́р Па́киной да́чи. Когда́ белоку́рая Па́кина голова́ показа́лась над забо́ром, — и ви́дно бы́ло, что ма́льчик опя́ть оди́н на свое́й вы́шке, — мальчуга́ны забра́ли у́дочки, и побежа́ли вверх по доро́жке.

— Здра́вствуй, пле́нник, — сказа́л Лёшка.

— Пле́нный принц, — попра́вил Анто́шка.

To little inquisitive Lyoshka the whole world appeared as a huge question mark. Lyoshka was inquisitive about everything, pestered everybody with questions, and artlessly believed every answer. Antoshka was fond of daydreaming and thinking up more or less bold undertakings. And Lyovka, being the eldest, approved or rejected those suggestions, and the brothers unquestioningly accepted his decisions.

Antoshka said:

"Against a witch you must know the right word."

"But what word?" quickly asked Lyoshka.

The boys became thoughtful and for several minutes strode along in silence. Suddenly Antoshka shouted:

"I know!"

"Well?" asked Lyovka, glancing doubtingly at Antoshka.

Antoshka, somewhat taken aback by the fixed stares of his two brothers, said:

"I think the peasants know such a word. They have many wizards in the villages. All of them, the village men and women, often get mad at one another, hoodoo each other, and to protect their own selves from hoodoo they often say some strange words—they'll mention something about mother and then use this word."

Lyovka thought for a while and said:

"Perhaps that's it. Those are their winged words."

Next morning the three boys, while playing by the river, kept glancing now and then at the fence of Paka's villa. When Paka's flaxen head appeared above the fence, and it could be seen that the boy was again alone at his vantage post, the boys collected their fishing rods and ran up the path.

"Hello, captive!" said Lyoshka.

"Captive prince," corrected Antoshka.

III

— Принц Пака, маленький зевака,[11] — сказал Лёвка.

Пака, сдержанно улыбаясь, пожимал их руки.

— Отчего же вы, краснокожие охотники, не наденете мокасины? — спросил он.

Мальчики засмеялись. Антошка сказал:

— А эти скороходы чем не хороши? Из собственной кожи. У нас на даче такое правило есть, чтобы диваны сапогами не пачкать, — так вот мы сапог и не надеваем.

— А мне бы не пройти босиком по песку, — сказал Пака.

— Где тебе! — молвил Лёвка. — У тебя скорлупа тоньше папиросной бумаги. Да мы к тебе по делу зашли. Мы хотим тебя освободить от злой феи. Понимаешь, разворожить. Ты скажи, когда это удобнее сделать.

Пака недоверчиво улыбнулся. Вчера, после первой радости надежд, когда вернулись к нему mademoiselle и студент, и потом мама — злая фея, и весь домашний обиход надвинулся с его несокрушимым порядком, замок злой феи показался пленённому Паке таким прочным, таким незыблемым, что сердце его тоскливо сжалось, и милая радостная надежда побледнела и тихо растаяла, как туман над ободнявшею долиною. И он сказал братьям:

— Да вы не сумеете.

— Нет, сумеем, — горячо ответил Лёшка.

И Лёвка рассказал:

— Мы такие слова выучили. Нарочно в деревню сходили, самого старого колдуна отыскали, заплатили ему за науку, и твёрдо выучили все слова, какие надо говорить.

— А какие это слова? — спросил Пака.

Лёвка свистнул. Антошка сказал:

— Тебе ещё нельзя такие слова знать.

— Ты ещё мал для этого, — сказал Лёшка.

Лёвка сказал Паке:

"Prince Paka, little sucker," said Lyovka.

Paka, with a reserved smile, shook their hands.

"Why don't you redskin hunters put on your moccasins?" he asked.

The boys laughed. Antoshka said:

"What's wrong with these runners? Made from our own hide. There is a rule in our summer house not to dirty the sofas with boots, so we don't wear any."

"I couldn't walk barefoot on sand," said Paka.

"Not you!" remarked Lyovka. "You have a shell thinner than tissue paper. But we've come to you on business. We want to set you free from the wicked fairy. You know, countercharm you. You tell us what would be the best time for it."

Paka smiled incredulously. Yesterday, after the first joy of hope, when mademoiselle and the tutor returned to him, and then Mamma, the wicked fairy, and the whole domestic routine closed in on him with its irrevocable order, the castle of the wicked fairy appeared to the captive Paka so stable, so unshakable, that his heart constricted with anguish, and the dear joyous hope paled and quietly melted away like early morning mist over a valley. And he said to the brothers:

"But you won't be able to."

"Yes, we will," heatedly replied Lyoshka.

And Lyovka told him:

"We've learned such special words. We went to the village on purpose and found the very oldest wizard, paid him for teaching us and learned by heart all the words one has to say."

"What are those words?" asked Paka.

Lyovka whistled. Antoshka said:

"You aren't supposed to know such words, yet."

"You are still too small for that," said Lyoshka.

Lyovka said to Paka:

— Ты нам расскажи́, когда́ твоя́ ве́дьма бу́дет до́ма, — ну, понима́ешь, э́та фе́я, у кото́рой ты в плену́, — попра́вился он, заме́тив недово́льную при сло́ве ве́дьма грима́су на Па́кином лице́. — Мы подойдём под окно́ — продолжа́л Лёвка, — и ска́жем крыла́тые слова́, — и сейча́с всё колдовство́ пропадёт, и ты освободи́шься.

— И ма́ма вернётся? — спроси́л Па́ка.

— Ну, уж там ви́дно бу́дет, — отве́тил Лёвка. — Коне́чно, е́сли всё её колдовство́ пропадёт, то зна́чит, ты опя́ть бу́дешь там, где она́ тебя́ взяла́.

Па́ка помолча́л, и сказа́л:

— Мы обе́даем в семь часо́в.

И ему́ ста́ло вдруг жу́тко, — и стра́шно, и ра́достно.

— Так в семь часо́в приходи́ть? — спроси́л Лёшка.

— Нет, — сказа́л Па́ка, лука́во и засте́нчиво улыба́ясь, — лу́чше попо́зже, часо́в в во́семь, вообще́ по́сле сла́дкого, а то у ма́мы, мо́жет быть, обе́д уже́ съе́ден бу́дет, так я без сла́дкого оста́нусь.

Бо́сые мальчуга́ны засмея́лись.

— Эх ты, принц Па́шка-лиза́шка,[12] — сказа́л Анто́шка, — сла́денькое лю́бишь.

— Люблю́, — призна́лся Па́ка.

Ма́льчики распроща́лись и ушли́.

IV

У себя́ до́ма, — не на да́че до́ма, а в их со́бственном помеще́нии в лесу́, в овра́ге, в норе́ под корня́ми сва́ленного бу́рею де́рева, — до́ма они́ совеща́лись, как испо́лнить замы́шленное предприя́тие. Откла́дывать не́ было никако́го смы́сла, — реши́ли сде́лать э́то сего́дня же.

Анто́шка приду́мал, что для бо́льшей кре́пости на́до слова́ не то́лько сказа́ть, но и написа́ть на стре́лах и пусти́ть э́ти стре́лы в о́кна ве́дьминой да́чи.

"You tell us when your witch will be at home—well, you know, that fairy who holds you in bondage," he corrected himself, noticing Paka's displeased mien at the mention of the word "witch." "We'll go up under the window," continued Lyovka, "and will say those winged words, and immediately the spell will vanish and you'll be set free."

"And Mamma will come back?" asked Paka.

"Well, we'll see about that later," replied Lyovka. "Of course, if all her spell vanishes that means you will again be back where she took you from."

Paka was silent a moment and said:

"We have dinner at seven o'clock."

And suddenly he felt eerie, both frightened and joyous.

"Then shall we come at seven?" asked Lyoshka.

"No," said Paka, slyly and shyly smiling. "Better later, about eight, anyhow after dessert, otherwise at my Mamma's the dinner might already be over, and then I shall be left without any dessert."

The barefoot boys laughed.

"Oh you, prince Paka-sweetsucker," said Antoshka. "You're fond of sweets."

"I am," Paka admitted.

The boys said good-bye and left.

IV

At their home, not at home in the villa, but in their own special abode in the woods, in a ravine, in a lair under the roots of a storm-felled tree—at home they conferred on how to carry out their undertaking. There was no point in putting it off: they decided to do it that very day.

Antoshka's idea was that, to make the words more effective, they should not only be said but written on the arrows, and those arrows shot into the windows of the witch's villa.

Лёвка распределил роли:

— Мы подкрадёмся под окна и будем ждать. Когда будет видно, что Пака съел своё сладкое, мы и закричим.

— Все сразу? — спросил Лёшка.

— Нет, зачем, — надо, чтобы они все хорошенько их разобрали. Сначала я скажу в прошедшем времени, потому что я уже был таким малышом, как вы. Потом ты, Антошка, крикнешь настоящее время, — ты теперь малыш, а потом и ты, Лёшка, кричи будущее время, — ты ещё будешь таким большим, как я. И эти же слова каждый из нас на своей стреле напишет.

— Стрелы надо чёрные сделать, — сказал Антошка.

— Само собою, — согласился Лёвка.

— Писать своею кровью, — продолжал Антошка.

Лёвка и это одобрил.

— Ну, понятно, — сказал он. — Не чернилами же такие слова писать.

V

Пака очень волновался. Вся его судьба переменится в этот день. Он вернётся к мамочке. Какая мамочка? Злая фея приняла вид мамочки. Значит, мамочка такая же. Только добрая, добрая, всё будет играть со своим мальчиком, а когда мальчик захочет к речке, то будет пускать его к другим весёлым, загорелым мальчуганам.

Но только Пака должен был сознаться, что злая фея, хотя и злая, всё же была с ним всегда любезна. Держала в плену, но, видно, помнила, что он принц. Даже иногда целовала и ласкала его. Должно быть, привыкла к нему. Когда Пака освободится от неё, злая фея очень рассердится. Или опечалится? Может быть, будет скучать о Паке? Плакать?

Lyovka assigned the roles:

"We'll steal up to the windows and wait. When we see that Paka has eaten his dessert we'll shout."

"All at once?" asked Lyoshka.

"Why, no. It's important that everyone should make them out clearly. First, I'll say it in the past tense, because once upon a time I was a little squirt just like you. Then you, Antoshka, will shout out the present tense—you're a little squirt now. And then you, Lyoshka, shout the future—you'll some day be as big as me. And each of us will write the same words on his arrow."

"The arrows must be black," said Antoshka.

"Goes without saying," Lyovka agreed.

"Write in our own blood," continued Antoshka.

Lyovka approved that, too.

"Well, naturally," he said. "You can't write such words with just ink."

V

Paka was very excited. His whole fate will be changed today. He will return to his mamma. What is his mamma like? The wicked fairy has assumed his mamma's shape. That means his mamma is just like her. Only kind, kind; and all the time she will play with her boy, and when he wants to go to the river she'll let him be with other gay, sunburned boys.

But Paka had to admit that the wicked fairy, even though wicked, had always been amiable with him. Kept him in bondage, but apparently remembered that he was a prince. Sometimes even kissed and caressed him. Must have got used to him. When Paka is set free from her, she will be very angry. Or sad? Maybe she will miss Paka? Will cry?

Па́ке ста́ло тоскли́во. Нельзя́ ли устро́ить де́ло ми́ром? — чтобы зла́я фе́я помири́лась с ма́мочкою, отказа́лась бы от своего́ колдовства́, — и тогда́ она́ могла́ бы да́же вме́сте с ни́ми жить. На́до поговори́ть со зло́ю фе́ею, предупреди́ть её, — мо́жет быть, она́ и сама́ раска́ется.

И когда́ студе́нт, ко́нчив с ним зада́чу, позва́л его́ в сад, Па́ка заяви́л, что ему́ на́до итти́ к ма́ме. И отпра́вился — к злой фе́е.

Зла́я фе́я была́ одна́. Она́ ждала́ госте́й к обе́ду, лежа́ла на о́чень краси́вом и о́чень мя́гком ло́же, и чита́ла кни́жку в жёлтой обло́жке. Она́ была́ молода́я, краси́вая. Тёмные во́лосы, то́мные движе́ния. Жгу́чий взор чёрных глаз. По́лные, полуоткры́тые, о́чень краси́вые ру́ки. Оде́та всегда́ к лицу́.

— А, ма́ленький, — сказа́ла она́, неохо́тно отрыва́ясь от кни́жки. — Что тебе́?

Па́ка поцелова́л её ру́ку, посмотре́л на неё нереши́тельно, и мо́лвил:

— Мне на́до с ва́ми поговори́ть.[13]

Зла́я фе́я засмея́лась.

— Поговори́ть с на́ми? — переспроси́ла она́. — С кем э́то с на́ми?

Па́ка покрасне́л.

— Ну, с тобо́ю. Мне о́чень на́до.

Смея́сь, щу́ря блестя́щие глаза́ и закрыва́я смею́щийся рот кни́жкою, зла́я фе́я сказа́ла:

— Сади́сь и поговори́, ма́ленький. А что ты сейча́с де́лал?

— Мы с ним реша́ли зада́чу, — отве́тил Па́ка.

— А, с ним!

Зла́я фе́я хоте́ла сказа́ть, что так неве́жливо, что на́до назва́ть студе́нта по и́мени, — но уже́ ей ста́ло ску́чно, и она́ сказа́ла:

— Ну, Па́ка, говори́, что тебе́ на́до.

Па́ка си́льно покрасне́л и, не́рвно пола́мывая па́льцы, сказа́л:

— Я всё зна́ю.

Paka felt dispirited. Couldn't this be settled amicably?—so that the wicked fairy would make peace with his mamma, renounce her spell? Then she could even live together with them. He must have a talk with the wicked fairy, warn her—perhaps she will repent of her own accord.

And when the tutor, having finished working a sum with him, called him into the garden, Paka announced that he had to go to his mamma. And he went to the wicked fairy.

The wicked fairy was alone. She was expecting guests for dinner, and lay on a very beautiful and very soft couch, reading a book in a yellow wrapper. She was young, beautiful. Dark hair, languid movements. Burning dark eyes. Plump, half-bared, very beautiful arms. Always dressed becomingly.

"Ah, my little one," she said, reluctantly relinquishing her book. "What is it you want?"

Paka kissed her hand, looked at her hesitatingly, and said:

"Thee?" she asked. *"Who is this thee?"*

The wicked fairy laughed.

"Thee?" she asked. *"Who is this thee?"*

Paka blushed.

"Well, with you. I really must."

Laughing, squinting her brilliant eyes, and covering her laughing mouth with the book, the wicked fairy said:

"Sit down and talk ahead, my little one. What have you been doing just now, by the way?"

"We've been working out a sum with him," replied Paka.

"Ah, with him!"

The wicked fairy was about to say that it was impolite, that the tutor should be referred to by name; but she was bored already, and she said:

"Well, Paka, say what you have to say."

Paka went red and, nervously cracking his fingers, said:

"I know everything."

Злая фея весело и неудержимо-звонко засмеялась.

— О, неужели! — воскликнула она. — Уже так рано, и всё знаешь. Ты, Пака, феномен, если это правда.

— Нет, мама, — кротко возразил Пака, — я не феномен, я только принц, взятый вами в плен.

— О! — воскликнула злая фея, перестала смеяться, и с удивлением смотрела на Паку. — У нас фантазии! — с удивлением сказала она.

Пака так же кротко продолжал:

— Я ещё знаю, милая фея, что вы не мама, а злая фея. Вы очень любезная особа, но, пожалуйста, не сердитесь, я всё-таки знаю, что вы злая фея.

— Боже мой! — воскликнула злая фея, — от кого ты наслушался таких чудесных сказок? Подй сюда поближе, маленький.

Пака опасливо приблизился, и злая фея пощупала его голову, руки.

— Ты не болен? — спросила она.

— Нет, милая фея, — ласково сказал Пака, целуя маленькие, белые и нежные руки злой феи, — но, пожалуйста, отпустите меня на волю.

— На волю? — переспросила фея.

— Да, — продолжал Пака, — я хочу махни-драла к речке.

— О! махни-драла! — в ужасе повторила фея. — Ради Бога, Пака, разве можно такие слова говорить!

Но Пака, не слушая, продолжал:

— С мальчиками поиграть. Там есть славные мальчуганы. Но только, пожалуйста, без аргусов.

— Без аргусов? — переспросила злая фея, и опять засмеялась. — О, маленький фантазёр! Нам дали слишком много волшебных сказок, маленький Пака, и у нас в голове всё перемешалось. Но аргу-

The wicked fairy burst into a gay, irrepressibly ringing laugh.

"Oh really!" she exclaimed. "So young, and you know everything. If that's true, you're a phenomenon, Paka."

"No, mamma," meekly retorted Paka. "I'm not a phenomenon, I'm only a prince taken into bondage by you."

"Oh!" exclaimed the wicked fairy, stopping laughing, and looked at Paka in surprise. "We have fancies!" she said, surprised.

Paka went on just as meekly.

"I also know, dear fairy, that you are not Mamma, but a wicked fairy. You're a very amiable person, but please, don't be cross, I know all the same that you are a wicked fairy."

"My goodness!" exclaimed the wicked fairy. "From whom did you pick up such wonderful fairy tales? Come closer, my dear little one."

Paka approached warily, and the wicked fairy felt his head, his hands.

"You aren't ill?" she asked.

"No, dear fairy," affectionately said Paka, kissing the little white, tender hands of the wicked fairy. "But please, set me free."

"Free?" asked the fairy.

"Yes," went on Paka. "I want to beat it to the river."

"Oh! To beat it!" repeated the fairy horrified. "For God's sake, Paka, how can you use such words!"

But Paka, not listening, went on:

"To play with the boys. There are some nice boys there. But only please, no Arguses."

"No Arguses?" asked the wicked fairy, and again laughed. "Oh, my little fancymonger! We have been given too many fairy tales, little Paka, and everything got

сы, — это, правда, мне нравится. Позови ко мне
своих аргусов, — это надо как-нибудь успокоить.

Пака вышел.

Хитрая! — думал он, — не сердится, но видно,
что не отпустит на волю. Много сказок дали читать!
А сама зачем постоянно читает такие длинные ска-
ки на французском языке в этих жёлтых книжках!
Видно, и в сказках не всё сказка, а есть и правда,
если и взрослые любят читать сказки.

VI

И вот уже был вечер, и начинало темнеть. Были
зажжены весёлые лампы, обед приближался к кон-
цу, к самому интересному месту, — подавали сладкое, — воздушный пирог с земляникою и сливками.
Были гости, мужчины и дамы, человек десять, но
так как всё это были или родственники, — Пакин
дядя с дочерьми, ещё другие кузины, — или соби-
рающиеся породниться, близкие и хорошие знако-
мые, то стол был накрыт по-семейному, и Пака сидел тут же, на конце стола против злой феи, между
своими аргусами.

Злая фея рассказала гостям про Пакочкины[14]
фантазии, и над Пакою и его аргусами подшучива-
ли. Пака улыбался: он знал, что он прав, и он любил
этот воздушный пирог. А вот аргусам было очень
неловко, и хотя они улыбались и даже иногда от-
шучивались, но у mademoiselle уши горели, а в голо-
се студента иногда звучали досадливые нотки. Перед обедом злая фея поговорила с ними очень мило
и весело о их недосмотре: Пакины фантазии, ужас-
ное выражение махни-драла, — откуда это? удивля-
лась злая фея. Она была очень любезна, но как-то
так вышло, что аргусы вышли от неё с ощущением
жестокого нагоняя.

И вот, едва Пака успел кончить своё сладкое, в
открытое окно столовой с лёгким шелестом и сви-
стом влетела и упала на белую скатерть чёрная де-

muddled in our head. But Arguses—that I do like. Call
your Arguses to me—this must be cleared up somehow."

Paka went out.

"Cunning!" he thought. "She's not cross, but I can see
that she won't set me free. Given too many tales to read!
But why does she herself read such long tales in French
all the time, in those yellow books? Apparently even in
fairy tales not everything is a fairy tale, but there is also
truth, if grown-ups, too, are fond of reading fairy tales."

VI

And now it was evening, and getting dark. Gay lamps
were lit, dinner was drawing to its close, to the most
interesting moment: dessert was being served, a straw-
berry soufflé with cream. There were guests, gentlemen
and ladies, about ten of them, but since all of them were
either relatives—Paka's uncle with his daughters, some
other cousins, or those about to become relatives, close
and good friends—the table was set family style, and
Paka sat here too, at the end of the table, opposite the
wicked fairy, between his Arguses.

The wicked fairy had told the guests about dear Paka's
fancies, and they were making fun of him and his Arguses.
Paka was smiling: he knew he was right, and he loved
that soufflé. As for the Arguses, they felt very uncomfortable, and although they smiled and sometimes even
joked back, mademoiselle's ears were tingling and in the
tutor's voice an occasional note of annoyance could be
heard. Before dinner the wicked fairy had had a very nice,
cheerful talk with them about their oversight: Paka's fancies, the horrid expression "beat it"—where was it from?
the wicked fairy had asked in surprise. She had been very
amiable, but it somehow happened that the Arguses came
out of her room with a feeling of having received a severe
dressing-down.

And now, when Paka had barely finished eating his
dessert, into the open dining-room window, with a light
rustle and whizz, flew a black wooden arrow with a faint

деревянная стрела, со слабо краснеющею на ней надписью. И в то же время за окном детский голос выкрикнул площадную брань.

«Началось!» подумал Пака.

Он вскочил, дрожа всем телом, и с боязливым нетерпением смотрел на злую фею. А злая фея, как и другие дамы и девицы, была испугана неожиданностью. Раздались восклицания обедающих, но прежде, чем кто-нибудь догадался подойти к окну, влетела вторая стрела, вонзилась в букет цветов на столе, и послышался другой детский голос, выкрикнувший гадость. Третья стрела попала в мундир студента, третий голос звонко выкрикнул безобразные слова, и потом в саду послышался смех, шелест удаляющихся шагов, крики прислуги, — кто-то убегал, кого-то догоняли.

И всё это взяло времени меньше минуты. Когда мужчины наконец бросились к окнам, то в лёгком полусвете вечерней зари уже за оградою сада увидели они проворно убегающих трёх мальчишек.

— Не догнать, — сказал Пакин дядя. — Вот вам наглядное объяснение выражения махни-драла.

И все смотрели на Паку. А он стоял, смотрел вокруг, и дивился. Всё осталось на месте, обманули его глупые мальчишки, не сумели освободить его из плена.

— Говорил я им, что не сумеют! — горестно воскликнул Пака, и залился горькими слезами.

Расспрашивали. Волновались. Смеялись. Было шумно, не то весело, не то досадно. Злая фея восклицала:

— Как это кстати, что мы на днях уедем! Какие невозможные мальчишки!

— Но их накажут! — успокаивал её Пакин дядя.

— О, какое мне дело! — говорила злая фея, и притворялась, что плачет. — Пака такой впечатлительный. Боже мой, два аргуса не досмотрели.

Плакала и смеялась. Смеялись и утешали. Паку увели. Пака плакал. Аргусы ворчали.

red inscription on it and fell on the white tablecloth. And at the same time, outside the window, a childish voice shouted out some obscene words.

"It's started!" thought Paka.

He jumped up, trembling all over, and with impatient apprehension watched the wicked fairy. And the wicked fairy, just like the other ladies and young girls, was frightened by the unexpected. Exclamations arose among the diners, but before anyone had thought of going to the window, a second arrow flew in, embedded itself in a bouquet of flowers on the table, and another childish voice was heard shouting out an obscenity. The third arrow hit the tutor's uniform coat, a third ringing voice shouted out hideous words, and then in the garden were heard laughter, the rustle of retreating footsteps, servants' shouts: someone was running away, someone was being pursued.

And all this took less than a minute. When the men at last dashed to the windows, in the faint half-light of the sunset they saw, already beyond the garden fence, three nimbly fleeing boys.

"You won't catch them," said Paka's uncle. "Here is a living illustration of the term 'beat it'."

And everyone looked at Paka. He stood glancing around and wondering. Everything remained in its place, the silly boys had deceived him, they had been unable to release him from bondage.

"I told them they wouldn't be able!" dolefully exclaimed Paka, and burst into bitter tears.

They questioned him. They fussed. They laughed. There was a great deal of hubbub, half from gaiety, half from annoyance. The wicked fairy exclaimed:

"How fortunate that we are leaving soon! What impossible boys!"

"But they will be punished," Paka's uncle comforted her.

"Oh, what do I care!" said the wicked fairy, pretending she was crying. "Paka is so impressionable. My goodness, the two Arguses were negligent."

She cried and laughed. They laughed and comforted her. Paka was led away. Paka cried. The Arguses grumbled.

Да, в Пакиной жизни бывали тяжёлые минуты. Это был скучный, противный вечер. Хорошо, что была потом ночь, и можно было заснуть.

VII

На утро босым мальчикам пришлось объясняться с отцом. Капитан хмуро смотрел на своих сыновей. Они стояли рядышком, плакали и каялись. Лёвка рассказывал:

— Мы ему поверили, что он пленный принц, и захотели его освободить от злой феи. Мы думали, что для этого надо сказать волшебные слова.

— Какие слова? — хмуро спросил капитан.

Он хмурился усиленно, чтобы не засмеяться.

— Крылатые слова, — сказал Лёвка, плаксиво растягивая окончания слов.

— Какие крылатые? — опять спросил капитан. — Ведь вы их знаете?

Лёвка молча кивнул головой.

— Ну, скажите, какие же это слова, — приказал капитан.

Мальчишки повторили. Капитан гневно покраснел.

— Вырастил дураков, — сердито проворчал он. — Не сметь вперёд говорить этого! Это гадость, — крикнул он на сыновей. — Откуда вы научились?

Лёвка рассказывал, рыдая:

— Мы думали, что мужики знают всякие крылатые слова, какие нужно. Мы и пошли в деревню. К самому старому пришли. Он пил водку, и произносил слова. Мы дали ему сорок копеек, больше не было. Он нас и научил этим словам. Мы просили ещё. А он сказал: — за сорок копеек многому не научишься. И то, говорит, против таких слов ни одна ведьма не устоит.

— Молодцы ребята, — сказал капитан. — И с такими-то словами вы под чужие окна пошли. Ах, вы, негодяи! Что мне теперь с вами делать?

Yes, in Paka's life there were some painful moments. This was a dull, unpleasant evening. A good thing that it was followed by the night and one could go to sleep.

VII

In the morning the barefoot boys had to have it out with their father. Frowning, the Captain looked at his sons. They stood in a row, crying and repenting. Lyovka was telling the story:

"We believed him, that he was a captive prince, and we wanted to set him free from the wicked fairy. We thought that for this we had to say magic words."

"What words?" frowning, asked the Captain.

He was frowning hard, in order not to burst out laughing.

"Winged words," said Lyovka, tearfully dragging out the last syllables.

"What kind of 'winged'?" again asked the Captain. "You know them, do you?"

Lyovka nodded silently.

"Well, tell me, what are those words?" ordered the Captain.

The boys repeated them. The Captain went red with wrath.

"Some fools I've reared!" angrily he grumbled. "Don't you dare use them in the future! They're foul," he shouted at his sons. "Where did you learn them?"

Lyovka told him, sobbing:

"We thought the peasants knew all sorts of winged words, such as we needed. So we went to the village. We came to the very oldest. He was drinking vodka and saying words. We gave him forty kopecks, it's all we had. So he taught us these words. We asked for more. But he said: for forty kopecks you can't learn a lot. As it is, he said, no witch can withstand those words."

"Good lads," said the Captain. "And with those words you went under other people's windows. Oh, you scamps! What am I to do with you now?"

VIII

Мальчуга́ны зна́ли, что Па́ку сего́дня у́тром увезу́т. Зла́я фе́я е́дет за-грани́цу, и везёт за собо́ю Па́ку с его́ а́ргусами. Ма́льчики вы́шли на полотно́ желе́зной доро́ги, там, где она́ подхо́дит к их овра́гу, и жда́ли. И вот от ста́нции показа́лся бы́стро приближа́ющийся по́езд.

Па́ка смотре́л в окно́ затума́ненными глаза́ми. Везу́т — и а́ргусы опя́ть с ним, и зла́я фе́я, — любе́зная, ла́сковая, но всё не ма́ма, а зла́я фе́я, и тот же всё плен!

И вдруг Па́ка уви́дел трёх босы́х ма́льчиков. Безу́мная, отча́янная наде́жда мелькну́ла в его́ душе́. Мо́жет быть, они́ узна́ли но́вые слова́? Настоя́щие? И вдруг соверши́тся ра́достное чу́до?

И Па́ка в восто́рге вы́сунулся из окна́, и замаха́л платко́м.

И мальчуга́ны ра́достно побежа́ли по отко́су пути́, бли́же к по́езду. Па́кин ваго́н подходи́л бы́стро. Лицо́ злой фе́и показа́лось над Па́киным лицо́м, равноду́шно-любе́зное лицо́ краси́вой да́мы, — и вдруг искази́лось выраже́нием жесто́кой трево́ги.

И в ра́достном ожида́нии мальчуга́ны, оди́н за други́м, прокрича́ли ещё но́вые, то́лько что разу́ченные и́ми крыла́тые слова́, и замаха́ли ша́пками.

— Опя́ть э́ти ужа́сные ма́льчики! — воскли́кнула зла́я фе́я. — Па́ка, не смотри́ пока́, ма́ленький, в окно́.

Но уже́ всё равно́, по́езд промча́лся ми́мо мальчуга́нов, — и они́ опя́ть оста́лись бесси́льные, разочаро́ванные в их стра́стном ожида́нии ра́достного собы́тия.

— Увезла́! прокля́тая ве́дьма! — го́рестно кри́кнул Анто́шка.

Мальчуга́ны повали́лись в траву́, и го́рько пла́кали.

VIII

The boys knew that Paka was to be taken away that morning. The wicked fairy was going abroad and taking with her Paka and his Arguses. The boys went out to the railway track where it passed near their ravine, and waited. And lo, from the station appeared the fast-approaching train.

Paka was looking out the window with misted eyes. They were taking him away; and the Arguses were again with him; and the wicked fairy—amiable, affectionate, but still not Mamma but a wicked fairy; and it was still the same bondage.

And suddenly Paka saw the three barefoot boys. A mad, desperate hope flashed through his mind. Maybe they had discovered some new words? The real ones? And suddenly a joyful miracle would be performed?

And in rapture Paka leant out of the window and waved his handkerchief.

And the boys joyously ran along the embankment, closer to the train. Paka's carriage was drawing nearer quickly. The face of the wicked fairy appeared above Paka's face, the indifferently amiable face of a beautiful lady, and suddenly it was distorted by an expression of cruel alarm.

And in joyous expectation the boys, one after the other, shouted some new winged words, only just memorized, and waved their caps.

"Again those awful boys!" exclaimed the wicked fairy. "Paka, my little one, don't look out of the window just now."

But it no longer mattered, the train had whisked past the boys—and again they were left helpless, disappointed in their passionate expectation of the joyous event.

"She took him away! The damned witch!" ruefully shouted Antoshka.

The boys fell on the grass and wept bitterly.

И в бы́стро улета́ющем ваго́не Па́ка пла́кал, зла́я фе́я смея́лась, а́ргусы стара́лись развле́чь Па́ку чём-нибудь.

Бесси́льные, бе́дные слова́! Нерасторжи́мый плен! Го́рькие де́тские слёзы!

Глу́пые, бе́дные, — о, е́сли бы зна́ли! Фе́я, похища́ющая на ковре́-самолёте спя́щих дете́й, как про́чно, неруши́мо её влады́чество! и никому́ не дано́ сорва́ть с неё личи́ны. И а́ргусы ничего́ не ви́дят, но не вы́пустят из огра́ды. И не уйти́ из пле́на. И во́льные охо́тники напра́сно и́щут му́дрых и зна́ющих.

Всё на ме́сте, всё ско́вано, звено́ к звену́, наве́к зачаро́вано, в плену́, в плену́...

And in the rapidly disappearing railway carriage Paka wept, the wicked fairy laughed, the Arguses tried to distract Paka somehow.

Powerless, poor words! Indissoluble bonds! Bitter childish tears!

Foolish, poor ones—oh, if only they knew! The fairy, kidnapping sleeping children on a magic carpet—how firm, how irrevocable her dominion! And it is not in anyone's power to tear off her mask. And the Arguses see nothing, but will not let them out beyond the walls. And they cannot escape from bondage. And in vain do free hunters search for those who are wise and knowledgeable.

Everything is in its place, everything fettered, link by link, bewitched forever, in bondage, in bondage. . . .

IVAN BUNIN
(1870-1953)

Ivan Alexeyevich Bunin is another of the outstanding
Russian writers who was born south of Moscow, in the
very heart of Russia, the region immortalized by Turgenev
and Tolstoy in their descriptions of hunting and other
rural pastimes. Bunin came from an old but impoverished
landed gentry family. Fully conscious and very proud of
the family tradition, he himself led the life of a déclassé,
Bohemian man of letters, and in the last thirty-five years
of his life tasted the bitter bread of exile.

Almost from the outset Bunin was a "bilingual" writer
—in the sense of writing both in verse and in prose. But
while he attached great value to his poetry which certainly
deserves attention, his contemporaries remember him (and
posterity no doubt will, too) mainly for his prose. He
was ten years younger than Chekhov, whom he knew
personally, and who encouraged his first steps in literature.
Only two years separated Bunin from Gorky and their
literary emergence was almost simultaneous; for several
years they were bound up by personal friendship. While
Bunin's rise to fame was not as spectacular as Gorky's,
his curve of development was a steadily ascending one:
from the early stories in Chekhovian lyrical vein to *The
Village* (1910), a powerful though somewhat uneven
diptych of the Russian countryside, greatly admired by
Gorky; from *The Village* to *Dry Valley* (1912), a work
of haunting, cruel beauty and of compelling rhythm, on
the theme of the decay of the landed gentry; from *Dry
Valley* to "The Gentleman from San Francisco" (1915),
a Tolstoyan story that brought Bunin international fame
(one of its English co-translators was D. H. Lawrence);
from "The Gentleman" to *Mitya's Love* (1924), a tale of
love and death of rare musical unity; and from *Mitya's
Love* to *The Life of Arsenyev* (1930), Bunin's spiritual

autobiography and in many ways the summit of his creation—such are the principal stages of this steady upward
path.

The last two of the above-mentioned works were written
in exile: in 1919 Bunin, unable to reconcile himself to
the Bolshevik regime, emigrated and soon settled down in
France, dividing his time between Paris and a villa in
Grasse. For a couple of years it might have seemed that
in exile the roots of Bunin's creative inspiration would dry
up, but the year 1924 saw an unexpected blossoming
forth of his talent: *Mitya's Love* and several books of
stories were followed by *The Life of Arsenyev* and its
sequel *Lika* (1933), and then, during World War II, by
another book of stories, *Dark Avenues*.

Bunin's literary idol was Tolstoy about whom he wrote
a book, based in part on personal reminiscences. As
writers they had not much in common, for Bunin lacked
completely Tolstoy's power of invention. But the theme
of death has a Tolstoyan insistence and ring in Bunin's
work. It is, however, nearly always interwoven with the
theme of love: love and death are for Bunin the two most
wonderful and incomprehensible things in this cruel and
yet wonderful world. The motif of wonderment, going
back to the Psalms, in the face of God's creation, full of
mystery and grandeur, runs through nearly all of Bunin's
work and gives it a rare unity of mood. It may be added
that Bunin is one of the most fastidious and exacting
stylists in the whole of Russian literature, superior in this
respect to both Chekhov and Gorky. The language of his
works of the mature period is both poetic and sinewy.

In 1933 Bunin was awarded the Nobel Prize for Literature, the first Russian writer to be so honored.

Bunin died in Paris, as irreconcilably hostile to the
Communist rulers of Russia as before. In spite of this,
Soviet writers, critics, and scholars posthumously re-
admitted him into the pantheon of Russian literature, and
several editions of his works have been published in Russia
since 1956.

СОЛНЕЧНЫЙ УДАР

И. А. Бу́нина

По́сле обе́да вы́шли из я́рко и горячо́ освещённой столо́вой на па́лубу и останови́лись у по́ручней. Она́ закры́ла глаза́, ладо́нью нару́жу приложи́ла ру́ку к щеке́, засмея́лась просты́м, преле́стным сме́хом, — всё бы́ло преле́стно в э́той ма́ленькой же́нщине, — и сказа́ла:

— Я совсе́м пьяна́... Вообще́ я совсе́м с ума́ сошла́. Отку́да вы взяли́сь? Три часа́ тому́ наза́д я да́же не подозрева́ла о ва́шем существова́нии. Я да́же не зна́ю, где вы се́ли? В Сама́ре?[1] Но всё равно́, вы ми́лый. Это у меня́ голова́ кру́жится и́ли мы куда́-то повора́чиваем?

Впереди́ была́ темнота́ и огни́. Из темноты́ бил в лицо́ си́льный, мя́гкий ве́тер, а огни́ несли́сь куда́-то в сто́рону: парохо́д с во́лжским щего́льством кру́то опи́сывал широ́кую дугу́, подбега́я к небольшо́й при́стани.[2]

Пору́чик[3] взял её ру́ку, поднёс к губа́м. Рука́, ма́ленькая и си́льная, па́хла зага́ром. И блаже́нно и стра́шно за́мерло се́рдце при мы́сли, как, вероя́тно, крепка́ и смугла́ она́ вся под э́тим лёгким холсти́нковым пла́тьем по́сле це́лого ме́сяца лежа́нья под ю́жным со́лнцем, на горя́чем морско́м песке́ (она́ сказа́ла, что е́дет из Ана́пы).[4] Пору́чик пробормота́л:

— Сойдём...

— Куда́? — спроси́ла она́ удивлённо.

— На э́той при́стани.

SUNSTROKE
Ivan Bunin

After dinner they came out of the bright, hot glare of the dining room onto the deck and stood by the railing. She closed her eyes, laid her hand palm out against her cheek, laughed her natural, charming laugh—everything was charming about this small woman—and said:

"I am quite drunk. Altogether, I've gone quite mad. Where did you come from? Three hours ago I hadn't even any idea that you existed. I don't even know where you came on board. At Samara? But it doesn't matter, you're a dear. Is it my head going round or are we turning somewhere?"

Ahead of them lay darkness and lights. From the darkness a strong, warm wind blew in their faces, and the lights rushed somewhere to one side: their steamer, sweeping a wide curve with true Volga smartness, was approaching a small landing stage.

The lieutenant took her hand, lifted it to his lips. The hand, small and strong, smelt of suntan. Blissfully, fearfully, his heart skipped a beat at the thought of how strong and tanned all of her probably was beneath this light gingham dress after a whole month of lying under the southern sun on the hot sea sand (she had told him that she was on her way from Anapa). The lieutenant muttered:

"Let's get off. . . ."
"Where?" she asked, surprised.
"At this landing."

— Заче́м?

Он промолча́л. Она́ опя́ть приложи́ла тыл руки́ к горя́чей щеке́.

— Сумасше́дший...

— Сойдём, — повтори́л он ту́по. — Умоля́ю вас...

— Ах, да де́лайте, как хоти́те, — сказа́ла она́, отвора́чиваясь.

Разбежа́вшийся парохо́д с мя́гким сту́ком уда́рился в ту́скло освещённую при́стань, и они́ чуть не упа́ли друг на дру́га. Над голова́ми пролете́л коне́ц кана́та, пото́м понесло́ наза́д, и с шу́мом закипе́ла вода́, загреме́ли схо́дни... Пору́чик ки́нулся за веща́ми.

Че́рез мину́ту они́ прошли́ со́нную конто́рку, вы́шли на глубо́кий, по ступи́цу, песо́к и мо́лча се́ли в запылённую изво́зчичью проле́тку. Отло́гий подъём в го́ру, среди́ ре́дких кривы́х фонаре́й, по мя́гкой от пы́ли доро́ге, показа́лся бесконе́чным. Но вот подняли́сь, вы́ехали и затреща́ли по мостово́й, вот кака́я-то пло́щадь, прису́тственные места́,[5] каланча́, тепло́ и за́пахи ночно́го ле́тнего уе́здного го́рода... Изво́зчик останови́лся во́зле освещённого подъе́зда, за раскры́тыми дверя́ми кото́рого кру́то поднима́лась ста́рая деревя́нная ле́стница; ста́рый небри́тый лаке́й в ро́зовой косоворо́тке и в сюртуке́ недово́льно взял ве́щи и пошёл на свои́х расто́птанных нога́х[6] вперёд. Вошли́ в большо́й, но стра́шно ду́шный, горячо́ накалённый за́ день со́лнцем но́мер с бе́лыми опу́щенными занаве́сками на о́кнах и двумя́ необожжёнными свеча́ми на подзерка́льнике, — и как то́лько вошли́ и лаке́й затвори́л дверь, пору́чик так поры́висто ки́нулся к ней и о́ба так исступлённо задохну́лись в поцелу́е, что мно́го лет вспомина́ли пото́м э́ту мину́ту: никогда́ ничего́ подо́бного не испыта́л за всю жизнь ни тот, ни друго́й.

В де́сять часо́в утра́, со́лнечного, жа́ркого, счастли́вого, со зво́ном церкве́й, с база́ром на пло́щади пе́ред гости́ницей, с за́пахом се́на, дёгтя и опя́ть всего́ того́ сло́жного и паху́чего, чем па́хнет ру́сский

Bantam Dual-Language Books

"Why?"

He did not answer. She again laid the back of her hand against her hot cheek.

"You're mad. . . ."

"Let's get off," he repeated dully. "I implore you. . . ."

"Oh, do as you like," said she, turning away.

With a soft thud the gliding steamer hit the dimly lit landing pier and they almost fell on top of one another. The end of a hawser flew past overhead, then the steamer bore back, water churned noisily, the gangplank rattled. The lieutenant dashed for their things.

A minute later they went past the drowsy ticket office, came out onto the hub-deep sand and silently got into a dusty cab. The gradual climb up hill, past infrequent crooked lamp posts, along a road soft with dust, seemed to them interminable. But at last they reached the top and drove with a clatter over cobblestones: there was some sort of square, public buildings, a watchtower, the warmth and odors of a provincial town on a summer night. The driver stopped in front of a lighted entrance, beyond the open door of which an old wooden staircase rose steeply. An old unshaven porter in a pink Russian shirt and frockcoat grumpily took their things and shambled ahead of them. They came into a large but terribly stuffy room, burning hot from the day's sun, with white curtains lowered on the windows and two unused candles on the mantelpiece. And as soon as they had come in, and the porter had closed the door, the lieutenant rushed to her so impetuously, and they both kissed with such breathless passion, that many years later they were still to remember this moment: in all their lives neither of them had experienced anything like that.

At ten o'clock in the morning—a morning that was sunny, hot, happy, with the pealing of church bells, a market in the square before the hotel, a smell of hay and tar and all that heady mixture of other smells found in a

уездный город, она, эта маленькая безымянная женщина, так и не сказавшая своего имени, шутя назы-
вавшая себя прекрасной незнакомкой, уехала. Спа-
ли мало, но, когда она вышла из-за ширмы возле
кровати, в пять минут умывшись и одевшись, она
была свежа, как в семнадцать лет. Смущена ли
была она? Нет, очень немного. Попрежнему была
проста, весела и — уже рассудительна.

— Нет, нет, милый, — сказала она в ответ на его
просьбу ехать дальше вместе: — нет, вы должны
остаться до следующего парохода. Если поедем
вместе, всё будет испорчено. Мне это будет очень
неприятно. Даю вам честное слово, что я совсем не
то, что вы могли обо мне подумать. Никогда ничего
даже похожего на то, что случилось, со мной не
было, да и не будет больше. На меня точно затме-
ние нашло... Или, вернее, мы оба получили что-то
вроде солнечного удара...

И поручик как-то легко согласился с нею. В лёгком и счастливом духе он довёз её до пристани, —
как раз к отходу розового Самолёта,[7] — при всех
поцеловал на палубе и едва успел вскочить на сходни, которые уже двинули назад.

Так же легко, беззаботно и возвратился он в гостиницу. Однако, что-то уж изменилось. Номер без
неё показался каким-то совсем другим, чем был при
ней. Он был ещё полон ею — и пуст. Это было
странно! Ещё пахло её хорошим английским одеко-
лоном, ещё стояла на подносе её недопитая чашка,
а её уже не было... И сердце поручика вдруг сжалось такой нежностью, что поручик поспешил заку-
рить и, хлопая себя по голенищам стэком, несколько раз прошёлся взад и вперёд по комнате.

— Странное приключение! — сказал он вслух,
смеясь и чувствуя, что на глаза его навёртываются
слёзы. — «Даю вам честное слово, что я совсем не

Russian provincial town—she, this small anonymous woman, who never did tell him her name, jokingly referring to herself as the beautiful stranger, went away. They had slept little, but when she came out from behind the screen by the bed, having washed and dressed in five minutes, she was as fresh as though she were seventeen years old. Was she embarrassed? No, not much. As before, she was natural, gay, and—already inclined to be rational.

"No, no, my dear," she said in answer to his plea that they travel on together, "no, you must stay here until the next steamer. If we go on together, everything will be spoiled. That would be very unpleasant for me. I give you my word of honor that I am not at all what you may have thought me. Nothing remotely like this has ever happened to me, nor will in the future. It was a kind of eclipse . . . or rather, we both had a kind of sunstroke. . . ."

And somehow the lieutenant agreed with her readily. In a light-hearted and happy mood he took her to the landing stage just in time for the departure of a pink "Samolyot" steamer, kissed her on the deck in front of everyone, and barely had time to leap onto the gangway which was already being pulled back.

In the same light-hearted and carefree mood he returned to the hotel. Something, however, had changed already. Without her, the room appeared to be quite different from what it had been when she was there. It was still full of her—and empty. This was strange! There was still the smell of her good English eau de cologne; her unfinished cup still stood on a tray; but she was no longer there. And the lieutenant's heart contracted with such a pang of tenderness that he hastened to light a cigarette and paced the length of the room several times, slapping the sides of boots with his swagger-stick.

"A strange adventure!" he said aloud, laughing and feeling tears come to his eyes. " 'I give you my word of то, что вы могли подумать...» И уже уехала... Нелепая женщина!

Ширма была отодвинута, постель ещё не убрана. И он почувствовал, что просто нет сил смотреть теперь на эту постель. Он закрыл её ширмой, затворил окна, чтобы не слышать базарного говора и скрипа колёс, опустил белые пузырившиеся занавески, сел на диван... Да, вот и конец этому «дорожному приключению»! Уехала — и теперь уже далеко, сидит, вероятно, в стеклянном белом салоне или на палубе и смотрит на огромную, блестящую под солнцем реку, на встречные плоты, на жёлтые отмели, на сияющую даль воды и неба, на весь этот безмерный волжский простор.... И прости, и уже навсегда, навеки... Потому что где же они теперь могут встретиться? — «Не могу же я, подумал он, не могу же я ни с того, ни с сего приехать в этот город, где её муж, где её трёхлетняя девочка, вообще вся её семья и вся её обычная жизнь!» — И город этот показался ему каким-то особенным, заповедным городом, и мысль о том, что она так и будет жить в нём своей одинокой жизнью, часто, может быть, вспоминая его, вспоминая их случайную, такую мимолётную встречу, а он уже никогда не увидит её, мысль эта изумила и поразила его. Нет, этого не может быть! Это было бы слишком дико, неестественно, неправдоподобно! — И он почувствовал такую боль и такую ненужность всей своей дальнейшей жизни без неё, что его охватил ужас, отчаяние.

— Что за чорт! — подумал он, вставая, опять принимаясь ходить по комнате и стараясь не смотреть на постель за ширмой. — Да что же это такое со мной? Кажется, не в первый раз — и вот... Да что в ней особенного и что собственно случилось? В самом деле, точно какой-то солнечный удар! И главное, как же я проведу теперь, без неё, целый день в этом захолустьи?

Он ещё помнил её всю, со всеми малейшими её

honor that I am not at all what you may have thought me. . . .' And now she is gone. Absurd woman!"

The screen had been moved away, the bed still unmade. And he felt that he simply could not bear to look at that bed now. He put the screen before it, closed the windows in order not to hear the market noises and the creaking of wheels, lowered the billowing white curtains, and sat down on the sofa. Yes, here was the end to this "travel adventure"! She was gone and by now must be far away, probably sitting in the white glassed-in lounge or on deck and looking at the vast river sparkling in the sun, at the passing rafts, at the yellow shoals, at the shimmering vista of water and sky, at all this immense Volga expanse. And farewell—for good, forever. For where can they possibly meet now? "I can't," he thought, "I can't just go to the town where her husband is, and her three-year-old girl, and the rest of her family, and all her ordinary life!" And that town appeared to him as something special, set apart, and the thought that she would just go on living her lonely life there, perhaps often remembering him, remembering their fleeting chance encounter, and that he would never see her again —this thought amazed and overwhelmed him. No, this could not be! This would be too senseless, unnatural, unreal! And he felt such pain, and all his future life without her appeared to him so futile, that he was seized with horror and despair.

"What the devil!" he thought as he got up, paced the room again and tried not to look at the bed behind the screen. "What is the matter with me? After all, it isn't the first time—and here . . . What is so special about her anyway, and what has really happened? Indeed, it is a kind of sunstroke! But the main thing is: How am I now to spend a whole day in this out-of-the-way place without her?"

He still could remember all of her, with all the minutособенностями, помнил запах её загара и холстинкового платья, её крепкое тело, живой, простой и весёлый звук её голоса... Чувство только что испытанных наслаждений всей её женской прелестью было ещё живо в нём необыкновенно, но теперь главным было всё-таки это второе, совсём новое чувство — то странное, непонятное чувство, которого совсём не было, пока они были вместе, которого он даже предположить в себе не мог, затевая вчера это, как он думал, только забавное знакомство, и о котором уже некому, некому было сказать теперь! — «А главное, подумал он, ведь и никогда уже не скажешь! И что делать, как прожить этот бесконечный день, с этими воспоминаниями, с этой неразрешимой мукой, в этом Богом забытом городишке над той самой сияющей Волгой, по которой унёс её этот розовый пароход!»

Нужно было спасаться, чём-нибудь занять, отвлечь себя, куда-нибудь итти. Он решительно надел картуз, взял стэк, быстро прошёл, звеня шпорами, по пустому корридору, сбежал по крутой лестнице на подъезд... Да, но куда итти? У подъезда стоял извозчик, молодой, в ловкой поддёвке,[8] и спокойно курил цигарку, очевидно, дожидаясь кого-то. Поручик взглянул на него растерянно и с изумлением: как это можно так спокойно сидеть на козлах, курить и вообще быть простым, беспечным, равнодушным? — «Вероятно, только я один так страшно несчастен во всём этом городе», подумал он, направляясь к базару.

Базар уже разъезжался. Он зачём-то походил по свежему навозу среди телег, среди возов с огурцами, среди новых мисок и горшков, и бабы, сидевшие на земле, наперебой зазывали его, брали горшки в руки и стучали, звенели в них пальцами, показывая их добротность, мужики оглушали его, кричали ему: — «Вот первый сорт огурчики, ваше благородие!»[9] — Всё это было так глупо, нелепо, что он бежал с базара. Он пошёл в собор, где пели est details, could remember the fragrance of her suntan and of her gingham dress, her strong body, the lively, natural, and gay sound of her voice. The feeling of delight he had just experienced from all her woman's loveliness was still extraordinarily vivid in him, but now the most important was this other, completely new feeling—this strange, incomprehensible feeling which had not been there while they were together, which he could not even imagine himself capable of when he ventured, yesterday, upon this, as he thought, merely amusing acquaintance, a feeling which there was now no one, no one to tell about! "And the main thing," he thought, "is that I never shall be able to tell her about it! And what am I to do, how am I to live through the rest of this endless day, with these memories, with this unresolved agony, in this God-forsaken little town above the same glistening Volga along which that pink steamer has carried her away!"

He had to look for escape, to occupy himself some-how, to distract himself, to go somewhere. Resolutely he put on his cap, took his swagger-stick, walked rapidly, jingling his spurs, along the deserted corridor, ran down the steep stairs to the front entrance. Yes, but where was he to go? Before the entrance stood a cab, the young driver, in a smart *poddyovka,* calmly smoking a cigar-ette, evidently waiting for someone. The lieutenant glanced at him with bewildered astonishment. How could one sit so calmly on the box, smoke, and altogether be simple, carefree, indifferent? "Probably I alone am so dreadfully unhappy in all this town," he thought as he set off for the market.

The market was already breaking up. For some reason he strolled, treading upon fresh manure, among carts and wagons with cucumbers, among new pots and pans, and the peasant women sitting on the ground vied with each other in trying to get his attention. They took the pots in their hands, rapped them with their fingers, demon-strating their soundness. The men deafened him, shout-ing: "Here are first-rate cucumbers, your honor!" All this was so inane, so ridiculous, that he fled from the уже́ гро́мко, ве́село и реши́тельно, с созна́нием испо́лненного до́лга, пото́м до́лго шага́л, кружи́л по ма́ленькому, жа́ркому и запу́щенному са́дику на обры́ве горы́, над неогля́дной све́тло-стально́й ши́рью реки́... Пого́ны и пу́говицы его́ ки́теля так нажгло́, что к ним нельзя́ бы́ло прикосну́ться. Око́лыш карту́за́ был внутри́ мо́крый от по́та, лицо́ пыла́ло... Возвратя́сь в гости́ницу, он с наслажде́нием вошёл в большу́ю и пусту́ю прохла́дную столо́вую в ни́жнем этаже́, с наслажде́нием снял карту́з и сел за сто́лик во́зле откры́того окна́, в кото́рое несло́ жа́ром, но всё-таки ве́яло во́здухом, и заказа́л ботви́нью со льдом.[10] Всё бы́ло хорошо́, во всём бы́ло безме́рное сча́стье, вели́кая ра́дость; да́же в э́том зно́е и во всех база́рных за́пахах, во всём э́том незнако́мом городи́шке и в э́той ста́рой уе́здной гости́нице была́ она́, э́та ра́дость, а вме́сте с тем се́рдце про́сто разрыва́лось на ча́сти. Он вы́пил не́сколько рю́мок во́дки, заку́сывая малосо́льными огурца́ми с укро́пом и чу́вствуя, что он, не заду́мываясь, у́мер бы за́втра, е́сли бы мо́жно бы́ло каки́м-нибудь чу́дом верну́ть её, провести́ с ней ещё оди́н, ны́нешний день, — провести́ то́лько зате́м, то́лько зате́м, что́бы вы́сказать ей и че́м-нибудь доказа́ть, убеди́ть, как он мучи́тельно и восто́рженно лю́бит её... Заче́м доказа́ть? Заче́м убеди́ть? Он не знал, заче́м, но э́то бы́ло необходи́мее жи́зни.

— Совсе́м разгуля́лись не́рвы! — сказа́л он, налива́я пя́тую рю́мку во́дки.

Он вы́пил це́лый графи́нчик, наде́ясь одурма́нить, ошеломи́ть себя́, наде́ясь, что наконе́ц разреши́тся э́то мучи́тельное и восто́рженное состоя́ние. Но нет, оно́ всё уси́ливалось.

Он отодви́нул от себя́ ботви́нью, спроси́л чёрного ко́фе и стал кури́ть и напряжённо ду́мать: что же тепе́рь де́лать ему́, как изба́виться от э́той внеза́пной, неожи́данной любви́? Но изба́виться — он э́то чу́вствовал сли́шком жи́во — бы́ло невозмо́жно. И он вдруг опя́ть бы́стро встал, взял карту́з и стэк market. He went into the cathedral where they were already singing loudly, cheerfully, and with determination, conscious of duty fulfilled, then walked for a long time, circling a small, hot and neglected public garden on the cliff above the infinite steel-bright expanse of the river. His shoulder straps and the buttons of his tunic had become too hot to touch. The band inside his cap was wet with sweat, his face was flaming. On his return to the hotel he entered with delight the big, deserted, cool dining room on the ground floor; with delight took off his cap and sat down at a table by an open window which let in heat but with a breath of fresh air, and ordered some iced soup. Everything was good, in everything there was immense happiness and great joy; there was this joy even in the heat and in all the market smells, in the whole of this unfamiliar wretched little town and in this old provincial hotel, and yet his heart was simply breaking asunder. He drank several glasses of vodka, accompanying it with fresh dill pickles and feeling that he would, without hesitating, die tomorrow if by some miracle he could bring her back, spend one more day, this day, with her —spend it only for the purpose, only for the purpose of telling her, and in some way demonstrating to her, convincing her, how agonizingly and rapturously he loved her. Why demonstrate it? Why convince? He didn't know why, but it was more necessary to him than life itself.

"My nerves are all shot to pieces!" he said, pouring himself a fifth glass of vodka.

He drank a whole decanter, hoping to drug, to stupefy himself, hoping that this agonizing and rapturous state would at last resolve itself. But no, it grew and grew.

He pushed away the soup, asked for black coffee and began to smoke, thinking intently: what was he to do now, how was he to rid himself of this sudden, unexpected love? But to rid himself of it— he felt this all too vividly—was impossible. And suddenly he again rose abruptly, took his cap and his stick and inquiring where

и, спросив, где почта, торопливо пошёл туда, с уже
готовой в голове фразой телеграммы: «Отныне вся
моя жизнь навеки, до гроба ваша, в вашей власти».
Но, дойдя до старого толстостенного дома, где была почта и телеграф, в ужасе остановился: он знал
город, где она живёт, знал, что у неё есть муж и
трёхлетняя дочка, но не знал ни фамилии, ни имени её! Он несколько раз спрашивал её об этом вчера
за обедом и в гостинице, и каждый раз она смеялась и говорила:

— А зачем вам нужно знать, кто я? Я Марья Мо-
рёвна,[11] заморская царевна... Вообще прекрасная не-
знакомка... Разве не достаточно с вас этого?

На углу, возле почты, была фотографическая ви-
трина. Он долго смотрел на большой портрет какого-то военного в густых эполетах, с выпуклыми
глазами, с низким лбом, с поразительно великолеп-
ными бакенбардами и широчайшей грудью, сплошь
украшенной орденами... Как дико, как нелепо,
страшно всё будничное, обычное, когда сердце поражено, — да, поражено, он теперь понимал это, —
этим страшным «солнечным ударом», слишком
большой любовью, слишком большим счастьем! Он
взглянул на чету новобрачных — молодой человек
в длинном сюртуке и белом галстуке, стриженный
ёжиком, вытянувшийся во фронт под руку с деви-
цей в подвенечном газе, — перевёл глаза на порт-
рёт какой-то хорошенькой и задорной барышни в
студенческом картузе набекрень... Потом, томясь
мучительной завистью ко всем этим неизвестным
ему, не страдающим людям, стал напряжённо смотреть вдоль улицы.

— Куда итти? Что делать? — стоял в его голове
и душе неразрешимый, тяжкий вопрос.

Улица была совершенно пуста. Дома были все
одинаковые, белые, двухэтажные, купеческие, с
большими садами, и казалось, что в них нет ни
души; белая густая пыль лежала на мостовой; и всё
это слепило, всё было залито жарким, пламенным и

the post office was, set hurriedly off for it with the tele-
gram ready-phrased in his mind: "Henceforth my whole
life forever, until death is yours, in your power." But when
he reached the old, thick-walled building where the post
and telegraph office was located he stopped horror-strick-
en. He knew the town where she lived, knew that she
had a husband and a three-year-old daughter, but he did
not know either her surname or her first name! He had
asked for it several times yesterday at dinner and in the
hotel, and each time she had laughed and said: "But
why should you know who I am? I am Marya Morevna,
the princess from beyond the sea. In short, the beautiful
stranger. Isn't that enough for you?"

At the corner, next to the post office, there was a
photographer's shop window. He gazed for a long time at
a large portrait of some military man with thick epaulets,
bulging eyes, a low forehead, amazingly magnificent sidewhiskers, and an extraordinarily broad chest, all covered
with decorations. . . . How mad, how absurd, how terrible
are everyday, humdrum things when the heart is smitten
—yes, smitten, he understood it now—by this terrible
"sunstroke," this too great love, too great happiness! He
looked at a couple of newlyweds—a young man in a
long frockcoat and white tie, with cropped hair, standing
at attention, arm in arm with a young girl in a bridal
veil; shifted his eyes to the portrait of a pretty and perky
young lady in a student's cap cocked to one side. Then,
tormented with envy of all these unknown people who
did not suffer, he stared down the street.

"Where am I to go? What am I to do?" These insoluble questions weighed heavily on his mind and heart.

The street was quite empty. The houses were all alike,
two-storied, merchants' houses, with large gardens, and
they looked uninhabited. Thick white dust lay on the
roadway. And all this was dazzling, all was drenched in
hot sunshine, fiery and joyous, but now somehow point-

ра́достным, но здесь как бу́дто бесце́льным, со́лн-
цем. Вдали́ у́лица поднима́лась, го́рбилась и упи-
ра́лась в чи́стый, безо́блачный, серова́тый с сире́не-
вым о́тблеском небоскло́н. В э́том бы́ло что́-то ю́ж-
ное, напомина́ющее Севасто́поль, Керчь... Ана́пу.[12]
Это бы́ло осо́бенно нестерпи́мо. И пору́чик, с опу́-
щенной голово́й, щу́рясь от све́та, сосредото́ченно
гля́дя себе́ по́д ноги, шата́ясь, спотыка́ясь, цепля́-
ясь шпо́рой за шпо́ру, зашага́л наза́д.

Он верну́лся в гости́ницу насто́лько разби́тый
уста́лостью, то́чно соверши́л огро́мный перехо́д где́-
нибудь в Туркеста́не, в Саха́ре.[13] Он, собира́я по-
сле́дние си́лы, вошёл в свой большо́й и пусто́й но́-
мер. Но́мер был уже́ при́бран, лишён после́дних сле-
до́в её, — то́лько одна́ шпи́лька, забы́тая е́ю, ле-
жа́ла на ночно́м сто́лике! Он снял ки́тель и взгляну́л
на себя́ в зе́ркало: лицо́ его́, — обы́чное офице́рское
лицо́, се́рое от зага́ра, с белёсыми, вы́горевшими от
со́лнца уса́ми и голубова́той белизно́й глаз, от за-
га́ра каза́вшихся ещё беле́е, — име́ло тепе́рь возбу-
ждённое, сумасше́дшее выраже́ние, а в бе́лой то́н-
кой руба́шке со стоя́чим крахма́льным воротничко́м
бы́ло что́-то ю́ное и глубо́ко несча́стное. Он лёг на
крова́ть, на́ спину, положи́л запылённые сапоги́ на
отва́л. О́кна бы́ли откры́ты, занаве́ски опу́щены, и
лёгкий ветеро́к от вре́мени до вре́мени надува́л их,
ве́ял в ко́мнату зно́ем нагре́тых желе́зных крыш и
всего́ э́того светоно́сного и соверше́нно тепе́рь опу-
сте́вшего, безмо́лвного и безлю́дного во́лжского ми́-
ра. Он лежа́л, подложи́в ру́ки под заты́лок, и при́-
стально гляде́л в простра́нство пе́ред собо́й. Пото́м
сти́снул зу́бы, закры́л ве́ки, чу́вствуя, как по щека́м
ка́тятся из-под них слёзы, — и наконе́ц засну́л,
а когда́ сно́ва откры́л глаза́, за занаве́сками уже́
краснова́то желте́ло вече́рнее со́лнце. Ве́тер стих, в
но́мере бы́ло ду́шно и су́хо, как в духово́й печи́... И
вчера́шний день и ны́нешнее у́тро вспо́мнились так,
то́чно они́ бы́ли де́сять лет тому́ наза́д.

Он не спеша́ встал, не спеша́ умы́лся, по́днял занаless. In the distance the street rose, humped, and ran into the horizon—pure, cloudless, grayish with a mauve tinge. There was in it something southern, reminding one of Sevastopol, Kerch . . . Anapa. This was particularly unbearable. And the lieutenant, his head lowered, his eyes screwed up against the glare, looking with concentration underfoot, staggering, stumbling, one spur catching on the other, walked back.

He returned to the hotel so worn out by fatigue as though he had completed a long march somewhere in Turkestan, in the Sahara. Mustering the remnants of his strength he entered his large, empty room. It had been already tidied, deprived of the last traces of her—only one hairpin, forgotten by her, lay on the bedside table. He took off his tunic and looked at himself in the mirror; his face—the usual officer's face, dark from sunburn, with pale, sunbleached mustache and bluish whites of the eyes which, because of the sunburn, looked even whiter—now wore an agitated, crazed expression; and in the fine white shirt, with its starched stand-up collar, there was something youthful and profoundly unhappy. He lay down on the bed, putting his dusty boots on the footboard. The windows were open, the curtains down, and a light breeze from time to time puffed them out, wafting into the room the heat of the sweltering iron roofs and of the whole of this luminous Volga world, now completely emptied, soundless and deserted. He lay with his hands under the back of his head and stared into the space in front of him. Then he clenched his teeth, lowered his eyelids, feeling tears roll from under them down his cheeks, and, at last, fell asleep. And when he opened his eyes again, the evening sun was already showing reddish-yellow behind the curtains. The wind had died down, the room was stuffy and dry like an oven. Both the previous day and this morning came back to him as though they had been ten years ago.

Unhurriedly he rose, unhurriedly ne washed, raised

вёски, позвонил и спросил самовар и счёт, долго пил чай с лимоном. Потом приказал привести извозчика, вынести вещи и, садясь в пролётку, на её рыжее, выгоревшее сиденье, дал лакею целых пять рублей.

— А похоже, ваше благородие, что это я и привёз вас ночью! — весело сказал извозчик, берясь за вожжи.

Когда спустились к пристани, уже синела над Волгой синяя летняя ночь, и уже много разноцветных огоньков было рассеяно по реке, и огни висели на мачтах подбегающего парохода.

— В аккурат доставил! — сказал извозчик заискивающе.

Поручик и ему дал пять рублей, взял билет, прошёл на пристань... Так же, как вчера, был мягкий стук в её причал и лёгкое головокружение от зыбкости под ногами, потом летящий конец, шум закипевшей и побежавшей вперёд воды под колёсами несколько назад подавшегося парохода... И необыкновенно приветливо, хорошо показалось от многолюдства[14] этого парохода, уже везде освещённого и пахнущего кухней.

Через минуту побежали дальше, вверх, туда же, куда унесло и её давеча утром.

Тёмная летняя заря потухла далеко впереди, сумрачно, сонно и разноцветно отражаясь в реке, ещё кое-где светившейся дрожащей рябью вдали под ней, под этой зарёй, и плыли и плыли назад огни, рассеянные в темноте вокруг.

Поручик сидел под навесом на палубе, чувствуя себя постаревшим на десять лет.

the curtains, rang and asked for a samovar and his bill, took a long time drinking tea with lemon. Then he gave orders for a cab to be brought and his things to be carried down, and getting into the cab, onto its rusty, faded seat, gave the porter all of five rubles.

"Looks, your honor, as though it was I who brought you here last night, too," cheerfully said the driver, picking up the reins.

As they drove down to the landing pier the blue summer night had descended on the Volga, and many multicolored lights were already scattered along the river, and lights hung on the masts of the swiftly approaching steamer.

"I made it just in time," said the driver obsequiously.

The lieutenant gave him five rubles, too, bought a ticket, went out onto the landing pier. Just as yesterday, there was a soft thud against its moorings and a light dizziness from unsure footing, then the flying end of the hawser, then the noise of the churning water as it ran forward under the wheels of the slightly backing steamer. And there was something extraordinarily welcoming, something good about this crowded steamer, already lit up and redolent of cooking.

In a minute they were on their way upstream where she too had been swept that morning.

The dark summer evening glow died away far ahead, its many colors duskily and drowsily reflected in the river which, here and there, still shimmered and rippled in the distance beneath it, beneath that glow, and the lights, scattered in the darkness around, floated farther and farther back.

The lieutenant sat on the deck under an awning, feeling himself grown ten years older.

EVGENY ZAMYATIN
(1884-1937)

Evgeny Ivanovich Zamyatin was born in Central Russia, in the little town of Lebedyan which figured in Turgenev's *Sportsman's Sketches*. He received his higher education in the Department of Naval Engineering of the Polytechnic Institute in St. Petersburg: his mathematical and engineering training is often felt in his stories. In his student days he was an active member of the Bolshevik faction of the Russian Social-Democratic Party and was imprisoned as a result of his political activities. Ironically, when the Bolsheviks came to power, and Zamyatin was no longer a Bolshevik, he had to spend a short time in the same prison in a cell opening onto the same corridor.

Zamyatin's first work, *Things Provincial*, was published in 1911. His next, *At the Back of Beyond* (1914), led to judicial proceedings against him because of its unflattering portrayal of a Russian military garrison in the Far East. During World War I Zamyatin had little time for writing: he was busy doing war work; toward the end of the war he was in England, supervising the construction of an icebreaker for the Russian government. Back in Russia after the outbreak of the Revolution, he lectured on shipbuilding at his former alma mater, and also conducted a creative writing workshop for budding writers at the House of Arts in hungry, cold, blockade-bound Petrograd —so strikingly described in the story which the reader will find below. Several writers who are today in the forefront of Soviet letters, sat in those days at Zamyatin's feet and learned the craft of writing from him.

Zamyatin's own literary output is not great: a couple of volumes of stories, three or four plays, two novels, and a volume of posthumously collected literary essays. His major work, the novel *We,* written in 1920, was never published in Russia and, like Pasternak's *Dr. Zhivago*, appeared first in translations (between 1924 and 1928); the complete Russian edition of it appeared first in New York in 1952. A bold vision of the standardized state of the future, organized along totalitarian lines, it anticipated both Aldous Huxley's *Brave New World* and George Orwell's *1984*. Even before its publication abroad, Zamyatin was treated by Communist critics as an "inside émigré." Upon its publication a campaign of hate was unleashed against him. Expelled from the Writers' Federation, ostracized by publishers and magazine editors, Zamyatin wrote a letter to Stalin, asking that the sentence of "literary death" that had been passed upon him be replaced by deportation. Thanks to the intervention of Gorky, his request was granted. In 1931 Zamyatin and his wife went abroad and settled down in Paris where he died in 1937.

Zamyatin used to describe himself as a neo-realist. In one of his lectures delivered at the beginning of the Revolution, in surveying recent Russian literature, he defined neo-realism as the outcome of the dialectical development which began with the realism of Chekhov, Gorky, and Bunin, provoked the anti-realist reaction of the symbolists, and culminated in neo-realism as the synthesis of the two trends. The realists, said Zamyatin, saw man and his life in an ordinary mirror. The symbolists used a fluoroscope and therefore saw only the skeleton of life, and the symbol of life became for them the symbol of death; hence their preoccupation with death; hence also their search for new means of expression. The neo-realists went back to life, but having learned a great deal from the symbolists they were no longer satisfied with the old means of portraying reality: they looked at life through a microscope, and the seemingly distorted, unverisimilar picture they saw was more authentic and real. Their motto was a synthesis of everyday life and fantasy. "The Cave," one of the best and most characteristic examples of Zamyatin's manner, offers a certain analogy with cubism in painting.

ПЕЩЕРА

Е. И. Замятина

Ледники, мамонты, пустыни. Ночные, чёрные, чёмто похожие на дома, скалы; в скалах пещеры. И неизвестно, кто трубит ночью на каменной тропинке между скал и, вынюхивая тропинку, раздувает белую снежную пыль: может быть серохоботый мамонт; может быть ветер; а может быть — ветер и есть ледяной рёв какого-**то** мамонтейшего мамонта. Одно ясно: зима. И надо покрепче стиснуть зубы, чтоб не стучали; и надо щепать дерево каменным топором; и надо всякую ночь переносить свой костёр из пещеры в пещеру, всё глубже; и надо всё больше навёртывать на себя косматых звериных шкур...

Между скал, где века назад был Петербург, ночами бродил серохоботый мамонт. И завёрнутые в шкуры, в пальто, в одеяла, в лохмотья — пещерные люди отступали из пещеры в пещеру. На Покров[1] Мартин Мартиныч и Маша[2] заколотили кабинет; на Казанскую[3] выбрались из столовой и забились в спальне. Дальше отступить было некуда; тут надо было выдержать осаду — или умереть.

В пещерной Петербургской спальне было так же, как недавно в Ноевом ковчеге: потопно перепутанные чистые и нечистые твари. Мартин Мартинычев письменный стол; книги; каменно-вековые гонча́рного вида лепёшки; Скрябин опус 74;[4] утюг; пять любовно, до-бела вымытых картошек; никкелированные решётки кроватей; топор; шифоньер; дрова.

THE CAVE
Evgeny Zamyatin

Glaciers, mammoths, wastelands. Black rocks in the night
that somehow resemble houses; in the rocks—caves. And
no one knows who trumpets at night along the stony path
among the rocks; and, sniffing out the path, blows about
the white snow-dust. Perhaps it is a gray-trunked mammoth; perhaps the wind; but perhaps—the wind *is* the icy
roar of some super-mammothish mammoth. One thing is
clear: it is winter. And you have to clench your teeth as
tight as you can to keep them from chattering; and you
have to split kindling with a stone axe; and each night
you have to move your fire from cave to cave, deeper and
deeper; and you have to bundle yourself with more and
more shaggy animal hides. . . .

Among the rocks, where ages ago had stood Petersburg,
roamed at night a gray-trunked mammoth. And wrapped
in hides, coats, blankets, rags, the cave dwellers retreated
from cave to cave. On Intercession Day Martin Martinych
and Masha boarded up the study; on the Day of the Kazan
Virgin they made their way out of the dining room and
entrenched themselves in the bedroom. There was no
further retreating: here they must withstand the siege—
or die.

In the cavelike Petersburg bedroom everything was just
as it recently had been in Noah's Ark: clean and unclean
creatures—flood-confounded. Martin Martinych's desk;
books; stone-age flat cakes resembling pottery; Scriabin's
Opus 74; a flatiron; five potatoes lovingly washed white;
nickel-plated bed frames; an axe; a bureau; firewood. And
in the middle of this universe—its god: a short-legged,

293

И в це́нтре всей э́той вселе́нной — бог: коротконо́гий, ржа́во-ры́жий, призе́мистый, жа́дный пеще́рный бог: чугу́нная пе́чка.

Бог могу́че гуде́л. В тёмной пеще́ре — вели́кое о́гненное чу́до. Лю́ди — Марти́н Марти́ныч и Ма́ша — благогове́йно, мо́лча, благода́рно, простира́ли к нему́ ру́ки. На оди́н час — в пеще́ре весна́; на оди́н час — ски́дывались звери́ные шку́ры, ко́гти, клыки́, и сквозь обледене́вшую мозгову́ю ко́рку пробива́лись зелёные стебельки́ — мы́сли.

— Март,[5] а ты забы́л, что за́втра — — Ну, уж я ви́жу: забы́л!

В октябре́, когда́ ли́стья уже́ пожо́лкли, пожу́хли, сни́кли — быва́ют синегла́зые дни; запроки́нуть го́лову в тако́й день, чтоб не ви́деть зе́млю — и мо́жно пове́рить: ещё ра́дость, ещё ле́то. Так и с Ма́шей, е́сли вот закры́ть глаза́ и то́лько слу́шать её — мо́жно пове́рить, что она́ пре́жняя, и сейча́с засмеётся, вста́нет с посте́ли, обни́мет, а час тому́ наза́д ножо́м по стеклу́ — э́то не её го́лос, совсе́м не она́.

— Ай Март, Март! Как всё... Ра́ньше ты не забыва́л. Два́дцать девя́тое: Мари́и...[6]

Чугу́нный бог ещё гуде́л. Све́та, как всегда́, не́ было: бу́дет то́лько в де́сять. Колыха́лись лохма́тые, тёмные сво́ды пеще́ры. Марти́н Марти́ныч — на ко́рточках, узло́м — ту́же! ещё ту́же! — запроки́нув го́лову, всё ещё смо́трит в октя́брьское не́бо — не уви́деть пожо́лклые, сни́кшие гу́бы. А Ма́ша — —

— Понима́ешь, Март: е́сли бы за́втра затопи́ть с са́мого утра́, чтобы весь день бы́ло, как сейча́с! А? Ну, ско́лько у нас? Ну с полсаже́ни[7] ещё есть в кабине́те?

До поля́рного кабине́та Ма́ша давны́м-давно́ не могла́ добра́ться и не зна́ла, что там уже́... Ту́же у́зел, ещё ту́же!

— Полсаже́ни? Бо́льше! Я ду́маю, там...

Вдруг — свет: ро́вно де́сять.[8] И не ко́нчив, зажму́рился Марти́н Марти́ныч, отверну́лся: при све́-

rusty-red, squat, greedy cave-god: a cast-iron stove.

The god droned powerfully. In the dark cave—a great fiery wonder. The people—Martin Martinych and Masha—reverently, silently, thankfully, stretched forth their hands to him. For one hour—spring was in the cave; for one hour—animal hides, claws and fangs were thrown off, and through the ice-covered brain crust broke green shoots—thoughts.

"Mart, you haven't forgotten that tomorrow—never mind, I see that you have!"

In October, when leaves have already yellowed, dulled and drooped, there come blue-eyed days; on such a day, throw back your head so you cannot see the earth, and you can believe there is still joy, it is still summer. And so with Masha, if you just close your eyes and only listen: you can believe that she is her former self, and that this very minute she will break into laughter, rise from the bed, embrace you; and an hour ago as a knife scraped on glass—it was not her voice, not her at all. . . .

"Oh Mart, Mart! How everything . . . You never forgot before. The twenty-ninth: St. Mary's. . . ."

The cast-iron god still droned. As always, there was no light: it would go on only at ten. The dark, shaggy vaults of the cave swayed. Martin Martinych, squatting with his head thrown back—the knot is tighter! ever tighter!—keeps on looking into the October sky—not to see the yellowed, drooping lips. And Masha—

"You understand, Mart. If the fire were started in the morning, so that all day long it would be as it is now! Eh? Well, how many have we? Well, is there still about half a cord in the study?"

For a long, long time Masha had not been able to get to the arctic study and she did not know that there already . . . Tighter the knot, ever tighter!

"Half a cord? More! I think that there . . ."

Suddenly—light: it is exactly ten. And not having finished, Martin Martinych squinted and turned away: in те — труднее, чем в темноте. И при свете ясно видно — лицо у него скомканное, глиняное; теперь у многих глиняные лица: назад — к Адаму. А Маша —

— И знаешь, Март, я бы попробовала — может я встану... если ты затопишь с утра.

— Ну, Маша, конечно же... Такой день... Ну, конечно — с утра.

Пещерный бог затихал, съёживался, затих, чуть потрескивает. Слышно: внизу, у Обёртышевых, каменным топором щепают коряги от барки — каменным топором колют Мартина Мартиныча на куски. Кусок Мартина Мартиныча глиняно улыбался Маше и молол на кофейной мельнице сушёную картофельную шелуху для лепёшек — и кусок Мартина Мартиныча, как с воли залетевшая в комнату птица, бестолково, слепо тукался в потолок, в стёккла, в стены: «Где бы дров — где бы дров — где бы дров».

Мартин Мартиныч надел пальто; сверху подпоясался кожаным поясом (у пещерных людей — миф, что от этого теплее); в углу у шифоньера громыхнул ведром.

— Ты куда, Март?

— Я сейчас. За водой вниз.

На тёмной обледенелой от водяных сплесков лестнице постоял Мартин Мартиныч, покачался, вздохнул и, кандально позвякивая ведёрком, спустился вниз, к Обёртышевым: у них ещё шла вода. Дверь открыл сам Обёртышев, в перетянутом верёвкой пальто, давно не бритый, лицо — заросший каким-то рыжим, насквозь пропылённым бурьяном пустырь. Сквозь бурьян — жёлтые каменные зубы, и между камней — мгновенный ящеричный хвостик — улыбка.

— А, Мартин Мартиныч! Что, за водичкой? Пожалуйте, пожалуйте, пожалуйте.

В узенькой клетке между наружной и внутренней дверью с ведром не повернуться — в клетке Обёрthe light it is more difficult than in the dark. And in the light it is clearly seen—his face is crumpled, clayey, nowadays many have faces of clay: back—to Adam. And Masha—

"And you know, Mart, I'd try—maybe I'll get up . . . if you'll start the fire in the morning."

"Why, Masha, of course. . . Such an occasion. . . Why of course, from morning."

The cave-god grew quieter, contracted, became still; now and then he crackles. Listen: downstairs, at the Obertyshevs', they are splitting logs of a barque with a stone axe—with that stone axe they are splitting Martin Martinych into pieces. A piece of Martin Martinych clayishly smiled at Masha and ground dried potato peels in the coffee grinder for flat cakes; and a piece of Martin Martinych, like a free bird which had flown into a room, aimlessly and blindly beat against the ceiling, the windows, the walls: "Where to get wood, where to get wood, where to get wood?"

Martin Martinych put on his coat, girded himself with a leather belt (the cave dwellers have a myth that it is warmer this way), and banged a pail by the bureau in the corner.

"Where to, Mart?"

"I'll be right back. Downstairs for water."

On the dark stairway, icy with water splashes, Martin Martinych stood for a moment, rocked to and fro, took a deep breath, and then, with a fetter-like rattle of the pail, he went downstairs to the Obertyshevs': they still had running water. The door was opened by Obertyshev himself, dressed in a coat tied with rope, long unshaven, his face—a waste overgrown with some sort of reddish, dust-laden weed. Showing through the weeds—yellow stone teeth; and between the stones—the flick of a lizard's tail— a smile.

"Ah, Martin Martinych! What? You've come for some water? Come in, come in, come in."

In the narrow cage between the outer and inner doors you could not turn around with a pail in hand—in that

тышевские дрова. Глиняный Мартин Мартиныч бо-
ком больно стукнулся о дрова — в глине глубокая
вмятина. И ещё глубже: в тёмном коридоре об угол
комода. Через столовую — в столовой Обёртышев-
ская самка и трое обёртышат; самка торопливо пря-
тала под салфеткой миску: пришёл человек из другой пещеры — и Бог знает, вдруг кинется, схватит.

В кухне, отвернув кран, каменнозубо улыбался[9]
Обёртышев:

— Ну что же: как жена? Как жена? Как жена?

— Да что, Алексей Иваныч, всё то же. Плохо. Вот
завтра — именины, а у меня...

— У всех, Мартин Мартиныч, у всех так, у всех,
у всех...

Слышно в кухне: вспархивает, шуршит крыльями
залетевшая птица, вправо, влево — и вдруг отча-
янно, с маху в стену всей грудью:

— Алексей Иваныч, я хотел... Алексей Иваныч,
нельзя ли у вас хоть пять-шесть полен...

Жёлтые каменные зубы сквозь бурьян, жёлтые
зубы — из глаз, весь Обёртышев обростал зубами,
всё длиннее зубы.

— Что вы, Мартин Мартиныч, что вы, что вы! У
нас у самих... Сами знаете, как теперь всё, сами
знаете, сами знаете...

Туже узел! Туже — ещё туже! Закрутил себя
Мартин Мартиныч, поднял ведро — и через кухню,
через тёмный коридор, через столовую. На пороге
столовой Обёртышев сунул мгновенную, ящерично-
юркую руку:

— Ну, всего...[10] Только дверь, Мартин Мартиныч,
не забудьте прихлопнуть, не забудьте. Обе двери,
обе, обе — не натопишься!

На тёмной обледенелой площадке Мартин Мартиныч поставил ведро, обернулся, плотно прихлоп-
нул первую дверь. Прислушался — услыхал только

cage was Obertyshev's firewood. Martin Martinych, made
of clay, bumped his side painfully against the firewood:
there was a deep indentation in the clay. And still deeper
—against the corner of a chest of drawers in the dark
corridor. Through the dining room—in the dining room
was the she-Obertyshev and three Obertyshlings; the she-
Obertyshev was hastily hiding a bowl under a napkin: a
man has come from another cave and God knows, he might
suddenly pounce and grab.

In the kitchen, having turned on the faucet, Obertyshev
gave a stony-toothed smile:

"Well, how's your wife? How's your wife? How's your
wife?"

"Oh well, still the same, Alexey Ivanych. Bad! Tomorrow is her namesday, but I have no . . ."

"It's the same, Martin Martinych, the same with everyone, the same, the same."

Listen: a bird has flown into the kitchen; it flutters, and
rustles its wings; to the right, to the left—and suddenly
in desperation it strikes the wall full with its breast:

"Alexey Ivanych, I wanted . . . Alexey Ivanych, couldn't
you . . . just five or six logs . . ."

Yellow stone teeth showing through the weeds, yellow
teeth—from his eyes, all of Obertyshev was being overgrown with teeth, teeth that grew longer and longer.

"Oh, come now, Martin Martinych, come now, come
now. We ourselves have but . . . You know yourself how
things are nowadays, you know, you know. . . ."

Tighter the knot! Tighter—ever tighter! Martin Martinych wound himself up, lifted the pail, and—through
the kitchen, through the dark corridor, through the dining
room. At the dining room threshold Obertyshev stuck out
his hand—a momentary lizardy whisk.

"Well, so long. . . . Only the door, Martin Martinych,
don't forget to slam it shut, don't forget. Both doors, both,
both—you just can't get enough heat!"

On the dark ice-encrusted landing Martin Martinych
set down the pail, turned around, firmly pulled shut the
first door. He listened: he heard only the dry shivering of

сухую костяную дрожь в себе и своё трясущееся —
пунктирное, точечками — дыхание. В узенькой клетке между двух дверей протянул руку, нащупал —
полено, и ещё, и ещё... Нет! Скорей выпихнул себя
на площадку, притворил дверь. Теперь только прихлопнуть поплотнее, чтобы щёлкнул замок...

И вот — нет силы. Нет силы прихлопнуть Маши-
но завтра. И на черте, отмеченной чуть приметным
пунктирным дыханием, схватились на смерть два
Мартина Мартиныча: тот, давний, со Скрябиным,
какой знал: нельзя, — и новый, пещерный, какой
знал: нужно. Пещерный, скрипя зубами, подмял,
придушил — и Мартин Мартиныч, ломая ногти, открыл дверь, запустил руку в дрова — полено, чет-
вёртое, пятое, — под пальто, за пояс, в ведро —
хлопнул дверью и вверх — огромными, звериными
скачками. По середине лестницы, на какой-то обледенелой ступеньке — вдруг пристыл, вжался в стену: внизу снова щёлкнула дверь — и пропылённый
Обёртышевский голос:

— Кто — там? Кто там? Кто там?
— Это я, Алексей Иваныч. Я — я дверь забыл...
Я хотел... Я вернулся — дверь поплотнее...

— Вы? Гм... Как же это вы так? Надо аккуратнее, надо аккуратнее. Теперь всё крадут, сами знаете, сами знаете. Как же это вы так?

Двадцать девятое. С утра — низкое, дырявое,
ватное небо, и сквозь дыры несёт льдом. Но пещерный бог — набил брюхо с самого утра, милостиво
загудел — и пусть там дыры, пусть обросший зубами Обёртышев считает поленья — пусть, всё равно:
только бы сегодня; «завтра», — непонятно в пещере; только через века будут знать «завтра», «после-
завтра».

Маша встала и, покачиваясь от невидимого ветра,
причесалась по старому: на уши, посередине пробор.

his bones and his tremulous breathing, punctuated like a dotted line. In the narrow cage between the two doors he stretched forth a hand, felt around—a log, and another, and another . . . No! Quickly he shoved himself out onto the landing, closed the door. Now only to slam it more tightly, so the lock would click. . . .

But—he had no strength. He had no strength to slam the door on Masha's tomorrow. And on a line delineated by his scarcely perceptible punctuated breathing, two Martin Martinyches grappled in a struggle to the death: the one, of old, of Scriabin, who knew: he must not—and the new one, of the cave, who knew: he must. He of the cave, with teeth grinding, trampled, strangled the other—and Martin Martinych, breaking his nails, opened the door, stuck his hand into the firewood—a log, a fourth, a fifth,— under his coat, in his belt, into the pail—slammed the door and up the stairs—with huge animal's bounds. In the middle of the stairs, on some icy step, he suddenly froze, and pressed into the wall: below, the door clicked again— and Obertyshev's dust-laden voice:

"Who's—there? Who's there? Who's there?"

"It's me, Alexey Ivanych. I . . . I forgot the door . . . I wanted to . . . I returned to close the door more tightly . . ."

"You? Hm . . . How could you do that? You must be more careful, more careful. Nowadays everybody steals, you know yourself, you know yourself. How could you do that?"

The twenty-ninth. From morning—a low, cottony sky full of holes, and through the holes—an icy breath. But the cave-god stuffed his belly from morning, graciously began to drone—and let there be holes, let Obertyshev, overgrown with teeth, count his logs—let him, it makes no difference: if only for today; tomorrow has no meaning in the cave; only after ages have passed will "tomorrow" and "the day after tomorrow" be known.

Masha got up and, rocked by an invisible wind, combed her hair as of old: over her ears with a parting in the middle.

И это было — как последний, болтающийся на голом
дереве, жухлый лист. Из среднего ящика письмен-
ного стола Мартин Мартиныч вытащил бумаги,
письма, термометр, какой-то синий флакончик (торопливо сунул обратно — чтобы не видела Маша)
— и, наконец, из самого дальнего угла чёрную ла-
кированную коробочку: там, на дне, был ещё настоящий — да, да! самый настоящий чай! Пили настоящий чай. Мартин Мартиныч, запрокинув голову, слушал такой похожий на прежний голос:

— Март, а помнишь: моя синенькая комната, и
пианино в чехле, и на пианино — деревянный конёк
— пепельница, и я играла, а ты подошёл сзади — —

Да, в тот вечер была сотворена вселенная, и удивительная, мудрая морда луны, и соловьиная трель
звонков в коридоре.

— А помнишь, Март: открыто окно, зелёное небо
— и снизу, из другого мира — шарманщик?

Шарманщик, чудесный шарманщик — где ты?

— А на набережной... помнишь? Ветки — ещё
голые, вода — румяная, и мимо плывёт последняя
синяя льдина, похожая на гроб. И только смешно
от гроба — потому что ведь мы — никогда не ум-
рём. Помнишь?

Внизу начали колоть каменным топором. Вдруг
перестали, какая-то беготня, крик. И расколотый
надвое, Мартин Мартиныч одной половиной видел
бессмертного шарманщика, бессмертного деревян-
ного конька, бессмертную льдину, а другой — пунк-
тирно дыша — пересчитывал вместе с Обёртышевым поленья дров. Вот уж Обёртышев сосчитал, вот
надевает пальто, весь обросший зубами — свирепо
хлопает дверью, и — —

— Погоди, Маша, кажется — кажется у нас
стучат.

Нет. Никого. Пока ещё никого. Ещё можно ды-

It was like the last, withered leaf fluttering on a bare tree. From the middle drawer of the desk Martin Martinych took papers, letters, a thermometer, some kind of blue phial (he hurriedly shoved it back, so Masha would not see) and, finally, from the furthest corner, a black lacquered box. In it, on the bottom, there still was some real—yes! yes! some most real tea! They drank real tea. Martin Martinych, having thrown back his head, listened to a voice so similar to that of the past:

"Mart, do you remember: my nice blue room, and the piano with its cover, and on the piano—a little wooden horse—an ashtray, and I was playing, and you came up from behind—"

Yes, that evening the universe was created, and the wonderful, wise old snout of the moon, and the nightingale-trill of bells in the hallway.

"And do you remember, Mart: the window open, the green sky—and below, from another world—the organ-grinder?"

Organ-grinder, marvelous organ-grinder—where are you?

"And on the embankment . . . remember? Branches—still bare, the water—reddish, and the last blue block of ice, resembling a coffin, floats by. And the coffin only made us laugh, for we—we'll never die. Remember?"

Downstairs they began splitting wood with a stone axe. Suddenly they ceased, some sort of scurrying, a shout. And split in two, Martin Martinych with one half saw the immortal organ-grinder, the immortal wooden horse, the immortal block of ice, and with the other—his breath punctuated—he was re-counting with Obertyshev the logs of firewood. Now Obertyshev has already counted them, now he is putting on his coat; all overgrown with teeth he savagely slams the door, and—

"Wait, Masha, it seems—it seems that someone is knocking at our door."

No. No one. No one as yet. He can still breathe, he can

шать, ещё мо́жно запроки́нуть го́лову, слу́шать го́-
лос — тако́й похо́жий на тот, пре́жний.

Су́мерки. Два́дцать девя́тое октября́ соста́рилось.
При́стальные, му́тные, стару́шечьи глаза́ — и всё
ёжится, смо́рщивается, го́рбится под при́стальным
взгля́дом. Оседа́ет сво́дами потоло́к, приплю́снулись
кре́сла, пи́сьменный стол, Марти́н Марти́ныч, крова́-
ти, и на крова́ти — совсе́м пло́ская, бума́жная
Ма́ша.

В су́мерках пришёл Се́лихов, домо́вый председа́-
тель.[11] Когда́-то он был шестипудо́вый,[12] но тепе́рь
уже́ вы́тек наполови́ну, болта́лся в пиджа́чной скор-
лупе́, как оре́х в погрему́шке. Но ещё по ста́рому
погро́мыхивал сме́хом.

— Ну-с, Марти́н Марти́ныч, во-пе́рвых — во-вто-
ры́х, супру́гу ва́шу — с тезоимени́тством.[13] Как же,
как же! Мне Обе́ртышев говори́л...

Марти́на Марти́ныча вы́стрелило из кре́сла, по-
нёсся, заторопи́лся — говори́ть, что́-нибудь гово-
ри́ть...

— Ча́ю... я сейча́с — я сию́ мину́ту... У нас сего́-
дня — настоя́щий. Настоя́щий! Я то́лько...

— Ча́ю? Я, зна́ете ли, предпочёл бы шампа́нско-
го. Не́ту? Да что вы! Гра-гра-гра! А мы, зна́ете, с
прия́телем тре́тьегодня из го́фманских гна́ли спирт.[14]
Поте́ха! Налака́лся. — «Я, — говори́т, — Зино́вь-
ев:[15] на коле́ни!» Поте́ха! А отту́да домо́й иду́ — на
Ма́рсовом по́ле[16] навстре́чу мне челове́к в одно́м жи-
ле́те,[17] ей Бо́гу! «Что э́то вы?» — говорю́. — «Да
ничего́, — говори́т. — Вот разде́ли се́йчас, домо́й
бегу́ на Васи́льевский».[18] Поте́ха!

Приплю́снутая, бума́жная, смея́лась на крова́ти
Ма́ша. Всего́ себя́ завяза́в в туго́й у́зел, всё гро́мче
смея́лся Марти́н Марти́ныч — чтобы подбро́сить в
Се́лихова дров, то́лько бы не переста́л, чтобы о чём-
нибудь ещё...

Се́лихов переста́л, чуть пофы́ркивая, зати́х. В
пиджа́чной скорлупе́ болтну́лся впра́во и вле́во;
встал.

still throw back his head and listen to the voice—so similar
to the other, the former.

Dusk. The twenty-ninth of October has grown old. The
staring, troubled eyes of an old crone—and everything
shrivels, wrinkles, hunches up under the fixed gaze. The
vaulted ceiling is settling; the armchairs, the desk, Martin
Martinych, the beds were flattened, and on the bed—a completely flat, paper-thin Masha.

Selikhov, the house-chairman, came at dusk. At one
time he had been well over two hundred pounds, but now
half of that had gone; he knocked about in his jacket-husk
like a nut in a rattle. But he rumbled with laughter as of old.

"W-e-ll, Martin Martinych, in the first place—secondly,
I congratulate your wife on the great day of her saint. Ah,
yes! Of course! Of course! Obertyshev told me. . . ."

Martin Martinych was shot from the armchair, he bolted,
hurried to speak, to say something. . . .

"Some tea . . . I'll immediately—this very minute . . .
Today we have real tea. Real tea! I only . . ."

"Some tea? You know, I'd prefer champagne. There
ain't any? No kidding? Har-har-har! And you know, the
day before yesterday me and my friend brewed our own
from Hoffman drops. What fun! He got potted. 'I am
Zinoviev,' he says, 'on your knees!' What fun! And I was
going home from there when on Mars Field a man comes
toward me in shirt sleeves, by God! 'What's with you?'
I say. 'Oh, nothing,' he says, 'They just undressed me and
I am running home to Vasilievsky.' What fun!"

Flattened, paper-thin, Masha laughed on the bed. Tying
himself into a tight knot, Martin Martinych laughed louder
and louder—in order to stoke Selikhov; so he would not
stop, so he would say something more. . . .

Selikhov was stopping, snorting slightly; he became still.
He swayed in his jacket-husk—to the right, to the left:
he got up.

— Ну-с, именинница, ручку. Чик! Как, вы не знаете? По йхнему, честь имею кланяться — ч. и. к.[19] Потеха!

Громыхал в коридоре, в передней. Последняя секунда: сейчас уйдёт, или

Пол чуть-чуть покачивался, покруживался у Мартина Мартиныча под ногами. Глиняно улыбаясь, Мартин Мартиныч придерживался за косяк. Селихов пыхтел, заколачивая ноги в огромные боты.

В ботах, в шубе, мамонтоподобный — выпрямился, отдышался. Потом молча взял Мартина Мартиныча под-руку, молча открыл дверь в полярный кабинет, молча сел на диван.

Пол в кабинете — льдина; льдина чуть слышно треснула, оторвалась от берега — и понесла, понесла, закружила Мартина Мартиныча, и оттуда — с диванного, далёкого берега — Селихова еле слыхать.

— Во-первых — во-вторых, сударь мой, должен вам сказать: я бы этого Обёртышева, как гниду,[20] ей-Богу... Но сами понимаете: раз он официально заявляет, раз говорит — завтра пойду в уголовное...[21] Этакая гнида! Я вам одно могу посоветовать: сегодня же, сейчас же к нему — и заткните ему глотку этими самыми поленьями.

Льдина — всё быстрее. Крошечный, сплюснутый, чуть видный — так, щёпочка — Мартин Мартиныч ответил — себе; и не о поленьях — нет, о другом:

— Хорошо. Сегодня же. Сейчас же.

— Ну вот и отлично, вот и отлично! Это — такая гнида, такая гнида, я вам скажу...

В пещере ещё темно. Глиняный, холодный, слепой — Мартин Мартиныч тупо натыкался на потопно перепутанные в пещере предметы. Вздрогнул: голос, похожий на Машин, на прежний:

— О чём вы там с Селиховым? Что? Карточки? А я, Март, всё лежала и думала: собраться бы с духом — и куда-нибудь, чтоб солнце... Ах, как ты

"W-e-ll, ma'am, your hand. Pam! What? You don't know? In their lingo, the pleasure's all mine—p.a.m. What fun!"

He thundered in the hallway, in the vestibule. The last second: he will leave now, or . . .

The floor swayed and spun slightly under the feet of Martin Martinych. Smiling a clay smile, Martin Martinych supported himself on the door-jamb. Selikhov puffed while pounding his feet into huge overshoes.

In his overshoes, in his fur coat, mammoth-like, he straightened up, caught his breath. Then silently he took Martin Martinych by the arm, silently he opened the door into the arctic study, silently he sat down on the sofa.

The floor in the study—a block of ice; scarcely audible, the block cracked, broke from the shore—and carried, carried, spun Martin Martinych, and from there—from the sofa, the distant shore—Selikhov can barely be heard.

"In the first place—secondly, my dear sir, I must tell you: I'd take that Obertyshev, like a louse, and by God . . . But you understand: since he has complained officially, since he says—'tomorrow I'll go to the criminal investigation office.' . . . What a louse! I can suggest only one thing: go to him, today, right now—and stuff those logs down his throat."

The block of ice—faster and faster. The minute, flattened, scarcely visible—a splinter—Martin Martinych answered to himself; and not about firewood, but about something else:

"Very well. Today. Right away."

"That's fine, that's fine! He's such a louse, such a louse, I'll tell you. . . ."

It is still dark in the cave. Cold, blind, made of clay—Martin Martinych dully stumbled against the flood-confounded objects in the cave. He started: a voice resembling Masha's, her former voice:

"What were you and Selikhov talking about? What? Ration cards? Mart, I was lying and thinking: if we'd gather our strength and go somewhere, where there is

гремишь! Ну как нарочно. Ведь ты же знаешь —
я не могу, я не могу, не могу!

Ножом по стеклу. Впрочем — теперь всё равно.
Механические руки и ноги. Поднимать и опускать
их — нужно какими-то цепями, лебёдкой, как кора-
бельные стрелы, и вертеть лебёдку — одного человека мало: надо троих. Через силу натягивая цепи,
Мартин Мартиныч поставил разогреваться чайник,
кастрюльку, подбросил последние Обёртышевские
поленья.

— Ты слышишь, что я тебе говорю? Что ж ты
молчишь? Ты слышишь?

Это, конечно, не Маша, нет, не её голос. Всё мед-
ленней двигался Мартин Мартиныч, ноги увязали
в зыбучем песке, всё тяжелее вертеть лебёдку. Вдруг
цепь сорвалась с какого-то блока, стрела-рука —
ухнула вниз, нелепо задела чайник, кастрюльку —
загремело на пол, пещерный бог змейно шипел. И
оттуда, с далёкого берега, с кровати — чужой,
пронзительный голос:

— Ты нарочно! Уходи! Сейчас же! И никого мне
— ничего, ничего не надо, не надо! Уходи!

Двадцать девятое октября умерло, и умер бес-
смертный шарманщик, и льдины на румяной от
заката воде, и Маша. И это хорошо. И нужно, чтоб
не было невероятного завтра, и Обёртышева, и
Селихова, и Мартина Мартиныча, чтобы умерло всё.
Механический, далёкий Мартин Мартиныч ещё
делал что-то. Может быть снова разжигал печку, и
подбирал с полу в кастрюльку, и кипятил чайник; и
может быть что-нибудь говорила Маша — не слышал: только тупо ноющие вмятины на глине от ка-
ких-то слов, и от углов шифоньера, стульев, пись-
менного стола.

Мартин Мартиныч медленно вытаскивал из пись-
менного стола связки писем, термометр, сургуч, коробочку с чаем, снова — письма. И наконец, отку-
да-то с самого со дна темносиний флакончик.

sun . . . Oh! How noisy you are! As if on purpose. Don't
you know!—I can't, I can't, I can't!"

A knife on glass. However—now it made no difference.
Mechanical arms and legs. Some sort of chains, a winch,
are needed to raise and lower them, like the sheers of a
ship; and to turn the winch—one man is not enough: three
are needed. Tightening the chains beyond his strength,
Martin Martinych set a teakettle and saucepan to heat,
threw on the last Obertyshev logs.

"Do you hear what I am telling you? Why are you
silent? Do you hear?"

This, of course, is not Masha; no, it is not her voice.
Martin Martinych moved slower and slower, his feet were
swallowed by quicksand, the winch turned harder and
harder. Suddenly a chain tore loose from some block, a
sheer-arm crashed down, awkwardly bumped the teakettle and saucepan—they clattered to the floor, the cave-
god hissed like a snake. And over there, from the distant
shore, from the bed—a strange piercing voice:

"You did that on purpose! Go away! This very instant!
I don't want to see anybody, I don't need anything, I don't
need anything! Go away!"

The twenty-ninth of October died, and the immortal
organ-grinder died, and the blocks of ice on the reddish
water at sunset, and Masha. And this is good. There should
be no improbable tomorrow, no Obertyshev, no Selikhov,
no Martin Martinych; everything should die.

The mechanical, distant Martin Martinych was still
doing something. Perhaps he again was lighting the stove,
and was gathering the contents of the saucepan from the
floor, and was setting the teakettle to boil; and perhaps
Masha was saying something—he did not hear; there were
only dully aching indentations in the clay from some sort
of words, from the corners of the chiffonier, chairs, desk.

Martin Martinych was slowly extracting from the desk
bundles of letters, a thermometer, sealing-wax, a little box
of tea, and again—letters. And finally, somewhere from
the very bottom, a small dark-blue phial.

Десять: дали свет. Голый, жёсткий, простой, холодный — как пещерная жизнь, и смерть — электрический свет. И такой простой — рядом с утюгом, 74-м опусом, лепёшками — синий флакончик.

Чугунный бог милостиво загудел, пожирая пергаментно-жёлтую, голубоватую, белую бумагу писем. Тихонько напомнил о себе чайник, постучал крышкой. Маша обернулась:

— Скипел чай? Март милый, дай мне —

Увидела. Секунда, насквозь пронизанная ясным, голым, жестоким электрическим светом: скорченный перед печкой Мартин Мартиныч; на письмах — румяный, как вода на закате, отблеск; и там — синий флакончик.

— Март... Ты... ты уже хочешь...

Тихо. Равнодушно пожирая бессмертные, горькие, нежные, жёлтые, белые, голубые слова — тихонько мурлыкал чугунный бог. И Маша — так же просто, как просила чаю:

— Март, милый! Март — дай мне!

Мартин Мартиныч улыбнулся издалека:

— Но ведь ты же знаешь, Маша: там — только на одного.

— Март, ведь меня всё равно уже нет. Ведь это уже не я — ведь всё равно я... Март, ты же понимаешь — Март!

Ах, тот самый — тот самый голос... И если запрокинуть голову вверх...

— Я, Маша, тебя обманул: у нас в кабинете — ни полена. И я пошёл к Обёртышеву, и там между дверей... Я украл — понимаешь? И Селихов мне... Я должен сейчас отнести назад — а я всё сжёг — я всё сжёг — всё!

Равнодушно задрёмывает чугунный бог. Потухая, чуть вздрагивают своды пещеры, и чуть вздрагивают дома, скалы, мамонты, Маша.

— Март, если ты меня ещё любишь... Ну, Март, ну вспомни! Март, милый!

Ten o'clock: the light was turned on. Bare, harsh, plain, cold (like cave life, and death) electric light. And beside the flat-iron, the 74th Opus, the flat cakes—such a plain, blue phial.

The cast-iron god droned kindly, devouring the parchment-yellow, bluish and white paper of the letters. The teakettle rattled its lid, quietly bringing itself to mind. Masha turned around:

"Has the tea boiled? Mart dear, give me—"

She saw it. One second, pierced through and through by the clear, bare, cruel electric light: huddled before the stove—Martin Martinych; on the letters—a reddish reflection, like the water at sunset; and there—the blue phial.

"Mart . . . You . . . you already want to . . ."

It is quiet. Indifferently devouring the immortal, bitter, tender, yellow, white, blue words—quietly purred the cast-iron god. And Masha—just as simply as when asking for tea:

"Mart, dear! Mart—give it to me."

Martin Martinych smiled from afar.

"But you do know, Masha: there's only enough for one."

"Mart, I'm gone anyway. This is not me—it makes no difference, I'll . . . Mart, you do understand—Mart!"

Oh, that same—that same voice. . . . And if you would throw back your head. . . .

"Masha, I deceived you: there's not a single log in our study. And I went to Obertyshev, and there between the doors . . . I stole—do you understand? And Selikhov told me . . . I must take them back right away—but I've burned them all, I've burned them all—all of them!"

Indifferently, the cast-iron god drowses. Dying out, the cave vaults shudders slightly, and slightly shudder the houses, the rocks, the mammoths, Masha.

"Mart, if you still love me . . . Please, Mart. Remember! Mart, dear!"

Бессме́ртный деревя́нный конёк, шарма́нщик, льди́на. И э́тот го́лос... Марти́н Марти́ныч ме́дленно встал с коле́н. Ме́дленно, с трудо́м вороча́я лебёдку, взял со стола́ си́ний флако́нчик и по́дал Ма́ше.

Она́ сбро́сила одея́ло, се́ла на посте́ли румя́ная, бы́страя, бессме́ртная — как тогда́ вода́ на зака́те, схвати́ла флако́нчик, засмея́лась.

— Ну вот ви́дишь: неда́ром я лежа́ла и ду́мала — уе́хать отсю́да. Зажги́ ещё ла́мпу — ту, на столе́. Так. Тепе́рь ещё что́-нибудь в пе́чку.

Марти́н Марти́ныч, не гля́дя, вы́греб каки́е-то бума́ги из стола́, ки́нул в печь.

— Тепе́рь... Иди́ погуля́й немно́го. Там, ка́жется, луна́ — м о я́ луна́: по́мнишь? Не забу́дь — возьми́ ключ, а то захло́пнешь, а откры́ть —

Нет, там луны́ не́ было. Ни́зкие, тёмные глухи́е облака́ — сво́ды, и всё — одна́ огро́мная ти́хая пеще́ра. Узкие, бесконе́чные прохо́ды ме́жду стен; и похо́жие на дома́ тёмные, обледене́лые ска́лы; и в ска́лах — глубо́кие, багро́во-освещённые ды́ры: там, в ды́рах, во́зле огня́ — на ко́рточках лю́ди. Лёгкий ледяно́й сквознячо́к сдува́ет из-под ног бе́лую пыль, и никому́ неслы́шная — по бе́лой пы́ли, по глы́бам, по пеще́рам, по лю́дям на ко́рточках — огро́мная ме́рная по́ступь како́го-то ма́монтейшего ма́монта.

The immortal wooden horse, the organ-grinder, the block of ice. And this voice . . . Martin Martinych slowly rose from his knees. Slowly, with difficulty turning the winch, he took the phial from the table and gave it to Masha.

She threw off the blanket, sat on the bed—rosy, quick, immortal, like the water had once been at sunset, grabbed the phial, laughed.

"So you see: not without cause have I lain and thought of leaving here. Turn on another lamp—that one, on the table. That's right. Now throw something else in the stove."

Martin Martinych, without looking, scooped some papers out of the desk, threw them in the stove.

"Now . . . Go take a short walk. It seems that the moon is there—*my* moon: remember? Don't forget—take the key, otherwise you'll lock the door, and won't be able to. . ."

No, there was no moon there. Low, dark thick clouds—a vault, and everything—one huge, quiet cave. Narrow, endless passageways between walls; and resembling houses —dark, ice-encrusted rocks; and in the rocks—deep holes glowing crimson; there, in the holes by the fire—squatting people. A light, icy draught blows white dust from under their feet, and heard by no one—over the white dust, over the boulders, over the caves, over the squatting people— the huge, measured tread of some super-mammothish mammoth.

ISAAC BABEL
(1894-1941)

Isaac Emmanuilovich Babel was born in Odessa into the family of a small Jewish tradesman. He attended a secondary school in Odessa, studying at the same time, at his father's insistence, the Hebrew language and the Talmud. An important part was played in his life by his French teacher who instilled in him a love of French literature, both classical and modern. When Babel began to write stories, still as a schoolboy, he wrote them at first in French. He regarded Flaubert and Maupassant as his masters. His first steps in serious literature he owed to Maxim Gorky who, in 1916, printed his first stories in his magazine *Letopis'*. Gorky later advised him to gain more experience of life before continuing to write. After that Babel tasted a variety of professions and occupations: he was employed in the Commissariat for Education, in the notorious Cheka (Soviet political police), in a printing office, and so on, and also served, in 1920, during the Soviet-Polish War, in Budyonny's famous Red Cavalry which provided him with material for some of his most famous stories. He made his literary comeback in 1924 when several of the stories, including the one printed below, which were later to form part of the book *Konarmiya* (*Red Cavalry*), were published in Mayakovsky's magazine *LEF*. Almost immediately Babel was hailed as the rising star of Soviet literature. When the volume of his stories appeared in 1926 it was at once translated into several languages.

Babel was not a prolific writer. Besides the *Red Cavalry* stories, most of which are only a few pages long, he wrote also a volume of *Jewish Stories*, in which a prominent part is played by the Jewish gangsters of Odessa, a few other stories (some of them autobiographical), and two plays, both of them also from Jewish life.

In the 1930s Babel's literary output fell sharply while
he was being increasingly subjected to criticisms by Communist critics for his alleged "estheticism," his lack of
real symathy with the Revolution, and so on. At the end
of that decade Babel disappeared from literature, one of
the many victims of Stalin's purges. It was not until Khru-
shchev's famous secret report to the 20th Congress of
the Communist Party on the misdeeds of Stalin (February
1956), which unleashed a wave of literary rehabilitations,
that Babel was brought out of the limbo. A volume of
his *Selected Works,* including almost all of his stories, was
published in 1957, with a warm and flattering introduction by Ilya Ehrenburg who called Babel a true humanist
and internationalist. Little was revealed by Ehrenburg of
Babel's personal fate: arrested in 1939 "on false denunciation," he was said to have died in 1941. Orthodox
Communist critics soon began to criticize Ehrenburg for
"overdoing" his rehabilitation of Babel.

It has been said of Babel's stories that it is style that
holds them together whether they be tales of the Revolution and the Civil War, or stories of Jewish life in Odessa.
Babel has a sense of form. Unlike many of the others
during that period, his stories are pithy, compact. His
predilection for ornamentalism, for the exotic and the
unusual, goes hand in glove with that aversion to psychological probing which characterized most of the young
writers of the early Soviet period. The elements of contrast and paradox play an important part in his stories.
The grotesque rubs shoulders with the romantically
heightened. Underlying all the stories in *Red Cavalry* is
the contrast between the milieu and the figure of the
narrator, so utterly unwarlike, as well as between the
naturalistic and the romantic elements in the style. The
same is true of the Jewish stories where the characters are
romantically glamorized and yet pathetic and humorous.
"The Death of Dolgushov" is characteristic of Babel in its
terseness and its combination of stark realism and romanticism.

СМЕРТЬ ДОЛГУШОВА

И. Э. Бабеля

Завесы боя продвигались к городу. В полдень пролетел мимо нас Корочаев[1] в чёрной бурке — опальный начдив четыре,[2] сражающийся в одиночку и ищущий смерти. Он крикнул мне на бегу:

— Коммуникации наши прорваны. Радзивиллов и Броды[3] в огне!..

И ускакал — развевающийся, весь чёрный, с угольными зрачками.

На равнине, гладкой, как доска, перестраивались бригады. Солнце катилось в багровой пыли. Раненые закусывали в канавах. Сёстры милосердия лежали на траве и вполголоса пели. Афонькины[4] разведчики рыскали по полю, выискивая мертвецов и обмундирование. Афонька проехал в двух шагах от меня и сказал, не поворачивая головы:

— Набили нам ряжку. Дважды два.[5] Есть думка за начдива,[6] смещают. Сомневаются бойцы...

Поляки подошли к лесу, верстах[7] в трёх от нас, и поставили пулемёты где-то близко. Пули скулят и взвизгивают. Жалоба их нарастает невыносимо. Пули подстреливают землю и роются в ней, дрожа от нетерпения. Вытягайченко, командир полка, храпевший на солнцепёке, закричал во сне и проснулся. Он сел на коня и поехал к головному эскадрону. Лицо его было мятое, в красных полосах от неудобного сна, а карманы полны слив.

THE DEATH OF DOLGUSHOV
Isaac Babel

The screens of battle were moving toward the town. At noon Korochayev, in his black cloak, flew past us—the disgraced commander of the Fourth Division, who fought singlehanded and sought death. He shouted to me as he rode past:

"Our communications are cut. Radziwillów and Brody are in flames!"

And he galloped away, all black and billowing, his pupils like coals.

On the board-flat plain the brigades were re-forming. The sun rolled through purple dust. In ditches wounded men were having a bite to eat. Nurses lay on the grass and sang softly. Afonka's scouts were scouring the fields, searching for the dead and for equipment. Afonka rode past within two paces of me and said, without turning his head:

"We've had it in the neck. Like two and two. I've a notion about the Divisional Commander—he'll be fired. The men are uneasy. . . ."

The Poles have reached the woods, about three versts from us, and posted their machine guns somewhere close by. Bullets whine and squeal. Their complaint mounts unbearably. Bullets strike the earth and burrow into it, trembling with impatience. Vytyagaychenko, the regimental commander, who was snoring in the sunshine, cried out in his sleep and woke up. He mounted his horse and rode off toward the vanguard squadron. His face was crumpled, lined with red streaks from his uncomfortable nap, and his pockets were full of plums.

— Су́киного сы́на, — сказа́л он серди́то и вы́плюнул изо рта ко́сточку, — вот га́дкая каните́ль. Тимо́шка,[8] выкида́й флаг!

— Пойдём, што ль?[9] — спроси́л Тимо́шка, вынима́я дре́вко из стремя́н, и размота́л зна́мя, на кото́ром была́ нарисо́вана звезда́ и напи́сано про III Интернациона́л.[10]

— Там вида́ть бу́дет, — сказа́л Вытяга́йченко и вдруг закрича́л ди́ко: — Де́вки, сида́й на ко́ников![11] Склика́й люде́й, эскадро́нные!..

Трубачи́ проигра́ли трево́гу. Эскадро́ны постро́ились в коло́нну. Из кана́вы вы́лез ра́неный и, прикрыва́ясь ладо́нью, сказа́л Вытяга́йченке:

— Тара́с Григо́рьевич, я есть делега́т. Вида́ть, вро́де того́, что оста́немся мы...

— Отобьётесь... — пробормота́л Вытяга́йченко и по́днял коня́ на дыбы́.

— Есть така́я наде́я[12] у нас, Тара́с Григо́рьевич, что не отобьёмся, — сказа́л ра́неный ему́ вслед.

— Не каню́чь, — оберну́лся Вытяга́йченко, — небо́сь не оста́влю, — и скома́ндовал по́вод.

И то́тчас же зазвене́л пла́чущий ба́бий го́лос Афо́ньки Биды́, моего́ дру́га:

— Не переводи́ ты с ме́ста на рыся́,[13] Тара́с Григо́рьевич, до его́ пять вёрст бежа́ть. Как бу́дешь руба́ть, когда́ у нас ло́шади заморённые... Ха́пать не́чего — поспе́ешь к Богоро́дице гру́ши околачивать...[14]

— Ша́гом! — скома́ндовал Вытяга́йченко, не поднима́я глаз.

Полк ушёл.

— Е́сли ду́мка за начди́ва пра́вильная, — прошепта́л Афо́нька, заде́рживаясь, — е́сли смеща́ют, тогда́ мы́ли хо́лку и выбива́й подпо́рки.[15] То́чка.

Слёзы потекли́ у него́ из глаз. Я уста́вился на Афо́ньку в изумле́нии. Он закрути́лся волчко́м, схвати́лся за ша́пку, захрипе́л, ги́кнул и умча́лся.

"Son of a bitch!" he said crossly and spat a pit out of his mouth. "Here is a rotten mess! Unfurl the standard, Timoshka!"

"Going to get a move on, or what?" asked Timoshka, disengaging the staff from his stirrups and unrolling the banner on which there was a star and some words about the Third International.

"We'll see soon," said Vytyagaychenko and suddenly yelled wildly: "Hey, girls, to horse! Squadron commanders, call your men!"

The buglers sounded the alarm. The squadrons formed a column. Out of a ditch climbed a wounded man and, screening himself with his palm, said to Vytyagaychenko:

"Taras Grigoryevich, I'm a delegate. Looks as if we were to be left behind. . . ."

"You'll fight them off," muttered Vytyagaychenko, making his horse rear.

"We sort of feel we won't, Taras Grigoryevich," said the wounded man after him.

"Stop crabbing," Vytyagaychenko turned to him, "I'm not likely to leave you behind"—and he gave orders to move off.

And at once there rang out the whimpering, womanish voice of my friend, Afonka Bida:

"Don't take to trot straight away, Taras Grigoryevich, there's five versts running before we reach him. How can you fight with our horses winded? There's no rush—you'll be in time for the Virgin's feast, to knock the pears off. . . ."

"Walking pace!" commanded Vytyagaychenko without raising his eyes.

The regiment set out.

"If my notion about the divisional commander is right," whispered Afonka, lingering behind, "if he's to be fired, then we are done for. Period."

Tears streamed from his eyes. I stared at him in amazement. He spun around like a top, grabbed at his cap, wheezed, whooped and sped away.

Грищу́к со свое́й глу́пой тача́нкой[16] да я — мы
оста́лись одни́ и до ве́чера мота́лись ме́жду огневы́х
стен. Штаб диви́зии исче́з. Чужи́е ча́сти не принима́ли нас. Поляки́ вошли́ в Бро́ды[17] и бы́ли вы́биты
контрата́кой. Мы подъе́хали к городско́му кла́дбищу. Из-за моги́л вы́скочил по́льский разъе́зд и, вски́нув винто́вки, стал бить по нас. Грищу́к поверну́л.
Тача́нка его́ вопи́ла все́ми четырьмя́ свои́ми колёсами.

— Грищу́к! — кри́кнул я сквозь свист и ве́тер.

— Баловство́, — отве́тил он печа́льно.
— Пропада́ем, — воскли́кнул я, охва́ченный ги́бельным восто́ргом, — пропада́ем, оте́ц!
— Заче́м ба́бы труда́ются?[18] — отве́тил он ещё
печа́льнее, — заче́м сва́тания, венча́ния,[19] заче́м кумы́
на сва́дьбах гуля́ют...

В не́бе засия́л ро́зовый хвост и пога́с. Мле́чный
Путь проступи́л ме́жду звёздами.
— Сме́ха мне, — сказа́л Грищу́к го́рестно и показа́л кнуто́м на челове́ка, сиде́вшего при доро́ге,
— сме́ха мне,[20] заче́м ба́бы труда́ются...
Челове́к, сиде́вший при доро́ге, был Долгушо́в, телефони́ст. Разброса́в но́ги, он смотре́л на нас в упо́р.
— Я вот что, — сказа́л Долгушо́в, когда́ мы
подъе́хали, — ко́нчусь... Поня́тно?
— Поня́тно, — отве́тил Грищу́к, остана́вливая
лошаде́й.
— Патро́н на меня́ на́до стра́тить,[21] — сказа́л
Долгушо́в.
Он сиде́л, прислони́вшись к де́реву. Сапоги́ его́
торча́ли врозь. Не спуска́я с меня́ глаз, он бе́режно
отверну́л руба́ху. Живо́т у него́ был вы́рван, кишки́ ползли́ на коле́ни и уда́ры се́рдца бы́ли видны́.

— Наско́чит шля́хта[22] — насме́шку сде́лает. Вот
докуме́нт,[23] ма́тери отпи́шешь, как и что...

Grishchuk with his silly cart and I—we were left alone and until evening knocked about between the walls of fire. The divisional staff had vanished. Other units would not have us. The Poles entered Brody and were beaten out by a counterattack. We came up to the town cemetery. From behind the graves emerged a detachment of Polish scouts; shouldering their rifles, they fired at us. Grishchuk turned back. His cart shrilled with all its four wheels.

"Grishchuk!" I called out through the whistling and the wind.

"Some fun!" he called back mournfully.

"We're done for," I shouted, seized with rapture of doom, "we're done for, dad!"

"What's the good of women taking all the trouble," he answered still more mournfully. "What's the good of wooings, marryings, what's the good of gossips making merry at the wedding feasts?"

A rosy trail flared up in the sky and died out. The Milky Way came in sight among the stars.

"Makes me laugh," said Grishchuk mournfully and pointed his whip at a man sitting by the roadside, "makes me laugh, why do women take all the trouble. . . ?"

The man sitting by the roadside was Dolgushov, the telephonist. His legs spread, he was staring at us.

"That's how it is," he said when we had come up. "I'll be finished. Understood?"

"Understood," said Grishchuk, pulling up the horses.

"You must use up a cartridge on me," said Dolgushov.

He sat leaning against a tree. His boots were thrust out apart. Without taking his eyes off me, he carefully peeled back his shirt. His belly had been torn out, his intestines were crawling out onto his knees, and you could see the heartbeats.

"The Polacks will ride up—they'll have fun with me. Here are my papers, you'll write to my mother how and what. . . ."

— Нет, — ответил я и дал коню шпоры.

Долгушов разложил по земле синие ладони и осмотрел их недоверчиво...

— Бежишь? — пробормотал он, сползая. — Беги, гад...

Испарина ползла по моему телу. Пулемёты отстукивали всё быстрее, с истерическим упрямством. Обведённый нимбом заката, к нам скакал Афонька Бида.

— По малости чешем,[24] — закричал он весело. — Что у вас тут за ярмарка?[25]

Я показал ему на Долгушова и отъехал.

Они говорили коротко, — я не слышал слов. Долгушов протянул взводному[26] свою книжку. Афонька спрятал её в сапог и выстрелил Долгушову в рот.

— Афоня, — сказал я с жалкой улыбкой и подъехал к казаку, — а я вот не смог.

— Уйди, — ответил он, бледнея, — убью! Жалеете вы, очкастые, нашего брата, как кошка мышку...

И взвёл курок.

Я поехал шагом, не оборачиваясь, чувствуя спиной холод и смерть.

— Вона, — закричал сзади Грищук, — ан дури![27] — и схватил Афоньку за руку.

— Холуйская кровь![28] — крикнул Афонька. — Он от моей руки не уйдёт...

Грищук нагнал меня у поворота. Афоньки не было. Он уехал в другую сторону.

— Вот видишь, Грищук, — сказал я, — сегодня я потерял Афоньку, первого моего друга...

Грищук вынул из сиденья сморщенное яблоко.

— Кушай, — сказал он мне, — кушай, пожалуйста...

"No," I answered and spurred my horse.

Dolgushov spread his blue palms out on the ground and examined them incredulously.

"Sneaking off?" he muttered sliding down. "Sneak off, you bastard."

Sweat trickled down my body. The machine guns were rattling away, faster and faster, with hysterical obstinacy. Ringed with the halo of the sunset, Afonka Bida was galloping toward us.

"We're giving them a bit of a raking-over," he shouted gaily. "What sort of show d'you have here?"

I pointed Dolgushov out to him and rode off a little.

They had a brief talk—I couldn't hear the words. Dolgushov handed his regimental book to the troop commander. Afonka hid it in his boot and shot Dolgushov in the mouth.

"Afonya," said I with a pitiful smile and rode up to the Cossack, "I just couldn't. . . ."

"Be off," he said, turning pale. "I'll kill you! You guys in specs have as much pity for us as a cat for a mouse. . . ."

And he cocked his rifle.

I rode off at a walk, without turning round, sensing cold and death with my back.

"Hey, you!" shouted Grishchuk from behind. "Quit fooling . . ." and he grabbed Afonka by the arm.

"The scum!" cried Afonka. "He won't get away from me."

Grishchuk caught up with me at a turn in the road. Afonka was not to be seen. He had ridden off in the opposite direction.

"There, you see, Grishchuk," I said, "today I've lost Afonka, my very first friend."

Grishchuk took a wizened apple out from his seat.

"Eat it," he said to me. "Eat it, please."

MIKHAIL ZOSHCHENKO
(1895-1958)

Mikhail Mikhailovich Zoshchenko was born in Poltava and was thus a countryman of Gogol. His father had been an artist. He studied at the Law School of the University of Petrograd but did not graduate, enlisting in 1915 as a volunteer in the Russian Army. He made his entry into literature in 1921, joining several other young writers in the Serapion Brotherhood, a rather loose literary association held together not by any literary or other tenets, but by enthusiasm for literature and a common belief in its autonomy and self-sufficiency. One of their masters, for whom they had a great admiration, was Zamyatin. "A work of literature may reflect the epoch but it need not do so," declared the Serapions. In a facetious autobiography written soon after the publication of the Serapions' first joint collection of stories and poems, Zoshchenko boldly made fun of the Communist critics who demanded "precise ideology" from writers, and wrote:

> Now that's plumb disagreeable! Tell me, how can I have 'a precise ideology' when not a single party among them all appeals to me?
> I don't hate anybody—there's *my* precise ideology . . .
> In their general swing the Bolsheviks are closer to me than anybody else. And so I'm willing to bolshevik around with them . . . But I'm not a Communist (or rather not a Marxist), and I think I never shall be.

Zoshchenko soon evolved a style and manner of his own which made his writings easily recognizable. It was based on *skaz*. His first book of stories (*Stories Told by Nazar Ilyich Mr. Sinebryukhov*, 1922) was typical of the period. Most of the stories were about World War I and the

Civil War, and were put into the mouth of a semi-educated noncom whose language was a mixture of natural peasant raciness and a hideous, artificial lingo. Gradually, however, Zoshchenko developed a new manner which combined the earlier stylized *skaz* with the purely comic anecdotes satirizing Soviet everyday life. Zoshchenko's narrator is a Soviet man-in-the-street who passively accepts the Revolution, but vaguely regrets the good old days; in fact, a composite portrait of the Soviet philistine.

Throughout the 1920s and the early 1930s Zoshchenko was one of the most popular Soviet writers, widely read both in Russia and by the Russians outside it. In the biographical dictionary of Soviet writers published in 1930 we read: "The name of Zoshchenko, a most popular Soviet humorous writer, enjoys widest fame. His stories are read even by those who, as a rule, do not follow contemporary literature." It is not very easy perhaps to explain to foreigners how and why this extremely popular writer came to be denounced, in 1946, as "a slanderer," as a corruptor of Soviet youth, and his works as "the very dregs of literature." Yet such was the case. With the pre-revolutionary poetess Anna Akhmatova, Zoshchenko was chosen by the Communist culture boss Andrey Zhdanov as the main target of a violent campaign against the "un-Soviet" elements in Soviet literature, against "bourgeois Formalists" and "servile cosmopolitans." Zoshchenko was expelled from the Union of Soviet Writers and for several years nothing was heard of him. When his signature began to appear again under some stories in the 1950s it was difficult to recognize the old Zoshchenko. He never regained his place in Soviet literature, though after 1956 his earlier work began to be reissued but in carefully selected and bowdlerized editions. The story here offered to the reader was written in 1926.

СВЯТОЧНАЯ ИСТОРИЯ
М. Зощенко

Нынче святочных рассказов никто не пишет. Главная причина — ничего такого святочного в жизни не осталось.

Всякая рождественская чертовщина, покойники и чудеса отошли, как говорится, в область предания.

Покойники, впрочем, остались. Про одного покойника могу вам, граждане, рассказать.

Эта истинная быль случилась перед самым Рождеством. В сентябре месяце.

Поведал мне об этой истории один врач по внутренним и детским болезням.

Это был врач довольно старенький и весь седой. Через этот факт[1] он поседел или вообще поседел — неизвестно. Только, действительно, был он седой, и голос у него был сиплый и надломленный.

То же и насчёт голоса. Неизвестно, на чём голос он пропил. На факте или вообще.

Но дело не в этом.

А сидит раз этот врач в своём кабинете и думает свои грустные мысли:

«Пациент-то, думает, нынче нестоящий пошёл. То-есть каждый норовит по страхкарточке[2] даром лечиться. И нет того,[3] чтобы к частному врачу зайти. Прямо хоть закрывай лавочку».

И вдруг звонок раздаётся.

Входит гражданин средних лет и жалуется врачу на недомогание. И сердце, дескать, у него всё

YULETIDE STORY
Mikhail Zoshchenko

Nowadays nobody writes Yuletide stories. The main reason being that there is nothing of a Yuletide nature left in life.

All kinds of Christmas devilry, dead men and miracles have passed, as the saying goes, into the realm of legends.

Dead men, however, still remain. I can tell you, citizens, about one dead man.

This genuinely true story happened just before Christmas. In the month of September.

It was told me by a doctor specializing in internal and children's diseases.

He was a rather oldish doctor and quite gray-haired. Whether he grew gray through that affair, or just so, is not known. But he was indeed gray-haired and his voice was husky and cracked.

The same goes for his voice. It is not known how he drank his voice away. Through that affair, or just so.

But that's not the point.

One day this doctor was sitting in his office and thinking his sad thoughts:

"Patients," he thought, "are no good nowadays. That is, everyone tries to get treated free on his health insurance card. They wouldn't dream of dropping in on a private doctor. You might as well close up shop."

And suddenly the doorbell rings.

In comes a middle-aged citizen and complains to the doctor about feeling unwell. His heart, he says, keeps stop-врéмя останáвливается, и вообщé чýвствует он, что помрёт вскóре пóсле э́того визи́та.

Осмотрéл врач больнóго — ничегó такóго. Совершéнно как бык здорóвый, рóзовый, и усы́ квéрху закрýчены. И всё на мéсте. И никакóго умирáния в органи́зме незамéтно.

Тогдá прописáл врач больнóму нашаты́рно-ани́совых кáпель,[4] при́нял за визи́т семь гри́вен,[5] покачáл головóй и, по прáвилам своéй профéссии, велéл емý зайти́ ещё раз зáвтра. На э́том они́ и расстал---ись.

На другóй день в э́то же врéмя прихóдит к врачý старушóнка в чёрном плáтье. Онá помину́тно сморкáется, плáчет и говори́т:

— Дáвеча, говори́т, приходи́л к вам мой люби́мый племя́нник, Васи́лий Ледéнцов. Так он, ви́дите ли, в ночь на сегóдня скончáлся. Нельзя́ ли емý пóсле э́того вы́дать свидéтельство о смéрти?

Врач говори́т:

— Óчень, говори́т, удиви́тельно, что он скончáлся. От ани́совых кáпель рéдко кончáются. Тем не мéнее, говори́т, свидéтельство о смéрти вы́дать не могý — мне нáдо уви́деть покóйника.

Старýшка, Бóжий цветóчек, говори́т:

— Óчень великолéпно. Идёмте тогдá за мной. Тут недалéче.[6]

Взял врач с собóю инструмéнт, надéл, замéтьте, калóши и вы́шел со старýшкой.

И вот поднимáются они́ в пя́тый этáж. Вхóдят в кварти́ру. Действи́тельно, лáданом попáхивает. Покóйник на столé распóложен. Свéчки горя́т вокрýг. И старýшка гдé-то жáлобно хрю́кает.

И так врачý стáло на душé скýчно и проти́вно.

«Экой я, дýмает, стáрый хрен,[7] каковó[8] смертéльно оши́бся в пациéнте. Какáя каните́ль за семь гри́вен».

Прися́живается он к столý и бы́стро пи́шет удостоверéние.

Написáл, пóдал старýшке и, не попрощáвшись,

ping, and in general he feels that he will die soon after this visit.

The doctor examined the patient—nothing of the kind. Absolutely as healthy as a bull, rosy, and his mustache twisted upwards. And everything in its place. And no dying noticeable in the organism.

Thereupon the doctor prescribed the patient some ammoniac aniseed drops, accepted seventy kopecks and, in accordance with the rules of his profession, told him to call in once more tomorrow. Whereupon they parted.

The next day, at the same time, an old woman in a black dress comes to the doctor. She blows her nose continuously, cries and says:

"The other day," says she, "my favorite nephew, Vasily Ledentsov, came to see you. Well, you see, last night he passed away. Would it be possible after this to issue him a death certificate?"

The doctor says:

"It is very remarkable," says he, "this passing away of his. People seldom pass away from aniseed drops. Nevertheless," he says, "I cannot issue a death certificate. I must see the deceased."

The old woman, this little flower of God, says:

"Most excellent. Follow me then. It isn't far from here."

The doctor took his tools, put on—observe this—his overshoes and went out after the old woman.

And so they go up to the fifth floor. They enter the apartment. Indeed, it smells a little of incense. The deceased is laid out on the table. The candles are burning around. And the old woman is grunting plaintively somewhere.

And the doctor felt so dreary and disgusted at heart.

"What an old duffer I am," he thinks, "what a deadly mistake I made about the patient. What a lot of fuss, all for seventy kopecks!"

He sits down at the table and quickly writes out a certificate.

He wrote it. He handed it to the old woman and, with-поскорее вышел. Вышел. Дошёл до ворот. И вдруг вспомнил — мать честная,[9] калоши позабыл.

«Экая, думает, неперка[10] за семь гривен. Придётся опять наверх ползти».

Поднимается он вновь по лестнице. Входит в квартиру. Дверь, конечно, открыта. И вдруг видит: сидит покойник Василий Леденцов на столе и сапог зашнуровывает.

Зашнуровывает он сапог и со старушкой о чём-то препирается. А старушка, Божий одуванчик, ходит вокруг стола и пальцем свечки гасит. Послюнит палец и гасит.

Очень удивился этому врач, хотел с испугу вскрикнуть, однако сдержался и как был, без калош — кинулся прочь.

Прибеж⁈ домой, упал на кушетку и со страху зубами лязгает. После выпил нашатырно-анисовых капель, успокоился и позвонил в милицию.[11]

А на другой день милиция выяснила всю эту историю.

Оказалось: агент по сбору объявлений, Василий Митрофанович Леденцов, присвоил три тысячи казённых денег.[12] С этими деньгами он хотел начисто смыться и начать новую великолепную жизнь.

Однако не пришлось.

Калоши врачу вернули к Рождеству, в самый сочельник, после всяких длинных процедур, заявлений, просьб и хождений по всем местам.

out saying good-bye, hurriedly walked out. Walked out. Reached the gate. And suddenly remembered: goodness gracious, he forgot his overshoes.

"What a nuisance," he thinks, "all for seventy kopecks. I'll have to crawl upstairs again."

Again he goes up the stairs. Enters the apartment. The door is, of course, open. And suddenly he sees: there, on the table, sits the deceased, Vasily Ledentsov, lacing up his boot.

He is lacing up the boot and squabbling about something with the old woman. And the old woman, the little dandelion of God, walks around the table and snuffs the candles with her finger. Moistens her finger with saliva and snuffs a candle.

The doctor was greatly surprised at this, was about to cry out from fright, but controlled himself and, just as he was, without the overshoes, dashed away.

He came running home, fell on the couch, and his teeth chattered from fright. Afterwards he drank some ammoniac aniseed drops, calmed down, and rang up the militia.

And the next day the militia cleared up the whole story.

It turned out that Vasily Mitrofanovich Ledentsov, an advertising agent, had embezzled three thousand. With that money he wanted to vanish into the blue and begin a new magnificent life. . . .

However, he didn't make it.

The overshoes were returned to the doctor for Christmas, on its very eve, after all sorts of long procedures, declarations, petitions and visits to all sorts of offices.

NOTES, QUESTIONNAIRE,
VOCABULARY

25. Смоле́нск. A town in Western Russia, on the river Dnieper, recovered from Poland in the seventeenth century.

26. Изма́йловский полк. One of the famous Russian guard regiments, named after the Turkish fortress of Izmail, victoriously stormed by the Russians under Suvorov in 1790. Its barracks were located near Izmailovsky Avenue and gave the name to the district. The transverse streets, which began near the barracks, were called ро́ты, "companies," and bore ordinal numbers (Пе́рвая ро́та, and so on).

27. Де́мутов тракти́р. A well-known hotel in St. Petersburg, situated on the Moyka. It was founded by Phillip-Jakob Demut, of Strasbourg (1750-1802). Pushkin himself used to stay there. In present-day usage the word тракти́р would be applied only to a lowly inn or a public house, but not to a fashionable hotel.

28. Что с во́зу упа́ло, то пропа́ло. A proverb, literally meaning "What has fallen off the cart is lost."

29. Что сде́лано, того́ не воро́тишь. A saying which literally means "What has been done cannot be brought back."

30. отоше́д. From отойти́, see note 13 above.

31. Лите́йная (у́лица). One of the main streets in St. Petersburg, running from the Neva to Nevsky Avenue.

32. Всех Скорбя́щих, that is Бо́жья Ма́терь Всех Скорбя́щих Ра́дость, "Our Lady the Joy of All the Sorrowing." An icon much venerated in Russia since the seventeenth century. Here refers to a church of that name.

33. то́чно так. In military parlance the equivalent of да, its opposite being ника́к нет. Also used by non-military as a deferential form.

34. а я и позабу́дь. The imperative, sometimes also with the imperative of the verb "to take" (that is, возьми́ и позабу́дь), can be used colloquially as a kind of expressive, dynamic past tense, more or less like the English "up and." It is tantamount here to а я и позабы́л.

35. ну́жды нет. This idiomatic expression, with the word нужда́ differently accented, means "never mind, doesn't matter."

36. Авдо́тья Самсо́новна. Авдо́тья is the popular form of Евдоки́я. Самсо́новна is the patronymic (о́тчество), her father's name being Самсо́н.

37. сверка́ющие па́льцы. Literally, "gleaming fingers."

38. махну́л руко́й. Literally, "waved his hand." Махну́ть руко́й на что́-нибудь means "to dismiss something as hopeless, or not worth bothering about." It is a common

idiom which need not, and usually does not, imply a
physical gesture it denotes. There are in Russian other
similar verbs, involving hands, e.g. всплеснуть руками,
развести руками. In Vladimir Nabokov's **Pnin**, Professor Timofey Pnin, who teaches Russian in an American
college, is said to be an expert in Russian "carpalistics"
(from "carpal," that is, "of or pertaining to the carpus
or wrist"), and a colleague of his makes a film, "with
Pnin in a polo shirt, a Gioconda smile on his lips, demon-
strating the movements underlying such Russian verbs . . .
as *makhnut', vsplesnut', razvesti;* the one-hand downward
loose shake of weary relinquishment; the two-hand drama-
tic splash of amazed distress; and the 'disjunctive' motion
—hands traveling apart to signify helpless passivity."

39. ни слуху ни духу. Literally, "Neither rumor nor breath
(or smell)," that is, "not heard anything about her."

40. голь кабацкая. Голь, from голый (naked), "paupers,
beggars"; кабацкая, from кабак, "pub."

41. Дмитриев. Ivan Ivanovich Dmitriev (1760—1837), poet,
an elder contemporary of Pushkin, at one time Minister
of Justice. Терентьич, a character in Dmitriev's ballad
"Карикатура" ("A Caricature").

42. вытянул пять стаканов пуншу. Тянуть, with reference to
drinking, can mean "to drink slowly, to sip." Here, however, the perfective verb has rather the meaning of "con-
sumed," "drank as much as. . ."

43. вольные лошади. Privately hired horses as distinct
from those supplied at the government's expense.

44. батюшка. Literally "father." This is the usual form of
address to a priest, but was also used, loosely and fa-
miliarly, as a general form of addressing a man (the corresponding feminine form would be матушка), with different connotations—deferential, familiar, or facetious.
Though less frequently than in the past, it is still used
colloquially in present-day Russian, often with a humorous or facetious overtone.

45. царство ему небесное, "may the Kingdom of Heaven be
his"—the usual formula of reference to a recently deceased person, corresponding more or less to the Latin
"requiescat in pace."

46. заседатель. An elected official in pre-reform Russia;
more often than not, a court assessor.

47. пяток серебром. At various times in the nineteenth century, paper currency (ассигнации) was considerably de-
preciated in relation to silver, and it was necessary to
specify whether the amount was reckoned in notes or in

hard coin. In Pushkin's day five silver kopecks were worth four or five times more in paper money. Cp. below in Leskov's story, which takes place later.

Gogol

1. Вознесе́нский проспе́кт — a street in St. Petersburg.
2. ко́фий. The old form of the word ко́фе.
3. ру́ки опусти́л. Literally, "dropped his hands," that is, "lost his heart." A symbolic gesture of despair (cp. note 38 to Pushkin).
4. колле́жский асе́сор. A civil servant of the eighth grade (see note 1 to Pushkin in this volume).
5. середа́ — an alternative form of the word среда́, "Wednesday," now obsolete.
6. суха́рь поджа́ристый. Literally, "a crisp dried crust," that is, "a crusty old stick."
7. бу́дошник (old spelling of бу́дочник). In Gogol's days, "a policeman on duty." The word is derived from бу́дка, "[sentry]-box."
8. Иса́киевский мост. A bridge over the Neva in St. Petersburg.
9. Нева́. The river on which St. Petersburg (now Leningrad) stands; it flows from the Lake of Ladoga to the Finnish Gulf.
10. в я́блоках. Of horses, "dappled."
11. под бородо́ю, "under the beard," here in the sense of подборо́док "chin."
12. де́сять пуд (instead of пудо́в). Пуд — Russian old measure of weight, 40 Russian pounds, equal to 36 lbs.
13. кварта́льный надзира́тель. Police officer in charge of a district.
14. жела́ю здра́вия ва́шему благоро́дию. Literally, "I wish health to your honor." This was a common form of greeting, especially in addressing the military.
15. ва́шу ми́лость. Literally, "your grace."
16. вчера́шнего ве́чера. The use of the genitive case in such temporal expressions is obsolete — its remnant may be seen today in сего́дня, "today" (literally "of this day"). Modern Russian for it would be вчера́ ве́чером.
17. о́бер-полицме́йстер, chief of city police. As many of the Russian official titles, it was taken from the German.
18. колле́жскими асе́ссорами, кото́рые де́лались на Кавка́зе. In the Caucasus, relatively recently annexed to Russia, the promotion was simpler and more rapid.

19. Рига́, on the Baltic Sea, one of the westernmost cities in the Russian Empire, later the capital of independent Latvia. Камча́тка, a peninsula on the Pacific, the easternmost point of the old Russian Empire.

20. майо́ром. The rank of major in the Army corresponded to that of the collegiate assessor in the civil service. It was abolished in 1884.

21. голу́бушка. A familiar and affectionate, but sometimes ironical, form of address ("dearie"). Its masculine equivalent is голу́бчик. It is derived from го́лубь, "pigeon."

22. ду́шенька. An even more affectionate form of address ("darling"). A diminutive of душа́, "soul."

23. пове́товых. From пове́т, the Ukrainian, or South Russian, counterpart of the Russian уе́зд, "district."

24. босто́н. A card game, popular in the eighteenth and early nineteenth century.

25. экзеку́торского ме́ста. Экзеку́тор, the offic al in charge of procurement in a government department.

26. как вко́панный. Literally, "as though dug in."

27. во что бы (то) ни ста́ло, "at all cost," "whatever it may cost."

28. ста́тский сове́тник, "state councillor," a civil servant of the fifth grade.

29. Каза́нский собо́р, the famous cathedral in St. Petersburg, on Nevsky Avenue, built in 1811 by Andrey Voronikhin (1759-1814).

30. ми́лостивый госуда́рь. Literally, "gracious sir," the common polite form of addressing strangers, both verbally and in letters, before the Revolution.

31. Воскресе́нский мост, one of the bridges over the Neva, in a rather poor district.

32. Не́вский (проспе́кт). The main street in St. Petersburg; after the October Revolution of 1917 renamed Avenue of October 25, but still sometimes referred to as Nevsky.
Полице́йский и Ани́чкин мосты́. These two bridges form part of Nevsky Avenue, the former over the Moyka, the latter over the Fontanka.

33. надво́рный сове́тник, "Court (or Aulic) Councillor," a civil servant of the seventh grade.

34. столонача́льник, "head of the desk," an official in charge of a section in a government department.

35. во всю ива́новскую, that is, изо все́й мо́чи, изо всех сил, "with all might." Originated from the expressions звони́ть во всю ива́новскую (to ring all the bells on the belfry of Ivan the Great in Moscow) and крича́ть во всю ива́новскую (to shout all over the Ivan Square —

the square in Moscow in which all Tsar's decrees were
proclaimed). A common expression also is храпе́ть во
всю ива́новскую, "to snore very loudly."

36. вот тебе́ раз! This exclamation expresses unpleasant
surprise (also вот так раз!).

37. Упра́ва благочи́ния. A municipal department whose
functions corresponded to that of the Police Department. From благочи́ние, "good order."

38. газе́тная экспеди́ция. The despatch office of a newspaper.

39. припеча́тать. Used here in place of напеча́тать or про-
печа́тать, "to print."

40. отпуска́ется в услуже́ние. Literally, "is released for
service," a euphemistic formula meaning that the serf
was for sale.

41. вы́вез в 1814 году́ из Пари́жа. This is a reference to
Russian officers returning home after the occupation of
Paris upon the defeat of Napoleon.

42. ста́тская сове́тница, штаб-офице́рша. These terms could
be used both of wives and of widows of the persons holding those ranks. штаб-офице́ры — field officers.

43. дворо́вый челове́к—a household serf.

44. ноге́, кото́рую я в сапо́г..., that is ноге́, кото́рую я
су́ну (or могу́ су́нуть) в сапо́г. Such elliptical constructions are common in colloquial Russian and the reader
will find other examples of them in this volume.

45. должны́ быть. In modern Russian this would be вы,
должно́ быть, челове́к...

46. как Бог свят, "just as the Lord is holy," a form of
oath.

47. "Се́верная Пчела́," *The Northern Bee*, a newspaper published in St. Petersburg between 1825 and 1864.

48. си́няя ассигна́ция, "a blue banknote," that is, a five-ruble
note.

49. бере́зинский, presumably manufactured by Berezin.
рапе́, particularly fine, probably imported, tobacco (from
French râpé, "grated").

50. ча́стный при́став, a district superintendent of police
(from часть, "district").

51. [попа́сть] не в бровь, а пря́мо в глаз. Literally,
"[to hit] not the eyebrow but straight in the eye," that is,
"to hit the mark," "to strike home."

52. ни за́ что ни про́ что, "for no reason," "for no fault of
one's own."

53. четверто́к. The Church Slavonic for четве́рг.

54. на съе́зжей. Съе́зжая, local police station.

55. бо́ртище пу́говиц, a dozen buttons.

56. кра́сная ассигна́ция, a ten-ruble note.
57. вчера́шнего дня. See note 16 above.
58. сде́ланном самому́ себе́. Сде́лать вопро́с is now archaic, зада́ть вопро́с being the modern Russian equivalent.
59. бель-эта́ж. French *bel étage*, "first floor."
60. гла́вные уча́стницы. This is the polite plural.
61. бо́льше ничего́, кро́ме сле́дствие волхвова́ний. An ungrammatical turn, for бо́льше ничего́, как сле́дствие волхвова́ний.
62. оста́вил с но́сом. Оста́вить с но́сом, "to lead up the garden path."
63. Алекса́ндра Подто́чина. Whether deliberately, or through oversight, Gogol changes here Mme Podtochina's first name from Pelageya to Aleksandra.
64. как во́дится, "as is usual."
65. о́пыты де́йствия магнети́зма. In 1832, a certain lady named Turchaninova was banished by the police from St. Petersburg for practicing cure by "animal magnetism." ("Magnetism" was used in the sense of "hypnotism").
66. исто́рия о танцу́ющих сту́льях. A fantastic story of chairs that moved and jumped of their own in one of the houses belonging to the Department of Court Stables (hence the name of the street), and all sorts of rumors engendered by it, were mentioned by Pushkin in his diary, December 17, 1833.
67. отоше́д. See note 13 to Pushkin.
68. Таври́ческий сад. Taurida Garden, one of the public gardens in St. Petersburg. The Taurida Palace, situated in it, was built for Potyomkin, Catherine the Great's favorite and famous general, known as Potyomkin-Tavrichesky because of his victories over the Turks (Taurida=Crimea). Later this palace became the seat of the first Russian parliament.
69. Хозре́в-Мирза́. A Persian prince who came to Russia in 1829 to apologize for the assassination of the Russian Minister, Alexander Griboyedov (1795-1829), the famous writer, by a Persian mob.
70. Хирурги́ческая Акаде́мия. The original name of Вое́нно-Медици́нская Акаде́мия, the famous School of Medicine in St. Petersburg.
71. тропа́к, for трепа́к, a kind of lively dance.
72. шпи́лька. Literally, "hairpin." Applied to sharp-tongued persons.
73. бабьё, "womenfolk"; кури́ный наро́д, literally "hens' race." Both expressions used here as terms of contempt.
74. *par amour* (Fr.), "for love."

75. ю́мор. From French *humeur*, "humor, mood." In those days sometimes used in Russian instead of настрое́ние.

76. Гости́ный Двор, lit. "Merchants' Court," the famous shopping arcade in St. Petersburg. Гость in old Russian meant "merchant."

77. в се́верной столи́це. Though St. Petersburg became, at the beginning of the eighteenth century, and remained until 1918, the official capital of Russia, both it and Moscow (the old capital) were often referred to as capitals. "The Northern capital" meant St. Petersburg.

TURGENEV

1. Тю́тчев. Feodor Ivanovich Tyutchev (1803—73), one of the great Russian poets. These lines are from his often quoted poem about Russia.

2. No such proverb was found in several collections of French proverbs. There is however a similar German adage: *Nässe Jäger, trockne Fischer — schlechtes Geschäft.*

3. Ермола́й. Turgenev's companion on hunting expeditions. He figures in several stories in *Sportsman's Sketches* and plays some part in them—cp. "Ermolay and the Miller's Wife." He had a real prototype in life.

4. Белёвский уе́зд. The district of Belyov, in the Tula Province.

5: чучьё, for чутьё, "scent, flair."

6. тарата́йка, light two-wheeled one-horse carriage, "gig."

7. пошёл бы́ло. The past tense with бы́ло (unaccented) is used to denote an action intended but thwarted or not carried out: "was about to go," "was on the point of leaving."

8. ни дать ни взять, "exactly like."

9. стари́нного письма́. Письмо́, as an art term, means "style, manner."

10. хорово́ды, dancing in a ring, accompanied by choral singing.

11. Спа́сское, Spasskoye, the name of the estate belonging to Turgenev's mother.

12. беда́ стрясла́сь, стрясти́сь, "to befall."

13. вишь. Colloquial abbreviation of ви́дишь, "see."

14. Ва́синым, from Ва́ся, diminutive of Васи́лий.

15. Лу́ша, diminutive of Луке́рья (=Глике́рия).

16. хлоп, from хло́пнуться, "to flop down." Such verbal interjections (ср. хвать, глядь, etc.) are often used in Russian as predicates).

17. по́лно и нога́ми владе́ть. Полно in colloquial usage

means "enough." Here the meaning is: "I even lost the command of my legs."

18. окостенéла. Literally, "became ossified."
19. По пáчпорту егó отпустúла. Пáчпорт = пáспорт, "passport." Lukerya means that Vasya was freed by the narrator's mother (before the Emancipation Act of 1861). This implied being provided with a passport, a document of identity, to which the serfs were not entitled, but without which it was impossible to obtain employment.
20. предбáнник. The entrance hall in a regular Russian bathhouse, always a separate building, where the bathers undressed and left their clothes.
21. ходúть за + instr., "to look after someone."
22. инýм, "to some (people)."
23. лежý-полёживаю. Such tautological, or near-tautological, doublets are quite common in Russian (ср. темнým-темнó, давнým-давнó, идёт-бредёт, etc.)
24. ну пищáть: ну followed by an infinitive is an expressive substitute for the past tense of inchoative perfective, "began to squeak."
25. прыг-прыг. From прýгать, to "jump." A verbal interjection, used as a predicate (ср. above, note 16). Such interjections are sometimes doubled.
26. и был такóв. An idiom meaning "and off he went," "and that was the last that was seen of him."
27. в угóду + dat., "to please (someone)."
28. охóча (coll.), here "fond of."
29. Отче Наш, "Our Father"; Богорóдицу, "Hail, Mary"; акáфист Всем Скорбýщим: акáфист, "Acathistos," (Greek for "not sitting, standing"), a special office in the Greek Orthodox Church in honor of the Mother of God; Всем Скорбýщим, that is, Всем Скорбýщим Рáдость, "Joy of All the Sorrowing," one of the designations of the Mother of God in Greek hymnology.
30. уж кудá меня лечúть. Кудá is used idiomatically with many meanings; кудá лýчше, "far better"; кудá тебé, "you'll never manage," etc. The meaning here is "What's the use of treating me!"
31. разгинáл. Ungrammatical for разгибáл.
32. не могú. This imperative of мочь is not used in standard Russian.
33. погутóрят. Гутóрить (pop.), "to chat."
34. Иерусалúм, Jerusalem.
35. Кúев. A city on the Dnieper, in Southern Russia (Ukraine), the first historical capital of Russia and one of the favorite places of pilgrimage because of its famous Cave Monastery, founded in the eleventh century.

36. окромя́, pop. for кро́ме, "except."

37. бой-де́вка. From бо́йкий, "a smart, pert girl."

38. хорово́дные пе́сни, songs accompanying ring dancing; подблю́дные, fortune-telling songs; свя́точные, Christmas carols (from свя́тки, "Christmas holidays").

39. "Во лузя́х", that is "Во луга́х", "In the Meadows," the title of a song.

40. ан я вся как ско́ванная, "and here I am as though all shackled."

41. таково́ — for так.

42. коко́шник, a Russian woman's festive headgear.

43. большу́ю тя́гу. Тя́га here in the sense of тя́жесть, "burden."

44. духо́вному чи́ну, "to the clerical calling" (that is, priests and monks).

45. как есть стра́нница. Как есть, "veritable," "as they make them."

46. верть. From верте́ть, "to turn, whirl," cp. above, note 16.

47. ра́да-радёхонька. Such duplicated adjectives and adverbs have a particularly intensifying force.

48. Петро́вки. The period of fasting preceding St. Peter's and St. Paul's Day, June 30 (Old Style).

49. Симео́н Сто́лпник. St. Simeon Stylites, a Syrian hermit in the fifth century who lived thirty-five years on a small platform on top of a high pillar.

50. уго́дник (Бо́жий), from угоди́ть, "to please" — "a saint."

51. начётчик. From чита́ть, начита́ться. Among the Russian Old Believers a person well-read in the Bible.

52. жи́телев. Ungrammatical for жи́телей.

53. ага́ряне, "the Hagarites (or Agarenes)," a tribe mentioned in the Bible, hostile to Israel, sons of Hagar (or Agar), handmaiden of Abraham's wife Sarah and mother of his eldest son Ishmael. She and her son were sent into the wilderness because of Sarah's jealousy. The name of Hagar was used by St. Paul (Gal. 4.24), and after him by the old Russian churchmen, as a symbol for the bondage of the Old Law. The name of Agarenes was sometimes used in Russia allegorically for all infidels, and in the eighteenth century more specifically for the Turks.

54. Иоа́нна д'Арк, Joan of Arc (1412?—31), French saint and national heroine, known as the Maid of Orleans.

55. да куда́ ни шло. Expresses reluctant consent or approval: "Well, all right, let it be."

56. уго́дий нет. Уго́дья here means "arable land."

57. пуща́й, popular for пуска́й.

Dostoevsky

1. Бобо́к. This word, though meaningless here, is derived from боб, "bean," and means "a single bean in a pod."

2. "Запи́ски одного́ лица́". The story was included by Dostoevsky in his "Diary of a Writer," a regular feature article, dealing with a variety of topics, which he contributed to the weekly newspaper *Grazhdanin* (*The Citizen*), of which he was joint editor in 1873-76. On occasions, Dostoevsky used одно́ лицо́ as a literary disguise. Later Dostoevsky published *The Diary of a Writer* as his own, one-man monthly paper. "Bobok" was published in *Grazhdanin* in 1873.

3. не Бог зна́ет or не Бог весть (this is an old form of зна́ет) како́й means "not much of a . . .", "not particularly"; e.g., не Бог зна́ет како́й рома́н, "not much of a novel"; не Бог зна́ет како́й высо́кий, "not particularly tall."

4. фельето́н, the French *feuilleton*. In Russian newspapers this word was applied specifically to articles, usually on literary, artistic or scientific subjects, published over several columns at the bottom of a page or two pages. Also used for some regular newspaper columns by the same author, such as Dostoevsky's own "Diary of a Writer."

5. атти́ческая соль. "Sal atticus," refined and delicate wit.

6. его́ превосходи́тельство, "His Excellency," a term used in referring to, or addressing (as ва́ше п.), civil servants of the fifth and fourth grades.

7. Вольте́ровы, Voltaire's. François Marie Arouët, known simply as Voltaire (1694-1778), famous French writer and philosopher. бонмо́, French *bons mots*, that is, "witticisms."

8. указу́ю, archaic form for указываю.

9. колле́жский сове́тник, "Collegiate Councillor," civil servant of the sixth grade.

10. пенсио́нишка, pejorative diminutive of пенсио́н, "pension." In modern Russian it is пе́нсия.

11. куса́ется. Literally, "bites." With reference to prices, "stiff, excessive."

12. врата́, archaic for ворота́, used now in high or poetic style.

13. на лити́ю не пое́хал. Лити́я, a short religious service celebrated outside the church, often a requiem sung before the open grave. Here, the wake for the deceased, probably preceded by such a service.

14. моско́вская вы́ставка. Probably refers to an exhibition

of pictures which were later sent to an International
Exhibition in Vienna. Dostoevsky wrote, in his "Diary of
a Writer," about a similar exhibition in St. Petersburg.

15. календа́рь Суво́рина.   The calendar, or almanac, published annually by Aleksey Sergeyevich Suvorin (1833-1912),
the well-known Russian publisher and newspaper editor,
a friend of Chekhov's. It was used as a popular reference
source.

16. префера́нс.   "Preference," a game somewhat similar to
whist. The suits in it have a permanent rank, hearts
always being the best, or "preference." This game enjoyed great popularity in Russia.

17. Поко́йся, ми́лый прах, до ра́достного у́тра.   A popular
epitaph, composed by N. M. Karamzin (1766-1826).

18. надво́рный сове́тник.   "Court (or Aulic) Councillor,"
civil servant of the seventh grade.

19. наказа́ние мне.   Literally, "a punishment for me," that
is, "what a bore for me."

20. по цене́-с.   For -c see note 10 to Pushkin.

21. во гресе́х.   The Church Slavonic for во греха́х, 'in
sins."

22. кри́кса.   From крича́ть, by analogy with пла́кса, "cry
baby."

23. мыта́рства, "trying experiences, ordeals"; used also in
a sense similar to Purgatory.

24. хоша́ бы.   Popular for хотя́ бы.

25. сорокови́нки, diminutive of сорокови́ны, a wake
observed on the fortieth day after a person's death when,
according to popular belief, he or she partakes for the
last time of a meal in the family; a place is therefore
laid for the deceased at the family table. In the Russian
Orthodox Church it is usual to celebrate a memorial service for the deceased on the ninth, the twentieth and the
fortieth days after his or her death.

26. присти́гли.   From присти́чь, that is нагна́ть or насту-
пи́ть.

27. кутья́.   A special dish, usually of rice, wheat, or barley,
with raisins or other fruit, eaten at funeral wakes (and
in some parts of Russia also on Christmas Eve).

28. подожди́те ка́пельку. Ка́пельку, "a little drop," often
used figuratively for "a little while, a second."

29. действи́тельный та́йный сове́тник.   "Titular Privy Councillor," civil servant of the second grade, equivalent to
full general in the Army and admiral in the Navy. The
only grade higher than it was that of ка́нцлер (Chancel-
lor), but this fell into disuse about the middle of the nineteenth century.

30. долина Иоасафатова, the Valley of Jehoshaphat, mentioned in the Bible (Joel 3) as the place of judgment.

31. Василий Васильев. Васильев stands for Васильев сын, "Vasily's son." This form of the patronymic was common in official usage.

32. Боткин. Sergey Petrovich Botkin (1832—89), famous Russian clinicist. One of the largest hospitals in St. Petersburg was named after him. The two other names, Schultz and Eck, seem to be fictitious, though there may have been doctors of those names in St. Petersburg in those days. It is possible that Dostoevsky's choice of German names, in opposition to Botkin's, was not accidental.

33. Лебезятников. In Dostoevsky's *Crime and Punishment* there is a minor character of that name. It is derived from the verb лебезить, "to fawn, cringe."

34. просыпаются. The third person plural verb often used obsequiously by the socially inferior, especially lower-grade civil servants, in referring to their superiors.

35. полисон. French *polisson*, "rascal."

36. *en haut lieu* (Fr.), "in high places," presumably at the Court.

37. с Зифелем жидом. The word жид became in Russian (but not in some other Slavic languages, including the Ukrainian) an opprobrious term for еврей (Hebrew, Jew), somewhat like "Yid" in English or "youpin" in French. Dostoevsky himself often used it without any special derogatory flavor, in accordance with widespread popular usage.

38. Юлька, pejorative diminutive of Юлия, Julia.

39. Бордо, Bordeaux, city in South-Western France.

40. институт, a boarding school for girls, usually rather exclusive.

41. паж, "page"; that is, a cadet in the Corps des Pages, an exclusive military school in St. Petersburg.

42. *grand-père* (Fr.), "grandfather."

43. на Святой, that is, на Святой неделе, "in the Holy, or Easter, week."

44. Катишь, Catiche, a French form of the diminutive name Катя, from Catherine.

45. пшик. An onomatopoeic word, suggesting something that can be easily blown away or burst, "a bubble," "a thing of nought."

46. мало ли какие, "all sorts of..." Ср. мало ли что бывает, "all sorts of things may (do) happen."

47. "Гражданин". See above, note 2.

TOLSTOY

1. архиере́й. High dignitary of the Church, head of a diocese, usually a bishop.
2. Арха́нгельск. A city in the Far North of Russia, on the White Sea, known in English as Archangel. Солове́цкие, that is, Солове́цкие острова́, Solovetsk Islands, where the famous monastery was situated, which played not an unimportant part in Russian history and was the outpost of Russian culture in the extreme north. After the Revolution of 1917 it became a notorious place of deportation, and many Russian Church leaders lived (and some died) in exile there.
3. уго́дник, from угоди́ть = to please, "a saint." Three saints, St. Zosima, St. Savvaty and Hermann, were particularly venerated in the Solovetsk Monastery.
4. не кача́ло. Literally, "it did not rock [the ship]."
5. ста́рцы. Literally, "elders"; often used of monks living in a hermitage.
6. лунь. The hen-harrier, a kind of falcon, of the genus *Circus*. The expression седо́й как лунь is commonly used in the sense of "hoary with age, snow-white."
7. ва́ше преосвяще́нство. Usual term of address to a bishop.
8. старшо́й. Literally, "the senior one."
9. повостре́е. Popular form for поостре́е; from о́стрый, (во́стрый), "sharp."
10. труба́, that is, подзо́рная труба́, "spyglass."
11. О́тче наш — 'Our Father' in Church Slavonic; и́же еси́ на небесе́х — "Who art in Heaven" (also in Church Slavonic).
12. ло́дка не ло́дка. Literally, "a boat not a boat," that is, "some thing like a boat and yet not a boat." Such negative locutions are fairly common in Russian.
13. се́редь — popular for средь or среди́, "in the midst of."

LESKOV

1. придво́рная це́рковь. One of the churches belonging to the Imperial Court.
2. кум. A child's godfather in relation to the parents, as well as to the other sponsor (or sponsors). It is the same relationship which in the old English usage was expressed by the word "gossip."
3. Ко́ныч. The correct full form of this patronymic would be Ко́нонович.

4. метр тальёр Лепутáн, that is, *maître-tailleur* (master tailor) Lepoutant (the explanation will come later in the story).

5. дáча, "summerhouse"; but can also mean, as here, "summer holiday" (cf. French *en villégiature*). лýчше, как на дáче, ungrammatical for чем на дáче.

6. проминáжа. This is one of the numerous word-coinings in which Leskov delighted, putting them into the mouth of his characters, or using them himself. They were usually a reflection of the popular etymology of foreign loanwords. This one is a contamination of the French *promenade* and Russian проминáть нóги or проминáться, "to take an exercise."

7. Москвá-рекá и Яýза. The river on which the city of Moscow stands and its tributary.

8. объéзд. What is meant here is apparently a square, or a roundabout, in the middle of which stood the little church.

9. *maitr tailleur*. The misspelling is deliberate.

10. поддёвки. Old-fashioned long-skirted coats, worn especially by merchants.

11. страсть. Used colloquially, as an adverb, means "awfully, terribly, very much."

12. лафéрма. Another "Leskovism," a contamination of фúрма (firm) and для профóрмы (for the form's sake), perhaps also with an allusion to Лафéрм, a well-known tobacco firm.

13. армя́к. A peasant's cloth coat.

14. кустю́мы. A distortion of костю́мы.

15. Когелéт. The Hebrew for Ecclesiastes, one of the Wisdom Books in the Bible. Both Kogeleth and Ecclesiastes mean "preacher."

16. рабóтать вся́кой суетé. Рабóтать here in the sense of "to be subservient."

17. Рогóжская застáва. One of the "gates" of Moscow, not far from the Rogozhsk Old Believers' cemetery. The district was closely associated with the Old Believers.

18. древлестепéнные: from дрéвле, "of yore," and степéнный, "respectable, honorable"; староверов: Old Believers, Russian religious dissenters in the seventeenth century, sticklers to old texts and old ritual forms. Seceding from the official Church, but not relinquishing their Russian Orthodox faith, they formed one of the most conservative communities within the Russian society, surviving bitter official persecution.

19. рáбские кафтáшки, "servants' coats," the traditional

coats, with pleats, worn by Old Believers who regarded themselves as the only true servants of God.

20. талáн, popular for талáнт.

21. замя́вшись. A somewhat ungrammatical use of the indeclinable participle (gerund) instead of the past passive participle замя́тые.

22. Крещéнье. The feast of Epiphany, commemorating Christ's baptism, that is January 6 (Old Style).

23. Бог пристáнет (or настáвит) и пáстыря пристáвит. A proverb: "God will take care of you and attach a shepherd to you."

24. лю́ди простóй мáсти... однú кóзыри... масть is "a suit" (in cards); кóзырь, "a trump."

25. остановúмшись, ungrammatical for остановúвшись.

26. по тогдáшнему счёту на ассигнáции. Paper money was devaluated early in the nineteenth century. In 1839 a definite ratio was fixed between a paper rouble and a silver rouble.

27. мовé-матéрия. Мовé, French *mauvais* (bad). But perhaps some confusion with *moiré* is also implied here.

28. дéнег полýшку.... головóй об кадýшку. Полýшка, "half a kopeck." Literally, "half a kopeck of money . . . head against tub."

29. охóч, coll., "willing."

30. чéрез что такóе? "for what reason, why?"

31. к э́тому слýчаю присы́павшись. Присы́паться here probably in the sense of придрáться, "seizing upon this chance."

32. покáл — popular for бокáл.

33. предлóг жúзни, literally, "pretext of life."

34. мясоéд. The period when one is allowed to eat meat, as opposed to fasting; here, specifically, the period between Christmas and Shrovetide.

35. приня́ть закóн. Literally, "to receive the law." The word закóн was often used with reference to marriage. Its use is something of a parallel to the English "wedlock."

36. хля́сь, from хля́скать, "to whack" (vulg. coll.). Verbal interjection used as a predicate (cp. note 16 to Turgenev).

37. вы́ступок, a kind of slipper.

38. дай Бог скорéе нóги. One of the typical Russian elliptical locutions, the verb унестú being omitted here.

39. рукомеслó. The same as ремеслó, "craft," by analogy with рукодéлие.

40. дóсточки, for дóсочки, diminutive of дóски, "boards."

41. покупнóй свóдчик. Свóдчик, "intermediary, broker."

42. китрáдь, for тетрáдь (another type of Leskovism).

43. по да́рственной, that is, по да́рственной за́писи, "by deed of gift."

44. соблюде́н бу́деши, "you will be preserved," бу́деши, archaic for бу́дешь.

45. жела́ниев, ungrammatical for жела́ний.

46. окромя́, pop. for кро́ме, "except."

47. мусьё, that is, "Monsieur" (French).

48. о сю по́ру, "by now, till now." сю=э́ту.

49. ему́ от э́того ничего́ не помогло́ся, that is, "this did not help him in the least." The use of помо́чься as a passive of помо́чь is not admissible in standard Russian.

50. они́ сде́лали: see note 34 to Dostoevsky. See also below жа́ждали.

51. не Бог весть, "not much of a . . ."

52. по откупа́м. Отку́п — the farming out of revenues, in particular of vodka distilleries, a source of many private fortunes in the first half of the nineteenth century.

53. Закре́вский. Count Arseny Andreyevich Zakrevsky (1783-1865), military Governor-General of Moscow from 1848 to 1859. He was known for his ultra-conservative views.

54. из поля́цких шляхтецо́в, that is, из по́льских шля́хтичей, 'of the Polish gentry.' Actually, Zakrevsky belonged to the nobility of the Tver Province.

55. князь Серге́й Миха́йлович Голи́цын. A descendant of one of the oldest Russian titled families, Prince S. M. Golitsyn (1774-1859) was a typical Muscovite *grand seigneur.* From 1830 to 1835 he was Curator of the Moscow Educational District.

56. ва́ше сия́тельство, "Your Highness," a form of address to those who have the title of a Prince or a Count.

57. не пуща́ет, popular for не пуска́ет.

58. пребыва́ет. Here, "remains."

59. до свида́ния . . . како́е свида́ние. . . The play on the word свида́ние (rendez-vous, meeting) is lost in translation.

60. живёшь-мо́жешь. See note 23 to Turgenev on tautological or near-tautological doublets.

61. не свобо́дного трудолю́бия. Literally, "not of free industry," that is, "not a freeman."

62. замоскворе́цкий, "of beyond the Moskva-river," from Замоскворе́чье, a district in Moscow, on the "wrong" side of the river, populated mostly by merchants and artisans (ср. 'Trastevere' in Rome).

63. Пер-Лаше́з. Père-Lachaise, the well-known cemetery in Paris, named after French-Jesuit François d'Aix de La Chaise (1624-1709).

Снекноv

1. Ва́рька, pejorative diminutive form of Варва́ра, Barbara.
2. А я пе́сенку спою́. Literally, "And I'll sing a song."
3. глаза́ её слипа́ются. Literally, "her eyes stick together."
4. Тебе́ ка́шки наварю́. Literally, "I'll cook for you some gruel."
5. не дай Бог. Literally, "may God not give it," that is, "God forbid."
6. изба́, a peasant house, usually a log cabin.
7. ва́ше благоро́дие. See note 22 to Pushkin. Here used by a peasant to one who is his social superior.
8. дитё pop. for дитя́, "child, baby."
9. яви́те бо́жескую ми́лость, господа́ милосе́рдные. Literally, "show God's mercy, charitable ladies and gentlemen."

Sologub

1. ему́ шёл то́лько восьмо́й год, "he was only in his eighth year." A common way of referring to a child's age in between two birthdays, especially soon after the last birthday.
2. за плечьми́, archaic for за плеча́ми; a poetic licence on Sologub's part.
3. гимнази́ческий значо́к. The school badge worn on the capbands by students of public secondary schools (гимна́зии) before the Revolution of 1917.
4. Лёвка, Анто́шка и Лёшка — pejorative diminutives of Лев (Leo), Анто́н (Anthony) and Алексе́й (Alexis).
5. Па́влом. Па́вел, "Paul." Па́ка is not the usual diminutive from Pavel.
6. Mademoiselle. This French term was often used to designate a governess, but especially a French or a Swiss one. English governesses were called "Miss," and the German ones, "Fräulein."
7. Аргусы. In Greek mythology Argus was the fabulous hundred-eyed creature, set by Juno to guard Io after she had been turned into a heifer.
8. махни-драла́. A made-up word, derived from махну́ть and драть, both these verbs used colloquially in the sense of "making off, running off."
9. Лёшке весь мир представля́лся с вопроси́тельной стороны́. Literally, "To Lyoshka the whole world presented itself from its interrogatory side."

10. про мать вспо́мнит и тако́е сло́во произнесёт. The reference is to a common Russian obscenity, sometimes long and highly elaborate, involving a four-letter word. The boys must have heard the peasants use it.

11. Принц Па́ка, ма́ленький зева́ка. Literally, "Prince Paka, a little gaper" (зева́ть = to gape).

12. Принц Па́шка — лиза́шка. Literally, "Prince Pashka, a sucker." Па́шка is a pejorative diminutive of Па́вел.

13. с ва́ми поговори́ть. Instead of ты (thou), usual between son and mother, Paka, to emphasize the importance of the occasion, uses here the formal вы (you). The only way of rendering this in English was to reverse the pronouns, but this was not done later.

14. Па́кочкины. From Па́кочка, the affectionate form of Па́ка.

BUNIN

1. Сама́ра. A large grain-trading city on the lower Volga, now called Ку́йбышев.

2. с во́лжским щего́льством … к небольшо́й при́стани. A steamer going upstream on the Volga always turned round before coming in to a landing stage. The captains vied with one another in the smart performance of this maneuver.

3. пору́чик. The third officer's rank in the Russian Army, the two below it being подпору́чик and пра́порщик.

4. Ана́па. A port on the Black Sea, in the Northern Caucasus, opposite Kerch in Crimea.

5. прису́тственные места́. Various government and municipal offices were designated by this general name.

6. на расто́птанных нога́х. Literally, something like "on well-trodden feet."

7. Самолёт. The name of the best-known passenger steamer line on the Volga. Its steamers were painted pink.

8. поддёвка. See above, note 10 to Leskov.

9. ва́ше благоро́дие. See above, note 22 to Pushkin.

10. ботви́нья со льдом, iced fish soup made of kvass with beets, onions, cucumbers, etc.

11. Ма́рья Море́вна. A fairy princess in Russian folk tales.

12. Севасто́поль, Керчь, Ана́па. Cities on the Black Sea coast, the first two in Crimea, the last in the Caucasus.

13. Туркеста́н, a province in Russian Central Asia. Саха́ра, the desert in Africa.

14. многолю́дство, from мно́го люде́й; literally, "populousness."

ZAMYATIN

1. Покро́в, that is, день Покрова́ Пресвято́й Богоро́дицы, the feast of the Intercession of Our Lady, October 1, Old Style.

2. Ма́ша, one of the diminutives of the name Мари́я, Maria (Mary).

3. на Каза́нскую. Каза́нская Бо́жья Ма́терь, the highly venerated ikon of Our Lady of Kazan. A religious holiday in its honor fell on October 22.

4. Скря́бин о́пус 74. Aleksandr Nikolayevich Skryabin (or Scriabin) [1872-1915]. Russian composer and pianist. Op. 74 was his last work, consisting of five preludes the French subtitles of which Zamyatin may have had in mind (1. *Douloureux, déchirant;* 2. *Très lent, contemplatif;* 3. *Allegro drammatico;* 4. *Lent, vague, indécis;* 5. *Fier, belliqueux*). They seem to fit in with the moods of the story.

5. Март, diminutive of Марти́н or Марты́н.

6. два́дцать девя́тое: Мари́и. One of the saints commemorated by the Russian Church on October 29 (Old Style) is Maria; it was thus Masha's nameday.

7. полсаже́ни. Са́жень, equal to three arshins or seven feet, a Russian measure of length prior to the adoption of metrical system. It was also used as a standard measure of wood, both linear and square.

8. вдруг свет: ро́вно де́сять. In those days of shortages, with the country in the throes of the Civil War and blockaded from outside, electricity was not switched on till 10 P. M.

9. каменнозу́бо улыба́лся. Literally, "smiled in a stone-toothed way."

10. всего́ — for всего́ хоро́шего (or до́брого). A common form of taking leave, "so long."

11. домо́вый председа́тель, chairman of the house committee. In the early days of the Revolution all houses were run by their elected committees.

12. шестипудо́вый, "weighing six poods," that is 240 Russian pounds, or 216 lbs. avoirdupois.

13. тезоимени́тство. A rather grandiloquent term for имени́ны "nameday," normally used before the Revolution for namedays of members of the Imperial family.

14. из го́фманских гна́ли спирт. Го́фманские ка́пли, "Hofman drops," so named after a doctor, a rather popular medicine, often prescribed by Russian doctors.

15. Зино́вьев. Grigory Evseyevich Zinoviev (real name Apfelbaum) [1883-1936], one of the leading figures in the

Bolshevik Party, later President of the Communist
(Third) International. In those days, as Chairman of
the Petrograd Soviet, was regarded as the Bolshevik
boss of Petrograd and disliked and feared by non-Bol-
sheviks. Under Stalin was executed as "an enemy of the
people," during the great purges of the late thirties.

16. Ма́рсово по́ле, the Field of Mars (Champ de Mars), a
huge square in St. Petersburg in which reviews of troops
and parades were held before the Revolution.

17. в одно́м жиле́те, literally "in nothing but a waistcoat,"
that is, "in shirt sleeves."

18. Васи́льевский. Васи́льевский о́стров, Vasily Island, a district in St. Petersburg, on the other side of the Neva
from the Field of Mars and quite a long way from it.

19. ч.и.к. A quip at the widespread use, in those days, of
initials to designate various institutions, etc. The letters here mean честь име́ю кла́няться, "I have the honor
to bow," a usual polite formula of taking leave of someone.

20. гни́да. Literally, "nit' (the egg of a louse or a young
louse). Applied to persons in contempt (cp. in Shakespeare: "Thou Flea, thou Nit, thou winter cricket thou").

21. уголо́вное, that is уголо́вное отделе́ние, "criminal investigation department."

BABEL

1. Корочáев. Probably the actual name of one of the divisional commanders of Budyonny's First Cavalry Army
which was engaged at the time in a war with Poland
(1920). The same may be true of Vytyagaychenko, below.

2. начди́в четы́ре, that is, commander of the Fourth Division. Начди́в is a syllabic abbreviation, so common in
postrevolutionary Russian language, for нача́льник ди-
ви́зии.

3. Радзиви́ллов и Бро́ды. Radziwillów and Brody, two
towns near the former Austro-Russian frontier, the
first on the Russian side, the second on the Austrian, at
that time in Poland.

4. Афо́нькины. From Афо́нька, pejorative diminutive of
Афана́сий, Athanasius.

5. ря́жка, more usual ря́шка (vulg.), "face." Два́жды два,
literally, "twice two," that is, as clear as twice two is
four.

6. за начди́ва, for про начди́ва. A Ukrainism.

7. верста́. A Russian measure of length before the adoption of the metrical system, about two-thirds of a mile.

8. Тимо́шка. Pejorative diminutive of Тимофе́й, Timothy.

9. што ль, for что ль.

10. Тре́тий Интернациона́л, the Third or Communist International, an international Communist organization, founded in 1919.

11. сида́й, for сади́сь; ко́ников, for коне́й.

12. наде́я, a distortion of иде́я, "notion."

13. на рыся́, pop. for на рысь, "to a trot."

14. ха́пать не́чего: ха́пать (vulg.) means primarily "to grab, seize." Here, "there is no use rushing." поспе́ешь к Богоро́дице гру́ши окола́чивать. К Богоро́дице probably refers to Успе́ние Богоро́дицы, feast of the Assumption of Our Lady, that is, August 15. The story was dated by Babel: "Brody, August 1920."

15. мы́ли хо́лку и выбива́й подпо́рки. Literally, "soap the withers and knock out the props."

16. тача́нка. Originally just a cart, but the word (and the thing itself) came to be used during the Civil War for machine gun carts.

17. Поляки́ вошли́ в Бро́ды. In most of the editions (and in some of the translations) one reads here: Полки́ вошли́ в Бро́ды, "the regiments entered Brody." This does not seem to make sense and is probably a misprint.

18. труда́ются, for тружда́ются, or трудя́тся.

19. сва́тання, венча́ння, for сва́танья, венча́нья; probably to reproduce Grishchuk's pronunciation.

20. сме́ха мне. Ungrammatical for смешно́ мне.

21. стра́тить, for истра́тить.

22. шля́хта. Stands here for the Poles; the word means "landed gentry" (in Polish).

23. доку́мент. Incorrectly accented, for докуме́нт.

24. по ма́лости че́шем. Literally, "we are combing them by and by."

25. я́рмарка. Literally, "fair (market)." Here in the sense of "show" or "circus."

26. взво́дному, that is, взво́дному команди́ру, "to the troop commander."

27. ан дури́! ан, a particle that can mean "but, now, on the contrary." дури́ть, "to fool about." The meaning here, "quit fooling."

28. холу́йская кровь. From холу́й, "servant, menial, knave," with the derogatory meaning of the last one predominant now.

ZOSHCHENKO

1. чёрез э́тот факт. Literally, "through this fact."
2. страхка́рточка, a portmanteau word for страхова́я ка́рточка, "insurance card."
3. и нет того́. Literally, "and there is not of that," that is, "they wouldn't do such a thing."
4. нашаты́рно-ани́совых ка́пель. Нашаты́рь, ammonium chloride. Ани́с, aniseed.
5. гри́вна. Originally a coin; in later usage, ten kopecks. Used ordinarily in combination with six, seven, eight, and nine.
6. недале́че, popular form of недалёко.
7. ста́рый хрен. Хрен: literally, "horse radish." Used with ста́рый as a term of abuse and contempt.
8. каково́ = как.
9. мать честна́я. Literally, "honest mother."
10. непёрка. This word could not be found in any dictionary. It may be a dialecticism, or some special slang word, or even a word coined by Zoshchenko. Its obvious meaning is "nuisance."
11. мили́ция, militia; the institution which has replaced the prerevolutionary police in Russia.
12. казённых де́нег. Historically speaking, казна́ meant the Treasury, or even the state as a juridical person; and казённый, everything pertaining to the state and the government, its property, etc. By extension it could also mean the property of the bank, company, or another institution in which a person was employed. Here it means the money belonging to whatever institution Ledentsov was working for.

QUESTIONNAIRE

Pushkin

1. Кто расска́зчик в э́том расска́зе?
2. Почему́ он называ́ет станцио́нных смотри́телей «му́чениками»?
3. Как зову́т до́чку смотри́теля и кака́я она́ из себя́?
4. Что случи́лось с молоды́м ро́тмистром на почто́вой ста́нции?
5. Каку́ю роль сыгра́л в э́том эпизо́де до́ктор?
6. Опиши́те нару́жность Ми́нского.
7. Почему́ Пу́шкин ввёл в расска́з при́тчу о Блу́дном Сы́не?
8. Заче́м Самсо́н Вы́рин отправля́ется в Петербу́рг?
9. В чём заключа́ется ирони́ческий смысл расска́за?
10. Како́е друго́е назва́ние мо́жно бы́ло бы дать э́тому расска́зу?

Gogol

1. Кто тако́й Ива́н Яковлевич?
2. Где, что и как он нахо́дит?
3. Почему́ идёт он на Иса́акиевский мост?
4. Почему́ Ковалёв называ́ет себя́ майо́ром?
5. Заче́м вхо́дит он в Каза́нский собо́р?
6. Куда́ он е́дет пото́м?
7. Что происхо́дит в газе́тной экспеди́ции?
8. Кто така́я госпожа́ Подто́чина?
9. О чём пи́шет ей Ковалёв?
10. Како́й сове́т даёт Ковалёву до́ктор?
11. Как отно́сится к э́тому сове́ту Ковалёв?
12. С чем прихо́дит к Ковалёву кварта́льный надзира́тель?
13. Каки́е слу́хи хо́дят о но́се Ковалёва?
14. Как возвраща́ется нос на своё ме́сто?
15. Что вы ду́маете об э́том расска́зе?

TURGENEV

1. Где и когда происхо́дит де́йствие э́того расска́за?
2. Как зову́т расска́зчика?
3. Где нахо́дит он Луке́рью?
4. Почему́ он её зна́ет?
5. Как она́ оказа́лась в свое́й плету́шке?
6. Кто тако́й Ва́ся Поляко́в?
7. Что предлага́ет расска́зчик Луке́рье?
8. Почему́ она́ отка́зывается?
9. Каки́м о́бразом в расска́зе Луке́рьи появля́ется Жа́нна д'Арк?
10. Объясни́те назва́ние расска́за.

DOSTOEVSKY

1. В како́й фо́рме напи́сан э́тот расска́з?
2. О чём идёт речь во вступле́нии к расска́зу?
3. Почему́ расска́зчик попада́ет на кла́дбище?
4. Что он слы́шит?
5. Кто таки́е Первое́дов, Лебезя́тников и Клине́вич? Охарактеризу́йте их.
6. Как индивидуализи́рует Достое́вский язы́к свои́х персона́жей?
7. Какова́ развя́зка расска́за?
8. Что, по-ва́шему, хоте́л Достое́вский сказа́ть э́тим расска́зом?

TOLSTOY

1. Куда́ направля́ется архиере́й?
2. Заче́м он туда́ плывёт?
3. Почему́ он про́сит останови́ть кора́бль?
4. Кого́ нахо́дит он на о́строве?
5. Чему́ у́чит он трёх ста́рцев?
6. Почему́ три ста́рца догоня́ют кора́бль?
7. Как они́ э́то де́лают?
8. Что говори́т им архиере́й?
9. Что хоте́л сказа́ть э́тим расска́зом Толсто́й?

LESKOV

1. Что значит "штóпальщик"?
2. Скóлько расскáзчиков в éтом расскáзе и какúе мéжду нúми отношéния?
3 Кто глáвное лицó в расскáзе?
4. Кто такúе "старовéры"?
5. Кто такóй "Кóзырь"?
6. Почемý он так называéтся?
7. Почемý он вызывáет к себé Васúлия Кóныча?
8. Что он дáрит Васúлию Кóнычу?
9. Какóе услóвие он при éтом стáвит?
10. Почемý он éто дéлает?
11. Кто окáзывается трéтьим Лапýтиным?
12. Почемý Лапýтин уезжáет во Фрáнцию?
13. В чём заключáется ирóния éтого расскáза?

CHEKHOV

1. Какóй промежýток врéмени охвáтывает éтот расскáз?
2. Какúм óбразом читáтелю приоткрывáется прóшлое Вáрьки?
3. Что узнаёте вы из расскáза о хозяевах Вáрьки?
4. Какýю роль игрáют в расскáзе зелёное пятнó и тéни от пелёнок и панталóн?
5. Как прохóдит день Вáрьки?

SOLOGUB

1. Где происхóдит дéйствие éтого расскáза?
2. Кто такúе "áргусы"?
3. Охарактеризýйте отношéния мéжду Пáкой и егó мáтерью.
4. Как отнóсится отéц к продéлке мáльчиков?
5. Почемý мáльчики плáчут пóсле тогó как пронóсится Пáкин пóезд?
6. Что означáют, по-вáшему, заключúтельные фрáзы расскáза?
7. Чем осóбенно отличáется éтот расскáз от другúх в éтом тóме?

BUNIN

1. Кто действующие лица в этом рассказе?
2. Где они встречаются?
3. Что узнаёт читатель о их жизни в течёние рассказа?
4. Где они сходят с парохода и куда едут?
5. Зачем поручик идёт на почту?
6. Как он проводит врёмя после того?
7. Нравится ли вам этот рассказ? И почему он вам нравится или не нравится?

ZAMYATIN

1. Когда происходит дёйствие этого рассказа?
2. Какими образами пользуется автор, чтобы передать атмосфёру того периода?
3. В каком отношёнии друг к другу находятся Маша и Мартин Мартиныч?
4. О чём напоминает Маша Мартину Мартинычу?
5. Что знает Мартин Мартиныч, чего не знает Маша?
6. Что решает сдёлать Мартин Мартиныч?
7. Кто такие Обёртышевы?
8. Как описывает их автор?
9. Как Маша и Мартин Мартиныч справляют именины?
10. Какую роль играет в рассказе Сёлихов? Кто он такой?
11. Чем кончается рассказ?

BABEL

.1 Какую войну имеет Бабель в виду в этом рассказе?
2. От чьего имени ведётся рассказ?
3. Кто такой Афонька Бида?
4. Кого находят при дороге рассказчик и Грищук?
5. О чём просит Долгушов и что происходит затём?
6. Что значат послёдние слова, обращённые рассказчиком к Грищуку?

ZOSHCHENKO

1. С чьих слов рассказана эта история?
2. Почему она называется "святочной"?

3. Что пропи́сывает до́ктор больно́му?
4. Заче́м стару́шка прихо́дит на сле́дующий день к до́кто-
   ру?
5. В како́м ви́де нахо́дит до́ктор поко́йника?
6. Каку́ю роль игра́ют в расска́зе кало́ши?

A NOTE ON SOME PARTICLES AND CONJUNCTIONS

Russian is extremely rich in little words—some of them particles, others conjunctions—which do not lend themselves to a uniform rendering in English, their meaning depending on the context. Yet they affect very much the tone, the emotional coloring, the flavor of the sentence. Even though often they can be left untranslated, it is important that the student should grasp their force. Below an attempt is made to explain some of them which are frequently met with in the stories in this volume and for which the reader will not find exact English equivalents in the vocabulary. They occur particularly often in reported speech, and Gogol's, Dostoevsky's and Leskov's dialogues abound in them.

ведь can in most cases be translated as "after all"; sometimes as "you see," "you know," or "why" (used as an exclamation).

да, if not followed by a comma (when it means yes) usually means "and."

дескать (sometimes abridged to де) and мол are used to introduce reported statements and correspond to such expressions as "says he," "quoth he," but can often be left without translation if the reported nature of the statement is clear.

ж, же is an identifying or emphatic particle. Это он же написал, "It is he, too, who wrote this;" Я же говорил вам, "I did tell you, didn't I?" кто же не знал её! (Pushkin, The Stationmaster, p. 12) "And who did not know her?"

—ка. Used with imperatives, by way of additional exhortation. Дайте-ка мне посмотреть, "Just let me see."

—то can also be emphatic: Он-то знáет! "He does know!" This can be still further intensified by уж which has the same emphatic force: Уж он-то знáет! "He knows for sure!" Уж ей ли было не житьё! "Was it not a (good) life for her (of all people)!" (Pushkin, The Stationmaster, p. 14)

только, used as a conjunction, can often be translated as "but."

VOCABULARY

This is not a complete vocabulary but a list of less usual words which may not be familiar to a student after one year of Russian. All the nouns are given in the nominative case singular, except for words used solely or commonly in plural. The gender is indicated only for words ending in ь; otherwise the ending or the meaning should be the guide to the gender. In the case of words with a fill-vowel, its disappearance in declension is indicated as follows: ковёр,-вра. All the adjectives are given in the masculine form and all the verbs in the infinitive, except for some passive participles and certain impersonal and idiomatic expressions. Only that aspect of the verb is listed which occurs in the stories; the nature of the aspect is, however, always indicated, *i.* for imperfective, *p.* for perfective.

Other abbreviations used in the vocabulary:

acc., accusative	*iter.,* iterative
arch., archaic	*loc.,* locative
comp., comparative	*m.,* masculine
dat., dative	*mod.,* modern
dim., diminutive	*obs.,* obsolete
f., feminine	*part.,* participle
fig., figurative	*pejor.,* pejorative
gen., genitive	*pop.,* popular
instr., instrumental	*tr.,* transitive
intr., intransitive	*vulg.,* vulgar

авось, авось-либо perchance, maybe

азартно excitedly, recklessly

аккурат: в аккурат punctually

аккуратный neat

алебарда halberd

али, аль (pop.) for или, иль

алый scarlet

архиерей bishop

ассигнация banknote

атлас satin

аттестат diploma, certificate

бабочка butterfly

багор,-ра hooked pole

багровый purple

бакенба́рды sidewhiskers, muttonchops
баловство́ fun
бальзами́н balsamine
ба́рин gentleman, master
ба́рка barge
ба́рский aristocratic, seignorial
ба́рхат velvet
барча́та, pl. of барчо́нок, -нка dim. of ба́рин
бати́стовый cambric
ба́тюшка father (see also notes)
беда́ misfortune; на беду́ bad luck would have it
бе́дствие calamity
беззабо́тно in a carefree way
безлю́дный deserted
безме́здно free of charge
безме́рный immense
безмо́лвный silent
безобра́зие shocking, scandalous things
безобра́зный unsightly, ugly
безрассу́дно recklessly; pointlessly
безымённый, безымя́нный nameless, anonymous
белёсый whitish
беле́ться to show white
бережли́во with care
бе́режно carefully
берёза birch
бес demon, devil
бесе́дка garden-house
беспа́мятство panic, frenzy
беспе́чный carefree
беспрекосло́вно unquestion-ingly
беспреста́нно continuously, all the time
бессо́вестный unscrupulous
бессо́нница insomnia
бессты́дный shameless

бестолко́во senselessly
бесце́льный aimless
бира́ть, iter. of брать i. to take
би́сер beads
благобесе́довать to converse in a peaceful, friendly way
благовоспи́танный well-bred, well brought up
благогове́йно reverently
благоде́тель, m. benefactor
благоде́тельство benefaction
благодея́ние benefaction
благонаме́ренный well-intentioned
благополу́чно safely
благослове́ние blessing
благослови́ть p. to bless
блаже́нно blissfully
близору́кий nearsighted
блин pancake
блу́за smock
богаде́льня almshouse
богомо́лец, -льца pilgrim
богомо́лье pilgrimage
бо́дрый hale
бое́ц, -йца́ fighter, soldier
бой: с бо́ю by force
болва́н dummy
боле́зненный morbid, sickly
боло́нка lapdog
боло́тный marsh
болта́ться to dangle
больни́ца hospital
бо́льно (pop.) very, much
бормота́ть i. to mutter
борода́вка wart
босо́й barefoot
ботфо́рты top boots
бо́ты overshoes
боязли́во fearfully
бра́ниваться, iter. of брани́ться i. to bicker
бра́нный martial
бревно́ log
бред delirium, ravings
брезгли́вый squeamish

бри́тва razor
брить *i.* to shave
бритьё shaving
брюжжа́ть to grumble
брю́ки trousers
брю́хо belly
бу́бны, -ён diamonds (in cards)
бу́дничный workaday
буква́льно literally
бульва́р boulevard
бунт rebellion
бу́рка felt cloak
бурья́н weeds
бутербро́д sandwich
буфе́тчик butler, barman
быва́лый former

василёк, -ька́ cornflower
ва́тный of cottonwool
вво́лю to one's heart's content
ввяза́ться *p.* to butt in
ведро́ pail, bucket
ве́дьма witch
ве́жливость *f.* politeness, courtesy
век century
ве́ко, *pl.* ве́ки eyelid
велика́нский giant
венок, -нка́ wreath
венча́ние wedding
ве́ский weighty
весло́, *pl.* вёсла oar
весну́шка freckle
ве́тренность *f.* flightiness
ве́тхий very old
ве́тхость *f.* decrepitude
ве́ять *i.* to waft
вжа́ться *p.* to squeeze into
взбеси́ть *p.* to madden, anger
взвести́ куро́к *p.* to cock
взвизг scream
взви́ться *p.* to soar up
вздёрнутый upturned
вздор nonsense, rubbish

вздра́гивать *i.* to tremble, shudder
взять в толк *p.* to grasp, understand
виде́ние vision
ви́дывать, iter. of вида́ть to see
винто́вка rifle
висо́к, -ска́ temple
вистова́ть *i.* to whist, to lead
вицмунди́р civil servant's uniform
витри́на show case
вкуси́ть *p.* to taste
влады́чество dominion
вмя́тина dent
внеза́пно suddenly
вни́кнуть *p.* to go deeply into
внуша́ть *i.* to inspire, instill
вня́тный clearly audible
водопа́д waterfall
вожжа́ rein
воз cart
возвести́ть *p.* to announce
воздохну́ть *p.* (obs.) to sigh
возду́шный пиро́г soufflé
вози́ться *i.* to fuss
возле́чь *p.* (obs.) to lie
возме́здие retribution
вознагражде́ние remuneration
возни́кнуть *p.* to arise, spring up
возопи́ть *p.* to cry out
во́истину truly
во́йлочек, -чка dim. of во́йлок felt
волхвова́ние sorcery
волчо́к, -чка́ (spinning) top
волше́бник magician, wizard
во́льный free
вонзи́ться *p.* to get embedded

вонь, *f.* stench
вонять *i.* to stink
воодушевление animation
вопить *i.* to yell
вопль, *m.* yell, scream
вопросительный interrogatory
вопрошать *i.* to inquire
воробей, -ья sparrow
ворона crow
ворочаться=возвращаться *i.* to return
ворошить *i.* to stir
ворс nap
ворсистый nappy
воспринимать *i.* to sponsor (at baptism)
восторг delight, rapture
восторженно rapturously, ecstatically
воцариться *p.* to come to rule
впечатление impression
впечатлительность impressionability
впечатлительный impressionable
вполголоса in a low voice
впрямь truly, indeed
впутать *p.* to involve
враг enemy
вразумить *p.* to bring to senses
врата=ворота gate
врач physician
врозь apart
вселенная universe
всерьёз in all earnest
вскинуть *p.* to shoulder (rifle)
вскипеть *p.* to boil
вслед (за + instr.) after
вследствие in consequence of, as a result of
вслух aloud
вспархивать to flutter up
вспыльчивый impulsive, quicktempered

встревожиться *p.* to become anxious
встряхивать *i.* to shake, toss
вступиться *p.* to butt in, intervene
втайне secretly
вторить *i.* to echo
втягивать *i.* to draw in
вштуковать *p.* to piece in (fabric)
выбиваться *i.* to stray out
выверт (pop.) turning out
вывеска signboard
вывести *p.* to pen; to deduce; вывести детей to raise children
выговорить *p.* to utter
выгрести *p.* to rake out
выговор accent
выгода profit, benefit
выгодно profitable
выгоревший, part. of
выгореть *p.* to fade
выдавиться *p.* to be squeezed out
выезжать (на + loc.) *i.* to turn smg. to account
вызваться *p.* to volunteer
выискивать *i.* to search out
выйти в люди *p.* to rise in station
выкачивать *i.* to ladle out
выкидать *p.* (pop.) to throw out, to unfurl
вылежаться *p.* to have one's fill of lying down, to mature
вылечить *p.* to cure
вылить *p.* to pour out
вымести *p.* to sweep away
вымещать (на + loc.) *i.* to take out on somebody
вынюхивать *i.* to sniff out
выпихнуть *p.* to push out
выплюнуть *p.* to spit out

вы́просить *p.* to obtain by asking

вы́прямиться *p.* to stand erect

вы́пуклый bulging

вы́сечь *p.* to thrash, whip

вы́ситься *i.* to rise

вы́скочить *p.* to jump out

высокоме́рный haughty

вы́сохнуть *p.* to dry up

вы́теснить *p.* to squeeze out

вы́толкнуть *p.* to push out

вы́тянуться во фронт *p.* to stand at attention

вы́шитый embroidered

вы́шка vantage point

вяза́ться (к + dat.) *i.* to attach oneself to

гад vermin

га́дость *f.* nasty, disgusting thing or action

гайду́к outrider, footman

га́лстук tie

галу́н braid

гам din

гаси́ть *i.* to extinguish

герб coat of arms

ги́бельный destructive

ги́кнуть *p.* (coll.) to whoop

гла́вное the main thing, above all

гла́дкий smooth, flat

глас (arch.) voice

гласи́ть *i.* to proclaim, to run

гли́няный of clay

гло́тка gullet

глухо́й muffled

глушь, *f.* wilderness, back of beyond

глы́ба block, boulder

гнев anger, wrath

гневи́ть *i.* to anger

гне́вный angry, wrathful

гнездо́ nest

гнёздышко, dim. of гнездо́ nest

гнести́ *i.* to oppress

гнило́й rotten

гну́сный infamous

го́вор hubbub

голени́ще leg of a boot

головно́й vanguard

головокруже́ние dizziness

го́лубь, *m.* pigeon, dove

гонча́рный of pottery, earthenware

го́рбиться *i.* to stoop

горди́ться *i.* to be proud

го́рдый proud

го́рестный grievous

городи́шко, pejor. dim of го́род town, city

горсть, *f.* hollow of the hand, cupped hands

горшо́к, -шка́ pot

Госпо́дь, *m.* the Lord; Госпо́день the Lord's; моли́тва Госпо́дня The Lord's Prayer

гости́ница hotel, inn

гость, *m.* guest, visitor; в го́сти on a visit, as a visitor

госуда́рство state

госуда́рь, *m.* sovereign

гра́мота reading and writing

графи́нчик dim. of графи́н decanter

гребе́ц, -бца́ oarsman

грёза daydream

грёзиться *i.* to appear in daydreams

грех sin

гречи́ха buckwheat

гре́шный sinful

гри́венник 10-kopeck piece

гри́вна ten kopecks

грипп influenza

гроб coffin

громыхну́ть *p.* to clatter

грош quarter of a kopeck
гру́бость, *f.* coarseness,
  rudeness
гру́да heap, pile
гру́стный sad
гры́жа hernia
губе́рнский provincial
гуверна́нтка governess
гуде́ть *i.* to hum
гуса́р hussar

дабы́ in order to
дава́лец, -ьца customer
да́веча (pop.) the other day,
  recently
дави́ть to press
дави́ться *i.* to choke
да́вка jam, crush
дальнови́дность, *f.* foresight
дар gift
дари́тель, *m.* giver
дарова́ние talent
да́ром gratis
двойно́й double, twofold
дво́рник house porter
дворо́вый (челове́к) household serf
дво́рня household servants
дебоши́р rowdy
де́вственница virgin
дёготь, -гтя, *m.* tar
де́рзкий impertinent
дерзну́ть *p.* to dare,
  venture
дёрнуть *p.* to jerk
десна́ gum (in mouth)
деся́тский foreman
де́яться *i.* to come to pass
дитё (pop.) child, infant
добела́ to the point of
  whiteness
добро́тность, *f.* high
  quality
добы́ча prey, quarry
довело́сь *p.*: мне довело́сь
  I happened

довери́тельная на́дпись
  authorization
доводи́ться *i.* to have
  occasion
догада́ться *p.* to guess
долготерпе́нье endurance
должностно́е лицо́ official
до́лжность, *f.* office
доли́на valley
доложи́ть *p.* to report,
  announce
до́ля share
доморо́щенный homespun,
  homegrown
донести́ *p.* (на + acc.) to
  inform on
доно́с information (on
  someone)
дороговизна́ high cost
доса́да annoyance,
  vexation
доспе́хи (вое́нные) trap-
  pings (military)
доста́ть to reach, to fetch
дости́чь *p.* to attain, reach
досто́инство dignity
доходи́ть *i.* to reach;
  дохо́дна reaches
дохо́ды income
до́чиста clean (adv.)
драгоце́нный precious
дре́вко (flag)staff
дре́вний ancient
дремо́та slumber
дробь, *f.* (бараба́нная)
  tattoo
дрова́ firewood
друг с дру́жкой with one
  another
дря́блый flabby
дрянь, *f.* trash
дуби́на cudgel
дуга́ curve
ду́дочка dim. of ду́дка
  reed-pipe
ду́мка dim. of ду́ма thought,
  notion

дух spirit; smell; на духу́ at confession

духова́я печь oven

духо́вный clerical

ду́шный stuffy

дья́кон deacon

дьячо́к, -чка́ sexton

дыбы́: станови́ться на дыбы́ to rear

дыра́ hole

дыря́вый holey, full of holes

дю́жина dozen

еди́нственно solely

ежедне́вный daily

е́жели (pop.) if

е́жик: стри́женный ёжиком with a crew cut

е́житься i. to huddle oneself up

ей-Бо́гу (coll.) honestly, I swear

есте́ственник naturalist

естество́ essence, nature

жа́воронок, -нка lark

жа́дный greedy

жа́ждать i. to thirst, to crave

жа́лкий piteous

жа́лоба complaint

жа́лование salary, wages

жа́ловаться i. to complain

жать i. to reap

желтизна́ yellowness

жгу́чий burning

живопи́сец, -сца painter

живопи́сно picturesquely

жиле́т waistcoat

жили́ще dwelling, abode

жило́й inhabited

жильё dwelling

жужжа́ть to buzz

жук beetle

жу́ткий eerie, uncanny

жу́хлый withered, shrivelled

заби́ться p. to hide, find refuge

заблаговре́менно in good time

забо́р fence

заведе́ние establishment

заве́са curtain, screen

за́висть, f. envy

завоева́ть p. to conquer

заворкова́ть p. to start cooing

зага́р suntan

загла́вие title

заголи́ться p. to bare oneself

загоре́лый suntanned

загреме́ть p. to rumble, rattle

заде́рживаться i. to linger, to be held up

заде́ть p. to touch

задо́рный pert, quarrelsome

задохну́ться p. to suffocate

задрёмывать i. to doze off

заду́мчивость, f. pensiveness

задуши́ть p. to strangle

зажи́ть p. to begin to live

зажму́рить (глаза́) p. to screw up one's eyes, to squint

зазвене́ть p. to ring out

зазева́ться p. to gape at

зазыва́ть i. to call in

заи́скивающе ingratiatingly

за́йчик dim. of за́яц hare

зака́т sunset

закипе́ть p. to churn up

закла́д wager; би́ться, пойти́ об з. to make a wager

закла́дывать (экипа́ж, лошаде́й) i. to harness horses or horses to a carriage

заключе́ние conclusion, inference

заколоти́ть p. to board up

закоу́лочек, -чка back street

заколыха́ться *p.* to billow, sway

зако́нный orthodox, regular; legitimate

закрути́ть *p.* to wind up

закрути́ться *p.* spin, whirl

закряхте́ть *p.* to grunt

закуси́ть *p.* ⎫ to have
заку́сывать *i.* ⎰ a snack

залепета́ть *p.* to start babbling

залива́ть *i.* to flood

залива́ться *i.* to trill away

заме́тный conspicuous

замеша́тельство confusion, embarrassment

замеша́ть *p.* to confuse

замо́к, -мка́ padlock

за́мок, -мка castle

заморённый winded

замо́рская from overseas

за́мшевый of kid leather, chamois

замы́шленный *p.* part of
замы́слить *p.* to devise

занаве́ска curtain, blind

занемо́чь *p.* to fall ill

зано́зистый prickly

зано́счивый arrogant

запа́чканный soiled

запева́ла leader (of a choir)

заповѐдный secret

за́поведь, *f.* commandment

запроки́нуть *p.* to throw up

запро́шлым ле́том summer before last

запу́таться *p.* to get mixed up

запу́щенный neglected

запыха́ться *p.* to get out of breath

зара́нее beforehand

заря́ sunset; dawn

заслу́живать *i.* to deserve

заста́ва gate (of a city)

засте́нчиво shyly

засу́нуть *p.* to shove

засучи́ть *p.* to tuck up

затева́ть *i.* to undertake

зати́хнуть *p.* to hush

заткну́ть *p.* to stop up

затме́ние eclipse

затопи́ть *p.* to heat

заточи́ть *p.* to imprison, incarcerate

затреща́ть *p.* to begin rattling

затро́гивать *i.* to touch

затума́ненный misted over

заты́лок, -лка back of the neck

заутреня matins

захлёбываться *i.* to choke

захолу́стье Godforsaken place, back of beyond

захрипе́ть *p.* to wheeze, speak hoarsely

зацепи́ться *p.* to hook on to

зачаро́вано spellbound

зашата́ться *p.* to shake

зашнуро́вывать *i.* to lace up

за́яц hare

звене́ть to ring

звено́ link

зверь, *m.* beast

землеме́р land surveyor

земляни́ка strawberries

земля́нка mud hut

зла́то (arch.) = зо́лото gold

злострада́ние misfortune

змеи́но in a snakelike way

змѐйка dim. of змея́ snake

зна́мя banner

зна́тный aristocratic

зна́ться с + instr. to hobnob

значо́к, -чка́ badge

зной scorching heat

зрачо́к, -чка́ pupil of the eye

зре́лище sight, spectacle

зре́ние eyesight

зря for nothing
зы́бкость unsteadiness
зыбу́чий песо́к, -ска́ quicksands
иго́лка needle
изба́виться p. to get rid of
изби́ть p. to give a thrashing
и́зверг outcast
извеще́ние announcement
извива́ться i. to meander
извиня́ться i. to excuse oneself
извле́чь p. to extract
изво́зчик cabman, cab
издержа́ть p. to spend
изму́читься p. to get exhausted, worried
изнемога́ть i. ⎫ to get
изнемо́чь p. ⎭ exhausted
изнутри́ from inside
изобрази́ть p. to portray
изобрази́ться p. to be portrayed, expressed
изрече́ние saying, aphorism
изумле́ние amazement
изъясни́ться p. to explain
ика́ть i. to hiccup
имени́нник, имени́нница one whose nameday it is
имени́ны nameday
исказа́ться p. to get distorted
и́скра spark
и́скренний sincere
иску́сный skilful
иску́сство art, skill
испа́рина perspiration
испаря́ться i. to evaporate
испове́довать i. to confess (tr.)
испо́днее (пла́тье) underwear
испо́лниться p. to be filled
исполня́ть i. to carry out
испо́ртить p. to spoil, ruin
испра́вить p. to mend

испра́вно efficiently
испыта́ние ordeal
испыта́ть p. to experience
исступлённо frenziedly
истра́тить p. to spend
истяза́ние tormenting

каба́к pothouse, tavern
кабине́т study
каблу́к heel
каду́шка keg
кажи́сь (pop.) it seems
казённый of or pertaining to the government (see also notes)
казначе́й treasurer
каланча́ fire watchtower
кале́ка cripple
ка́менно-веко́вый of Stone Age
ка́мешек, -шка, ка́мушек, -шка dim. of ка́мень rock, stone
кана́ва ditch
кана́т rope, cable, howser
канда́льно (from кандалы́) fetter-like
канитель, f. red tape, mess
кану́н eve
каню́чить i. (pop.) to ask whiningly
ка́пать i. to drop
ка́пля drop
карту́з peaked cap
кастрю́лька saucepan
катава́сия hullabaloo
ката́ться i. ⎫ to roll
кати́ться p. ⎭
катафа́лк catafalque
ка́торга penal servitude
кафта́н caftan, long tunic
ка́чество quality
ка́яться i. to repent
ки́нуться p. to dash
ки́сточка (shaving) brush
кисть, f. tassel
ки́тель, m. tunic

кишки́, -о́к intestines
кла́дбище cemetery
кле́тка cage
клык tusk
клюв beak
клю́нуть (ды́рочку) to pick (a hole)
ключева́я (вода́) spring water
ковёр, -вра́: ковёр-самолёт magic carpet
ковче́г: Но́ев ковче́г Noah's Ark
ковырну́ть p. to poke
ко́готь, -гтя, m. claw
ко́жаный of leather
ко́злы box (of a carriage)
ко́зырь, m. trump
кой which
колдо́вка witch, sorceress
колдовство́ sorcery
колду́н wizard, sorcerer
колеба́ться to vacillate
коле́ни knees
колесо́ wheel
ко́ли (pop.) if
коло́дка boot tree
ко́лос ear of corn
коло́ть i. to stab
колпа́к nightcap
колча́н quiver
колыбе́ль cradle
колыха́ться i. to sway
коля́ска carriage
кома́р mosquito
комо́д chest of drawers
комо́к, -мка́ clod
конопля́ hemp
конто́рка (ticket) office
конура́ cubbyhole
кончи́на demise, passing away
кора́бль, m. ship
коренно́й native
ко́рка crust
корма́ stern (of a ship)
корми́лица wet nurse

корми́ться i. to earn one's livelihood
ко́рмчий helmsman
короле́вство kingdom
ко́рточки: на ко́рточках on all fours
корыстолюби́вый mercenary
коры́сть (f.): из коры́сти for mercenary reasons
коря́га snag
коса́ braid (of hair)
ко́свенно indirectly
косма́тый shaggy
косоворо́тка Russian shirt
костёр bonfire
ко́сточка stone (of a fruit)
кося́к jamb
кото́мка bundle
кра́жа theft
край land; edge
кра́йний extreme
кра́йность (f.): по кра́йности at a pinch, at least
кран faucet
крапи́ва nettles
красноко́жий Redskin
красть i. to steal
кра́сться i. to move stealthily
крахма́льный starched
кристи́ны christening
крёстная мать godmother
криво́й crooked; one-eyed
крои́ть i. to cut (clothes)
кропи́ть i. to sprinkle
крот mole
кро́шечный tiny
кроши́ть i. to crumble
круг circle
кру́жево lace
кружи́ться i. to circle
кру́жка mug
кру́пный large, major
кру́то steeply, sharply
крыжо́вник gooseberry
крыла́тый winged
крыло́ wing

крыльцо́ porch
крюк hook
кря́кнуть *p.* to grunt
кста́ти à propos, by the way
ку́дри curls, locks
кудря́вый curly
кури́ный hen's
куро́к, -рка́ cock (of a gun)
куса́ться to bite
ку́ча heap
куш tidy sum

ла́вочка dim. of ла́вка bench
ла́вочка dim. of ла́вка store;
  закры́ть ла́вочку to go out
  of business, to close shop
ла́вочник shopkeeper
ла́дан incense
ладо́нь, *f.* palm (of a hand)
лампа́дка ikon light
ла́ндыш lily of the valley
ла́сково gently, fondly
ла́сточка swallow
ла́ты coat of mail
лгать *i.* to tell a lie
лебёдка winch
ледни́к glacier
легкомы́слие flightiness
лего́нечко dim. of легко́
  lightly
лёгонький dim. of лёгкий
  light
ле́звие (also лезвиё) blade
лека́рство medicine
ле́карь, *m.* physician
леле́ять to cherish
лепёшка flat cake
ли́вень, -вня, *m.* shower
ливре́я livery
лило́вый violet, mauve
ли́па linden
листва́ foliage
лихора́дка fever
лицо́ face, person
личи́на disguise, mask
лишённый part. of лиши́ть
  to deprive

ли́шний superfluous
лобыза́ть (arch.) to kiss
ло́же couch
ло́жный false
ложь, лжи, *f.* lie
лосни́ться *i.* to shine
лохма́тый dishevelled
лохмо́тья rags
лук onion
лук bow
лука́во slyly
лучи́на kindlings
льди́на ice floe
льсти́вый obsequious
любова́ться *i.* to admire
  (the sight of)
ляга́вая hound
ля́згать to make clinking
  sound

мале́нечко dim of мале́нько
  just a little
мале́ц youngster
малоду́шие pusillanimity,
  cowardice
малосо́льный огуре́ц fresh
  pickled cucumber
ма́монт mammoth
мани́шка shirt front,
  dickey
масть, *f.* suit (in cards)
мастерово́й artisan
мастерство́ skill
мах: с ма́ху at a swing
маха́ть *i.* to wave
ма́хонький tiny
ма́чта mast
ма́ячить *i.* to loom
мгла haze
мгнове́ние moment, instant
ме́дный copper
мели́сса melissa or lemon
  balm
ме́лкий small
ме́льница coffee grinder
мере́щиться: мне мере́щится
  I seem to see

мерза́вец scoundrel, loathsome individual
мерза́вочка dim. of мерза́вка
  (f. of мерза́вец)
ме́рзкий loathsome
ме́рный measured,
  rhythmic
ме́ртвенный deathly
мертве́ц dead man
мести́ i. to sweep
мести́ться i. to be
  accommodated
ме́стность, f. locality
местоположе́ние location
ме́сяц moon
мета́ться i. to toss about
мига́ть i. to blink, to flicker
мизи́нный па́лец = мизи́нец
  little finger
милосе́рдие mercy
ми́лостиво graciously
ми́лость, f. favor; ва́ша
  ми́лость your worship
ми́лостынька dim. of
  ми́лостыня alms
мимолётный fleeting
ми́на expression of face,
  grimace
ми́ска bowl
Мле́чный путь Milky Way
мне́ние opinion
многосло́вие loquacity,
  verbiage
мно́жество multitude
моги́ла grave, tomb
моги́льщик gravedigger
могу́че mightily
мо́жет ста́ться may be
мозг brain
мокро́та phlegm
мо́лвить p. to say
моле́бен Te Deum
моле́льщик person who
  prays
моли́твенно prayerfully
моли́ться i. to say prayers
мо́рда mug

морщи́на wrinkle
мостова́я roadway
мо́ська pug
мота́ться i. to knock about
моше́нник rascal
мо́щи relic (of a saint)
мрак darkness, gloom
мудрёный outlandish
мудре́ц sage
му́дрый wise
му́мия mummy
мунди́р dress uniform
мураве́й ant
мурлы́кать i. to purr
му́ченик martyr
мучи́тельный agonizing
мще́ние revenge, vengeance
мы́лить i. to soap
мы́сленный mental
мыта́рства sufferings,
  ordeal
мышь, f. mouse
мя́млить i. to mumble
мя́та mint
мя́тый crumpled

набекре́нь aslant, atilt
на́бережная embankment,
  quay
наби́ться p. to crowd
наблюде́ние observation
набо́жность, f. devotion, piety
набрести́ p. to chance upon
навари́ть p. to cook a lot
наве́ртывать i. to pile on
наве́с awning
навести́ть p. to visit
наво́з manure
нага́йка whip
нагляде́ться p. to have one's
  fill of looking
нагна́ть p. to catch up
нагну́ться p. to bend down
наго́й naked, nude
нагоня́й scolding, dressing
  down
надгро́бная на́дпись epitaph

наделя́ть *i.* to bestow upon

надзо́р supervision

надиви́ться *p.* to have enough of wondering

надло́мленный cracked

надое́сть *p.* to bore; мне надое́ло I am fed up

надоу́мить *p.* to prompt

на́дпись, *f.* inscription

надтре́снутый cracked

наедине́ privately, tête-à-tête

нае́здница horsewoman

наже́чь *p.* to burn, to make red-hot

нажи́ть *p.* to make money, fortune

нажра́ться (vulg.) *p.* to eat a lot

на́земь to the ground

назида́тельный edifying

наизу́сть by heart

наказа́ть *i.* instruct

накалённый part. of накали́ть *p.* to make hot

накану́не on the eve, the day before

наклоня́ться *i.* to bend over

накопи́ть *p.* to accumulate

накопи́ться *p.* to get accumulated

накра́пывать *i.* to drizzle

нале́чь *p.* to set upon

нама́тывать *i.* to string

намедни́сь (pop.) the other day

наме́рение intention

намолча́ться *p.* to have one's fill of being silent

намочи́ть *p.* to soak

намы́лить *p.* to soap

нанима́ться *i.* to enroll for work

наперебо́й vying with one another

наплева́ть *p.* to spit мне

наплева́ть: I don't care a hoot

напра́шиваться *i.* to be asking for

напряжённо intensely

напрями́к bluntly

напу́тать *p.* to mix up

нара́доваться *p.* to have enough of rejoicing

наро́чно on purpose

нару́жность *f.* looks, appearance

насе́дочка dim. of насе́дка brood hen

наси́лу with an effort, with difficulty

наскочи́ть *p.* to jump upon

наслажде́ние delight

насле́дница heiress

насме́шка mockery

насме́шник scoffer

настави́тельный edifying, instructive

наста́вник instructor, mentor

наста́ивать *i.* to insist

нате́шиться *p.* to have one's fill of fun

наткну́ться *p.* to come across

наха́льный insolent

нахму́риться *p.* to frown

нача́льство one's superiors

нача́льствовать *i.* to preside over, rule over

нащу́пать *p.* to feel (by touch)

наяву́ in reality

небоскло́н horizon

небо́сь I expect, I daresay, one must: он небо́сь зна́ет I expect he knows

небреже́ние neglect

неве́ста fiancée, bride

нево́льный involuntary

негодова́ние indignation

негодя́й blackguard
негоциа́нт merchant
недале́че (pop.) not far
недове́рчиво incredulously
недомога́ние indisposition
недосмо́тр oversight
недосто́йный unworthy
недоуме́ние perplexity
недочёт deficiency
недурно́й not bad (looking)
неесте́ственно unnaturally
не́жность tenderness
незначи́тельный insignificant
незы́блемый immovable
неизъясни́мый ineffable
неиспра́вность, f. inneffi-
  ciency
не́истовый frenzied, frantic
не́когда: мне, ему́, etc.
  не́когда I have no time
не́когда once upon a time
некста́ти inopportunely
неле́пый absurd
нело́вко awkwardly
ненави́деть i. to hate
ненаме́ренно unintentionally
нена́стный: н. день rainy
  day; нена́стное вре́мя bad,
  foul weather
неогля́дный vast, fathom-
  less
неоднокра́тно more than
  once
неотло́жный urgent
неотлу́чно continually
неотрази́мый irresistible
непостижи́мо inconceivably
неправдоподо́бно unlikely,
  implausible
непреме́нно without fail
непристо́йный unseemly,
  indecent
непрое́зжий закоу́лочек not
  a through road
непро́чь: быть непро́чь not
  to be loth

нерадушно inhospitably
неразреши́мый insoluble
нерастор́жимый indis-
  soluble
неруши́мо inviolably
несбы́точный unreal, fan-
  tastic
несказа́нный ineffable
несно́сный intolerable,
  unbearable
несокруши́мый impregnable
несообра́зность incongruity
несподру́чно inconvenient
нестерпи́мо unbearably
неудержи́мо irresistibly
неумы́шленный unpremedi-
  tated
неуста́нный indefatigable,
  constant
неуте́шно inconsolably
не́хотя reluctantly
неча́янно inadvertently
нечувстви́телен insensitive
невя́вственно indistinctly
ни за что ни про что
  without rhyme or reason
низки́ bottoms (of trousers)
никелиро́ванный nickel-
  plated
нимб halo
ни-ни́ not a bit
ни́щий beggar, mendicant
новичо́к, -чка́ newcomer
новобра́чные newlyweds
но́мер room in a hotel
нора́ burrow
норови́ть i. to aim at, to be
  bent upon
нос (корабля́) prow
носи́ться i. to race, rush
  about
нрав disposition
нра́вственный moral
нра́вы mores, customs
ну́жды нет never mind
нутро́ innards
ны́не now, nowadays

нынче (pop.) now, today
ныть *i.* to ache
нюхательный olfactory

обби́ться *p.* to get frayed
обведённый encircled
обде́лать *p.* to carry out, accomplish
обе́дня liturgy, mass
обезнадёжить *p.* to discourage
оберну́ться *p.* + instr. to turn into
обже́чься *p.* to get burnt
оби́дчивый touchy
оби́дчик offender
обижа́ться *i.* to be hurt, offended
оби́льный abundant
оби́тель, *f.* abode
обихо́д routine
о́блако cloud
облегчи́ть *p.* to alleviate
обледене́лый ice-encrusted
облучо́к, -чка́ box (of a carriage)
обма́кивать *i.* to dip
обмундирова́ние equipment
обнажи́ться *p.* to bare oneself
ободня́вший part of ободня́ть to turn into day
обо́дрить *p.* to encourage
обо́дриться *p.* to be heartened, bucked up
обожа́ть *i.* to adore
обо́з wagon train
обозна́чить *p.* to designate, mark
обойти́сь *p.* (в + acc.) to come to (in money)
обокра́сть *p.* to rob
обольща́ться *i.* to flatter oneself
обоня́ние sense of smell
о́браз image, ikon
образова́ние education

обраще́ние treatment
обреми́заться *i.* to lose (at cards)
обро́к quit-rent
оброста́ть *i.* to grow over
обры́в cliff
обстоя́тельный detailed, circumstantial
обстоя́тельство circumstance
обступи́ть *p.* to surround
обсчи́тывать *i.* to shortchange
обтерпе́ться *p.* to get used to
обши́рный vast
обшла́г cuff (of a sleeve)
обще́ственный public, social
общежи́тельность *f.* sociability
общежи́тие civilization, social intercourse
обыва́тель resident
обя́занность *f.* duty
ове́чка dim. of овца́; заблу́дшая ове́чка stray lamb
овладе́ть *p.* to seize
овра́г ravine, gully
ога́рок end of candle
огляде́ться *p.* to look round
огра́да enclosure
огражда́ть *i.* to safeguard, protect
огуре́ц, -рца́ cucumber
одеколо́н eau de Cologne
одеревене́ть *p.* to become wooden
одино́чка: в одино́чку alone, singlehanded
одича́лый grown wild, neglected
однофами́лец namesake
одноцве́тный monochrome
одолжи́ть *p.* to lend
одува́нчик dandelion
одурма́нить *p.* to befuddle
ожива́ть *i.* to come to life

озабо́ченный worried
озаря́ть *i.* to illumine
окамене́лый petrified
оклевета́ть *p.* to slander
око́лица edge, outskirts of
a village
око́лыш band (of a cap)
окостене́ть *p.* to ossify
окре́стность *f.* neighborhood
оку́тать *p.* to wrap
о́ный (arch.) that one
опа́льный in disgrace
опа́сливо warily
опа́сность danger
оплоша́ть *p.* to make a slip
опоя́сать *p.* to girdle
опра́виться *p.* to recover
опушённый fringed
о́рден decoration
оре́шек, -шка dim. of оре́х
nut
орошённый (part. of оро-
си́ть) besprinkled
оса́да siege
оса́нка bearing
осве́домиться *p.* to inquire
осведомле́ние inquiry
оседа́ть *i.* to settle
осека́ться *i.* to misfire
осёл donkey, ass
осенённый shaded
оси́пнуть *p.* to grow hoarse
ослабе́ть *p.* to grow weak
ослепле́ние blindness
осложне́ние complication
осме́литься *p.* to dare,
venture
осмотри́тельно cautiously
основа́ние ground, basis,
foundation
особли́во especially
осо́ка sedge
оста́ток, -тка remainder
о́стров island
остр오коне́чный pointed
острота́ witticism
остроу́мие wit

остру́ганный whittled
оступи́ться *p.* to miss
footing
осужда́ть *i.* to condemn
отби́ться *p.* to fight off
о́тблеск glow
отва́л footboard
отверга́ть *i.* to reject
отве́рстие aperture,
opening
отве́шивать покло́ны *i.* to
make bows
отворя́ть кровь *i.* to let
blood
отвы́кнуть *p.* to get disused
отгова́ривать *i.* to try to
talk out of
отдалённый distant
отде́латься *p.* to get rid
отдыша́ться *p.* to recover
breath
оте́чество fatherland
отзыва́ться *i.* to respond
откидно́й reversible
откла́ниваться *i.* to take
leave
откли́кнуться *p.* to respond,
call back
отко́с slope
открове́нный outspoken
о́ткуп farming out, government contract
отло́гий sloping
отлуча́ться *i.* to absent
oneself
о́тмель, *f.* shallows
отнести́сь *p.* to refer to;
отнести́сь к + dat. to treat
оторопе́ть *p.* to be flabbergasted
отписа́ть *p.* to tell in
writing
отправля́ть *i.* to perform,
fulfill, carry out
отпу́тать *p.* to disentangle
о́троду in one's lifetime; of
age

отрубить *p.* to chop off
отставной retired
отстукивать *i.* to rattle off
отступать *i.* to retreat
отступиться *p.* to renounce
отчалить *p.* to sail away
отчаяние despair
отчество patronymic
отшучиваться *i.* to joke back
охать *i.* охнуть *p.* to groan, say 'Oh'
охота will, desire
охота: мне, ему, etc., I feel like, I wish
охотиться to hunt
охотник hunter
охотник до + gen. fond of
охоч fond of, addicted to
оцепенеть *p.* to become numb
очкастый bespectacled
очки eyeglasses
очко counter (of abacus)
очнуться *p.* to come to
ощущение sensation
ошеломить *p.* to stun

палевый straw-colored
палуба deck
памятник tombstone
память, *f.* memory
панталоны pants
паперть, *f.* porch (of church)
парень, *m.* lad, fellow
парус sail
паршивый mangy
пасека bee garden, apiary
пасквиль, *m.* lampoon
паства flock
пасти *i.* to tend (cattle),
пастырь, *m.* shepherd
патрон cartridge
пахнуть *i.* to smell

пахучий fragrant
пачкун sloven, dirty person
паспорт passport
певунья singer
пегий piebald
пелёнки, -ок diapers
перевестись *p.* to get transferred
перевешивать *i.* to outweigh
переворотиться *p.* to turn over
переглянуться *p.* to exchange glances
перегнуть *p.* to bend over
перегнуться *p.* to lean over
перегородка partition
передразнить *p.* to mimick
перекладные: ехать на перекладных to travel post, using relay horses
перекрестить *p.* to make the sign of the cross
переладить *p.* to change, rearrange
перемещение transfer
перенять *p.* to take over
пересилить *p.* to overcome
перестраиваться *i.* to reform
переторжка auction
перетянутый girdled
переулок, -лка side street
перехватить *p.* to overdo
переход march
перечинить *p.* to mend
пёстрый motley, particolored
печатка seal
печать press
печёный baked
пещера cave
пивовар brewer
пиджачный of coat
пирожное pastry
питаться *i.* to feed (intr.)

плакси́во tearfully
пла́менный fiery
плащ cloak
пла́щик dim. of плащ waterproof coat
плен captivity, bondage
плете́нь, *m.* wattle fence
плету́шка wattle shed
плечи́стый broadshouldered
плита́ slab
пли́тка dim. of плита́
пло́ский flat
плот raft
плотоя́дно lasciviously
плотоя́дный carnivorous
пло́тный solid
пло́шка saucer
площадна́я брань foul language
пло́щадь, *f.* square (in city)
плут rascal, rogue
плутовство́ roguery, swindle
плюма́ж plumes
плю́нуть *p.* to spit
плясово́й dancing
плясу́нья dancer
побе́г flight
побо́и beating
побре́зговать *p.* (+ instr.) to despise, to be squeamish about smg.
поброди́ть *p.* to wander a little
побы́вка visit
повали́ться *p.* to flop
по́вар cook, chef
повели́тельный imperative
пове́ргнуть *p.* to plunge
пове́рхность surface
пове́са rake
повествова́ние narrative
по́весть, *f.* story, tale
по́вод bridle; скома́ндовать по́вод to order advance
поворо́т turn
поврежде́ние damage

повремени́ть *p.* to wait a little
пога́снуть *p.* to be extinguished, to die (of light or fire)
погнуша́ться *p.* to despise, disdain
пого́ны shoulder straps
погоре́ть *p.* to burn
пого́ст churchyard
погрему́шка rattle
погуби́ть *p.* to ruin
погуто́рить *p.* (pop.) to chat
подави́ться *p.* to choke
пода́грик gouty person
пода́ть (экипа́ж, лошаде́й) to bring up (carriage, horses)
пода́ться *p.* to back, recede
подба́вить *p.* to add
подбуфе́тчик assistant barman
подвене́чный газ wedding veil
по́двиг great, heroic deed, exploit
подворси́ть *p.* to nap
поджа́ть хвост *p.* to put the tail between the legs
подзерка́льник mantelpiece or pier-glass table
подкра́дываться *i.*⎱ to steal
подкра́сться *p.* ⎰ up
подкупи́ть *p.* to bribe
подле́ц cad, knave
подлиня́лый faded
по́длость mean or base action
подмасте́рье apprentice
подми́гивать *i.* to wink
подмо́стки, -ок scaffolding
подмя́ть *p.* to squash
подно́с tray
подогрева́ть *i.* to warm up
подогре́тый warmed up
подозрева́ть *i.* to suspect

подорожи́ться *p.* to demand a high price
подо́шва sole
подо́швка dim. of подо́шва
подпира́ть *i.* to prop
подрема́ть *p.* to doze, snooze
подсказа́ть *p.* to chime in
подсоби́ть *p.* to assist
подстре́ливать *i.* to shoot up
подсу́нуть *p.* to shove under
поду́ть *p.* to blow
подуче́ние instigation
подшути́ть (над + instr.) *p.*
подшу́чивать *i.* to make fun of
подъе́зд entrance
пожа́ловаться *p.* to complain
пожа́луй daresay
пожа́ть плеча́ми *p.* to shrug shoulders
пожа́тые поля́ stubble (lit. reaped fields)
пожи́ва profit
пожило́й elderly
пожира́ть *i.* to devour
пожёлкнуть *p.* to yellow
пожу́хнуть *p.* to wither
позапро́шлый one before last
позвя́кивать *i.* to tinkle
по́иски search, quest
показно́й showy
пока́мест (pop.) while, for the time being
покати́ться со́ сме́ху to roll with laughter
поклева́ть *p.* to peck
поко́иться *i.* to repose
поко́йник, поко́йница the deceased
поко́йный the late
поколе́ние generation
поколо́ть *p.* to break into pieces
поко́рно docilely

покоры́ститься *p.* (на + acc.) to be after
покро́в pall
покрови́тельство protection
пола́мывать *i.* to crack (fingers)
по́ле background
поле́но log
ползти́ *i.* to crawl
полиня́лый faded
полково́й regimental
полоса́ strip, streak
полоска́ть *i.* to gargle
по́лно enough, no more
полотно́ желе́зной доро́ги railroad track
полти́на 50 kopecks
польщён flattered
полюби́ться *p.* to come to be liked
помере́ть *p.* (pop.) to die
помеша́тельство insanity, madness
помеща́ть *i.* to place, insert
помеще́ние premises, dwelling
помира́ть *i.* (pop.) to die
помо́лвить *p.* to betroth
помя́ть *p.* to crumple
понапра́сну in vain, for nothing
понево́ле willy-nilly
поню́хать *p.* to smell
поня́тие notion
поня́тливый quick on the uptake
поощри́тель sponsor
поп (pop.) priest
попа́хивать *i.* to smell
попо́дличать *p.* to act meanly
пора́ time, season; на пе́рвых пора́х at first, to begin with
поравня́ться *p.* to come abreast
пораздразни́ть *p.* to tease

поразить *p.* to strike

порог threshold

порода race

породниться *p.* to become related to

порскнуть *p.* to snort

портить *i.* to spoil, to ruin

портной tailor

поручение commission

поручни rails

поручик first lieutenant

порча evil eye, hoodoo

порывисто impulsively

порыться *p.* to fumble

порядок, -дка order

порядочный respectable

посвататься *p.* to make a proposal of marriage

послушный obedient

послюнить *p.* to wet with saliva

посметь *p.* to dare

постный lenten

постой sojourn, stay

посторонние strangers, outsiders

постоялец, -ьца lodger

поступок, -ка action

поступь, *f.* gait

посудить *p.* to judge

посуху along dry land

посыпаться *p.* to be showered

пот perspiration

потаскушка (pop.) slut

потёмки darkness

потереть *p.* to rub, scuff

потеха fun

потихоньку slowly, quietly

потолок, -ка ceiling

потоп flood

потормошить *p.* to stir

потрескивать *i.* to crackle

потужить *p.* to grieve

потупить глаза *p.* to cast eyes

потухнуть *p.* to get extinguished

потянуться *p.* to stretch

поучительный instructive

пофыркивать *i.* to snort

похвала praise, eulogy

похвалить *p.* to praise

похищать *i.* to kidnap

похороны funeral

похрапывать *i.* to snore slightly

почесть, *f.* honor

почесть *p.* to consider

почивать *i.* to rest

починиться *p.* to mend oneself

починка repair

почитай I reckon

почитать *i.* to respect, esteem

почтенье respect

пошепт whisper

пощупать *p.* to feel (by touch)

пояс girdle, belt

правдоподобие verisimilitude

правительство government

пребывание sojourn

пребыть *p.* ⎫ to stay, to be
пребывать *i.* ⎭ in, to remain

предел limit

предисловие preface

предложение proposal, offer

предок, -ка ancestor

предоставить *i.* to leave to

предположить *p.* to suppose, assume

предпочитать *i.* to prefer

предсказать *p.* to foretell

представить *p.* to present; hand over, deliver

представление notion

предуведомить *p.* to warn

предчувствие foreboding

предчу́вствовать *i.* to anticipate

презре́ние contempt

прекосло́вие gainsaying

преле́стный charming

пренебрега́ть *i.* to disregard, neglect

препя́тствие obstacle, hindrance

прескве́рный very bad

пресле́довать *i.* to pursue

пре́сный insipid

претерпева́ть *i.* to endure

прибе́гнуть *p.* to resort to

прибра́ть *p.* to tidy

приволокну́ться *p.* to flirt

привра́тник doorman

пригляде́ться *p.* to look closely

приде́ржка support

придра́ться к + dat. *p.* to pick on

придуши́ть *p.* to stifle

приёмная reception room

призёмистый stocky

признава́ться *i.* (в + loc.) to admit

прика́зчик bailiff

прикати́ть *p.* to come rolling

прики́нуться *p.* (+ instr.) to pretend to be

прикле́иваться *i.* to stick

приключе́ние adventure

прикосну́ться *p.* to touch

прили́чный decent, becoming

прильну́ть *p.* to nestle to

приме́та sign, omen

примѐтить *p.* to notice

принужда́ть *i.* to force

приня́ться за + acc. *p.* to set about

припа́сы provisions

приплюсну́ться *p.* to get flattened

приро́дный native

присво́ить *p.* to appropriate, embezzle

присе́сть *p.* to sit down for a while

приско́рбно a great pity

прислони́ться *p.* to lean on

прислу́га servants

прислу́живать *i.* to serve

присма́тривать *i.* to look after

приспосо́биться *p.* to adapt oneself

пристава́ть к + dat. *i.* to pester

приста́льно intently

приста́нище shelter

при́стань, *f.* landing stage

приста́ть *p.* to stick on

пристра́стие predilection, passion

присты́ть *p.* to become rigid

притащи́ть *p.* to drag up

притво́рный feigned

притворя́ться *i.* to pretend

притесне́ние oppression, victimization

притяза́ние claim

прихло́пнуть *p.* to slam

прихо́д parish

при́хоть, *f.* whim

прича́л moorings

прича́лить *p.* to put to shore

причаща́ть *i.* to give communion

причт chapter (of a church)

прищу́рить *p.* to screw up (one eye)

про́ба trial

пробаси́ть *p.* to say in a bass voice

про́бка cork

пробо́р parting

пробра́ться *p.* to make one's way

прови́нность *f.* fault, offence

провожа́тый guide

проволока wire
проворный nimble
прогнать *p.* to chase away
прогоны traveling
   allowance
прогреметь *p.* to roar,
   thunder
продажа sale
прожечь *p.* to burn
   through
прозвание last name
прозрачный transparent
происшествие occurrence
проклинать *i.* to curse
пролепетать *p.* to babble
пролётка cab
проливной дождь downpour
промежуток gap, interval
промотаться *p.* to go
   through a fortune
пронзительный piercing
пронимать *i.* to make smg.
   felt
пронюхать *p.* to sniff out
пропадать *i.* to be lost
пропить *p.* to drink away
пропускать *i.* to let through
прорываться *i.* to break
   through
просвещённый enlightened
прославить *p.* to glorify
простирать *i.* to stretch
простодушно naively
простолюдин plebeian
простонародный of the
   common people, folksy
простор expanse
проступить *p.* to come out,
   appear
протереть *p.* протирать *i.* to
   rub a hole in, to wear
   through
противный repulsive
противоречить *i.* to contra-
   dict
протяжный drawn out
профит advantage

прохаживаться *i.* to walk to
   and fro
прохладный cool
проховый loosely woven,
   flimsy
прочный solid
прошамкать *p.* to mumble
проюркнуть *p.* to slip past
проявиться *p.* to appear
прыщик dim. of прыщ pimple
прядь, *f.* lock (of hair)
прямёхонько straight,
   directly
псаломщик psalmodist
пташка (pop.) birdie
пузыриться *i.* to billow
пулемёт machine-gun
пуля bullet
пунктирный dotted
пустыня desert
пустырь, *m.* vacant lot
пустяк trifle
путный sensible
пухнуть *i.* to swell, get
   swollen
пучить *i.* to bulge (eyes)
пьяница drunkard
пылать *i.* to flame
пыль, *f.* dust
пятак 5-kopeck piece., dim.
   пятачок, -чка
пятно patch, spot
пяток five of something

раб slave, serf, servant;
   раб Божий servant of
   God
равнодушный indifferent
радушно hospitably
разбирать *i.* to unpack
разбойник brigand
разборчивый discriminat-
   ing, fastidious
разбросать *p.* to throw
   apart
развеваться *i.* to wave,
   flutter, stream

разве́дчик scout
разве́ситься *p.* to be hung
развлека́ться *i.* ⎫ to distract
развле́чься *p.* ⎭ oneself
развле́чь to distract
развози́ться *p.* to make fuss
разворожи́ть *p.* to counter-charm, undo the spell
развра́т debauchery
разврати́ть *p.* to debauch
развра́тный dissolute, debauched
разга́дка solution (to a puzzle)
разгово́рка (pop.) chat
разго́н: в разго́не out, on the run
разгуля́ться: не́рвы разгуля́-лись nerves are on edge, gone to pieces
разда́ться *p.* to sound
разде́лка (pop.) showdown
раздоса́дованный annoyed, vexed
раздража́ть *i.* to irritate
раздражи́тельный irritable
раздува́ть *i.* to blow out
развева́ть *i.* to open wide
разжа́ть *p.* to unclasp
рази́ть *i.* (pop.) to smell strongly
разлете́ться *p.* to come flying
разлинёвывать mod. разли-нёвывать to rule (lines)
различи́ть *p.* to distinguish
разложи́ть *p.* to unpack
разложи́ться *p.* to decay
размина́ть *i.* to massage
размота́ть *p.* to unfurl
размышля́ть *i.* to meditate
разнообра́зный diverse
разноцве́тный multicolored
разобра́ть *p.* to make out
разоре́ние ruin
разори́ться *i.* to get ruined

разреши́ть язы́к *p.* to loosen the tongue
разреши́ться *p.* to be solved
разря́д class, category
разуме́ется of course, goes without saying
разуме́ть *i.* to understand, assume
разутю́живать *i.* to press (with iron)
разъезжа́ть *i.* to drive about
разъезжа́ться *i.* to disperse
разыгра́ться *p.* to play up
ра́йский heavenly
раки́та broom
ра́на wound
ра́неный wounded
раскали́ть *i.* to fan
раскача́ть *p.* to shake up
раска́яние repentance
раска́яться *p.* to repent
расплати́ться *p.* to settle accounts, to pay up
распоряди́ться *p.* to give orders, make arrangements
распоряже́ние order, instruction
распространя́ться *i.* to spread
рассе́янность, *f.* distraction
рассе́янный scattered
рассла́бленный debilitated
рассма́тривать *i.* to examine, scrutinize
расста́вить *p.* ⎫ to place,
расставля́ть *i.* ⎭ arrange
расста́ться с + instr. *p.* to part with
расстро́енный upset
рассуди́тельный sensible
рассыпа́ться *p.* to scatter
растолкова́ть *p.* to explain
растрепа́ть в пух *p.* to tear to pieces
расчёсывать *i.* to comb
расша́ркаться *p.* to click heels

расшиби́ться *p.* to hurt oneself

ра́ут party

рёв roar

ревизова́ть *i.* and *p.* to audit

реда́кция editorial office

реди́с radish

ре́дкий rare, infrequent

рези́нковый obs. for рези́новый rubber

реме́нь, -мня́ strap

ре́па turnip

ресни́ца eyelash

рессо́ра spring (of a carriage)

реце́пт recipe, prescription

реша́ться *i.* to make up one's mind

решётка grille

реши́тельно positively

ржа́вый rusty

рисова́ться *i.* to be outlined

ро́бкий timid

ро́бость, *f.* timidity

ро́дственник, ро́дственница relative

рого́жа sacking

рожь, ржи, *f.* rye

ро́йться *i.* to swarm

роково́й fateful

ром rhum

ро́пот murmur

роса́ dew

роско́шный luxurious

ро́скошь, *f.* luxury

ро́тмистр cavalry captain

руба́ть *i.* pop. for руби́ть

руби́ть to chop

ру́бленый chopped

ру́бище rags

руга́тельство term of abuse

рука́в sleeve

руль, *m.* rudder, helm

румя́нец flush

рундучо́к, -чка́ porch

рыба́к fisherman; dim. рыбачо́к, -чка́

рыжева́тый reddish

ры́нок, -нка market

ры́скать *i.* to scour

ры́ться *i.* to dig, burrow

ряби́ть (в глаза́х) to become blurred

ряби́ть to ripple

рябь, *f.* ripple

ря́дышком dim. of ря́дом next to

ря́ска dim. of ря́са cassock

са́ло lard

са́мка female

самобы́тный original

сара́й barn

са́харная голова́ sugar loaf

сбо́рочки dim. of сбо́рки pleats

сва́дьба wedding

сва́тание matchmaking

све́дущ expert, knowledgeable

свёрток, -тка bundle, roll

сверхъесте́ственный supernatural

сверчо́к, -чка́ cricket

светоно́сный radiant

све́тский worldly, social

свиде́тельство certificate

свире́по fiercely

свиста́ть *i.* } to whistle
сви́стнуть *p.* }

свить гнездо́ to build a nest

сво́ды vaults

свято́й saint

свя́точный Yuletide

свяще́нник priest

сгла́зить *p.* to cast an evil eye

сгнить *p.* to rot

сго́рбленный stooping

сда́ча deal

сдува́ть *i.* to blow off

сду́ру foolishly

седина́ grey hairs
седло́ saddle
седовла́сый greyhaired
седо́й greyhaired
сей (arch.) this
селёдка herring
се́мя seed
се́ни entrance hall
се́нички dim. of се́ни
се́но ħay
середа́ = среда́ Wednesday
сердоли́ковый cornelian
серёжки dim. of се́рьги
   earrings
серохо́ботый greytrunked
серп sickle
серту́к obs. for сюрту́к
   frockcoat
сестра́ милосе́рдия medical
   nurse (lit. sister of mercy)
сиде́лец, -ьца shop assistant
си́литься i. to endeavor,
   try hard
си́плый husky
сире́невый mauve
сирота́ orphan; dim. сиро́тка
сия́нье radiance
ска́зывать iter. of сказа́ть to
   tell
скала́ rock
сканди́ровать to drawl
скачо́к, -чка́ leap
сква́жина gap, crack
скве́рный bad
сквознячо́к, -ка́ dim. of
   сквозня́к draught
скла́дка fold
скло́нный inclined
скля́ночка dim. of скля́нка
   (little) bottle
ско́бки, ско́бок parentheses
скова́ть p.   } to shackle
ско́вывать i.   ∫
ско́мканный crumpled
сконфу́зить p. to embarrass
сконча́ться p. to pass away
ско́рбный grievous

скорбь, f. grief
скорёхонько very quickly
скорлупа́ shell
ско́рченный twisted
скоти́на brute
скрести́сь i. to scratch
скриви́ться p. to make a
   wry face
скрип creaking
скрипе́ть i. to creak
скро́мность f. modesty
скули́ть i. to whine
скуфья́ skull-cap
сла́дкое dessert
сладостра́стный voluptuous
сле́дствие investigation
слёзный tearful
слепи́ть i. to dazzle
сли́ва plum
слива́ться i. to merge
сли́вки cream
сли́пнуть p. to run into
слог style
слух rumor
сля́коть, f. slush
смазли́венькая dim. of смазли́-
   вая pretty, comely
смани́ть p. to entice
смекну́ть p. to realize
смени́ть p. to replace
смерка́ться i. to grow dark
сме́ртный mortal
сме́та estimate
смета́ть p. to tack together
смеща́ть i. to dismiss, fire
смигну́ть p. to blink away
смире́нный ħumble
смири́тельный дом lunatic
   asylum
смоли́стый jet-black
сморка́ться i. to blow one's
   nose
смо́рщенный wizened
смотри́тель superintendent
сму́глый dark-complexioned
смуща́ться i. to be
   embarrassed

смы́ться *p.* (vulg.) to make off

сни́кнуть *p.* to droop

снисходи́тельно leniently

собесе́дник interlocutor

собла́зн temptation

соблазни́тельный tempting

соблазня́ть *i.* to tempt, seduce

собо́р cathedral

со́бственно really, as a matter of fact

собственнору́чно with one's own hands

собы́тьице dim. of собы́тие event

со́вестно shameful

сова́ться *i.* to butt in, poke one's nose into

со́весть conscience

совме́стный compatible

согреши́ть *p.* to sin

сожали́тельный compassionate

созна́ние consciousness, awareness

сойти́ с ума́ *p.* to go mad

со́кол falcon

солга́ть *p.* to tell a lie

солнцепёк: на солнцепёке right in the (blazing) sun

соловей, -вья́ nightingale

сомнева́ться *i.* to doubt

сообража́ть *i.* ⎫ to consider,
сообрази́ть *p.* ⎭ realise

сообра́зно in conformity with

соотве́тственно accordingly

сопля́к (vulg.) sniveller

сопряжённый с + instr. involved in

соро́ка magpie

соро́чка shirt, shift

сосло́вие estate, calling

сослужи́вец, -вца fellow worker

сосредото́чиваться *i.* to concentrate

сострада́ние compassion

со́хнуть *i.* to pine away

соче́льник Christmas Eve

сочини́ть *p.* to compose, invent

со́чный juicy

спаса́ться *i.* to seek salvation

спекуля́тор profiteer, racketeer

списа́ть *p.* to copy

спи́ться *p.* to drink oneself to death

сплеск splash

сполза́ть *i.* to crawl down

спотыка́ться *i.* to stumble

спросо́нья half-awake

сравне́ние comparison

сра́внивать *i.* to compare

сребролюби́вый mercenary (lit. silver-loving)

срыва́ться *i.* to tear off

сря́ду on end, running

ссыла́ться *i.* (на + acc.) to refer to

старика́шка pejor. dim of стари́к old man

старушо́нка pejor. dim. of стару́ха old woman

стате́йка dim. of статья́ article

старьё old things, junk

ста́тный well-built

стащи́ть *p.* (pop.) to pinch

стебелёк, -ька́ dim. of сте́бель stem, stalk

стега́ть *i.* to whip

сте́лечки, -чек dim. of сте́льки insoles

сте́пень, *f.* degree

стере́чь *i.* to guard, watch over

стира́ть *i.* to wash (clothes)

сти́снуть зу́бы *p.* to clench teeth

стойло stall

столица capital

сторона parts

сторониться *i.* to keep aside, aloof

стоять *i.* to be staying

странница wanderer

страстно passionately

страшиться *i.* to fear

стрела arrow; корабельная стрела, derrick, sheer

стрелять *i.* to shoot, fire

стремя stirrup

струйка, dim. of струя jet (of water)

стрястись *p.* to befall

стукаться *i.* to bump

стыдиться *i.* to be ashamed

ступица nave, hub (of a wheel)

стэк swagger-stick

сударь, *m.* sir

судно vessel

судорожно convulsively

судьба fate

суета vanity

суетиться *i.* to fuss, bustle

сукин сын (vulg.) son of a bitch

сукнецо dim. of сукно cloth

сулить *i.* to promise

сумасшедший mad (man); сумасшедший дом lunatic asylum

сумерки, -ек twilight, dusk

сумрачный gloomy, somber

супруга spouse

сургуч sealing wax

существо creature

существование existence

сущий veritable

сущность: в сущности as a matter of fact

схватиться на смерть *p.* to grapple in death struggle

сходни, -ен gangway

схороненная pass. part of схоронить to bury

счесть *p.* to count

счётец, -тца dim. of счёт account, bill

счёты abacus

съёживаться *i.* to contract

сюсюкать *i.* to lisp

табакерка snuff-box

таинство mystery

тайна secret

таковой such

так-сяк this way and that

талия waist

таратайка gig

таскаться *i.* to drag oneself

таять *i.* to melt

тварь, *f.* creature

твердить *i.* to keep saying

тележка dim. of телега cart

телец, -льца calf

теплиться *i.* to flicker

теребить *i.* to finger

терпение patience

теснота crowded state

тетерев black grouse

тёща mother-in-law

тихоня a quiet one

товар merchandise

токмо (obs.) only

толчок, -чка push, jolt

томить *i.* to weary, torment

томный languid

топор ax

топорище handle of an ax

торчать *i.* to stick out

тосковать *i.* to pine away

тракт route

трапеза meal

трезвый sober

трель, *f.* trill

трепетать *i.* to tremble

трепетный flickering

третьеводнишний of the day before yesterday

трогательно touchingly

Тро́ица Trinity

тро́нуться to begin decaying

тропи́нка path

трос cable, howser

тро́сточка dim. of трость, f. cane, walking stick

труба́ (подзо́рная) telescope, spyglass; т. (дождева́я) rainspout

труба́ч bugler

труби́ть i. to trumpet

труп corpse

тря́пка rag

ту́же comp. of туго́й

тузи́ть i. to pommel, punch

ту́каться i. to bump

ту́ловище torso, body

тулу́п sheepskin coat

тума́нить i. to befuddle

ту́мба curbstone

ту́по dully

ту́скло dimly

тща́тельно thoroughly

тще́тный futile

тьма myriad

тьфу pshaw

тыл rear, back

тя́гостный painful

тя́жкий painful, heavy

тяну́ться i. to stretch

убаю́кивать i. to lullaby

убеди́ть p. to persuade, convince

убежда́ть i. to try to persuade

уби́йственный devastating, disastrous

уважа́ть i. to respect, esteem

уве́тливый affable

увеща́ние exhortation

увещева́ть i. to exhort

уво́лить p. to be excused

уговори́ть p. to talk into

угоди́ть p. to please

уго́дия lands

уголо́чек, -чка, dim. of уголо́к dim. of у́гол corner

у́гольничек, -чка dim. of у́гольник set square

у́гольный coal-black

угро́за threat

угрю́мо morosely

удовлетворе́ние satisfaction

удостовере́ние certificate

у́дочка fishing rod

уе́здный district

у́зел, -зла́ knot

ука́зывать i. to indicate

уко́л prick

укори́зна reproach

укро́п dill

у́ксус vinegar

у́лей, -ья beehive

улизну́ть p. to slip away

уличи́ть p. to unmask

улучи́ть мину́ту p. to catch a moment

уме́ренный moderate

умере́ть p. to die

умилённо with emotion

умо́лкнуть p. to fall silent

умоля́ть i. to implore

умча́ться p. to dash off

у́мысел design

унима́ть i. to try to quieten

уничто́жить p. to destroy, abolish

у́нтер-офице́р NCO

уны́лый melancholy

уня́ться p. to quiet down, subside

упира́ться i. to butt on

упи́танный fatted

упова́ние hope, aspiration

уподобля́ться i. to become similar to

упомина́емый mentioned

упо́р: в упо́р point-blank

употребле́ние use, usage

упря́мство obstinacy

у́сики dim. of усы́ moustache

ускака́ть p. to gallop away

услащённый sweetened
услуга favor
услужение service
услужливый obliging
усмехнуться *p.* to grin
устоять *p.* to stand the
  ground
утерпеть *p.* to withstand
утешить *p.* to comfort
утиральник (pop.) towel
утратить *p.* to lose
утроба womb
утюг iron (for pressing)
ухнуть *p.* to produce a loud
  sound
участие sympathy
участник participant
учёность, *f.* learning
ушат tub
ущерб damage
ущипнуть *p.* to pinch

фамилия surname
фасонисто stylishly
фея fairy
фистула falsetto
флакончик dim. of флакон
  phial
флигелёк, -лька dim. of
  флигель wing of a house;
  also cottage
фокус trick
фрак tailcoat
франт dandy
фронтон pediment
фуражка peaked cap
фуфайка (woolen)
  undershirt

халат dressing gown
хилый debile
хирагрик arthritic person
хитрый sly, cunning
хлоп! bang!
хлопотать *i.* to solicit
хмелён from хмельной tipsy
хмуриться *i.* to frown

хмуро frowningly,
  gloomily
хобот trunk (of elephant)
ходить за + instr. *i.* to look
  after
ходьба walk, walking
хозяйствовать *i.* to keep
  house
холка withers
холоп flunkey, menial
холостой single (un-
  married)
холстинковый gingham
холуйский knavish
хорошенький pretty
хорошенько properly
хохотунья one given to
  laughing (fem.)
храм temple, church
хранить *i.* to keep
храпеть *i.* to snore
хребет: спинной хребет, -бта
  spine
хрюкать *i.* to grunt
хуторок, -рка dim. of хутор
  farmstead

царственный royal, regal
целковый one rouble
цепочка chain
цигарка cigarette
цирюльник barber
цыплёнок, -нка chicken

чай I expect
чайка gull
чародейка sorceress
чахнуть *i.* to pine away
чваниться *i.* to get stuck
  about
чемодан suitcase
чепуха nonsense, rubbish
черви hearts (in cards)
червонец, -нца 10-rouble
  piece
черепок, -пка crock
черпак dipper

VOCABULARY

чéстное слóво word of honor
честь, *f.* honor
чёткий clear, legible
чехóл, -хлá case
чин rank, grade
чи́нный prim
чинóвник civil servant, official
чинóвный high-ranking
чихнýть *p.* to sneeze
член limb
чрезвычáйно exceedingly
чрезмéрный excessive
чугýнный cast iron
чýдо miracle
чудóвище monster
чýять *i.* to sense, feel

шармáнщик hurdy-gurdy man
шатáться *i.* to stagger
шерсть, *f.* wool; (of dog) hair
ширь, *f.* width, expanse
швейцáр janitor, doorman
швырнýть *p.* to toss
шевельнýть *p.* to stir
шéлест rustle
шёлковый silken
шелуди́вый mangy
шелухá peel
шероховáтый rough
ши́бко fast
шинéль, *f.* (military) overcoat
ши́рма screen
шитьё needlework, embroidery
шифоньéр chiffonier
шкýра hide

шлáфорк obs. for шлáфрок dressing gown
шлифовáть *i.* to polish
шоссé highway
шпи́лька hairpin
шпóры spurs
штáтский civilian
штóпать *i.* to darn, mend
штóпка darning
штóпор corkscrew
штукóвка invisible mending
шуршáть to rustle
шутли́во jokingly
щади́ть to spare
щегольскóй elegant, smart
щегольствó elegance, smartness
щéдро generously, lavishly
щекотáть to tickle
щекóтно ticklish
щёлкать *i.* to click
щёлкнуть *p.* to give a flick
щелчóк, -чкá flick
щепáть to split (wood)
щéпочка dim. of щéпка chip, splinter
щéпы chips
щи cabbage soup
щýпать *i.* to feel (by touch)
щýриться *i.* to screw up one's eyes

эполéты epaulettes

ю́ношество youth
ю́ркий nimble

язы́чник heathen, pagan
я́корь, *m.* anchor
ямщи́к driver
я́рмарка fair
я́щерица lizard

PUBLISHER'S NOTE

We wish to thank the hundreds of teachers of foreign language whose suggestions and interest encouraged us to undertake the Bantam Dual-Language Books. Decisions regarding format, teaching aids, and orientation are based upon advice generously given in discussions and in response to our several mailings.

Several factors were considered in the selection of the short stories. Length and level of difficulty had to be taken into account. Equally important was the matter of prior usage. We wanted to avoid overworked masterpieces whenever it was possible to represent an essential author with a less familiar work of equal power and artistry. In this way we hoped to preserve literary values, while affording the teacher and the student the pleasant stimulation of new materials.

The Bantam Dual-Language Books also represent a signal departure in language teaching methods. While bilingual textbooks have been published in Europe for decades, language teachers in the U.S.A. have been restricted to more traditional methods which are proving increasingly inadequate. With the conventional "Reader," students spend most of their time looking up words in the vocabulary and writing translations directly in their texts. When called upon to recite, they fool themselves as well as the teacher by reading between the lines. Word hunting is tedious and ineffectual; few words are actually learned in the process, and the words fished out of the vocabulary are not always the right ones.

In the Bantam Dual-Language Books a complete and faithful English rendering faces the foreign language text. The student is able to follow the whole of the original, thereby absorbing a great deal of vocabulary while observing the syntactical and structural differences between the languages. There are also notes on intricate points, unusual turns of expression, and background material.

The Dual-Language Books have been conceived primarily with the intermediate student in mind: that is, for use *during* the second year of college, or the third year of high school study. But the individual student or teacher will find that the bilingual format can be adapted to a wide range of situations. The more advanced student will read principally in original, comfortable in the assurance that the notes and ulary will supply most of his needs—while the translation is readily available to aid with passages of more than average difficulty. The beginning student will refer more frequently to the translation, though he or the instructor may occasionaly find it advisable to cover all or part of it—as, for example, in classroom recitation.

The questionnaire to each selection suggests brief, written replies or conversations in the original language between the teacher and the student. In short, the hours saved from word-hunting and interlinear note-taking may now be devoted to intensive language study, vocabulary building, and conversation.

The Dual-Language format also provides a unique aid to practice translation. Once again the student must cover the English text and proceed, working only with the vocabulary and notes. The initial, rough translation may be revised and styled to avoid cumbersome constructions. Then the student may uncover the facing page where he will find a translation which is faithful without being awkwardly literal: one which will guide him to good, graceful English translation, yet not confuse him with the freedoms of a rendering conceived in solely literary terms.

Additional informal uses of this volume are many and widely varied. Comparative literature students, even if their knowledge of a foreign language is scanty, will now be able to cope with European masterpieces in the form in which they were written. Those who have had only a smattering of a language, or those who have been unable to follow up a course of basic instruction can now do so with great ease and with the pleasure of immediately reading the stories in the original. Those preparing for travel, business, or special examinations will also find these books invaluable. And, finally, everyone who enjoys short stories will find here a brilliant and stimulating collection—including pieces which are not available in any other edition published in this country.